主編◎錢超塵
副主編◎王育林　劉陽

明『醫統』本《靈樞》
明熊宗立本《靈樞》

《黃帝内經》版本通鑒　第二輯

U0239650

北京科学技术出版社

圖書在版編目（CIP）數據

明“醫統”本《靈樞》 明熊宗立本《靈樞》/ 錢超塵主編. —北京 : 北京科學技術出版社, 2022.1
（《黄帝内經》版本通鑒 ; 第二輯）
ISBN 978 – 7 – 5714 – 1835 – 9

Ⅰ. ①明… Ⅱ. ①錢… Ⅲ. ①《靈樞經》 Ⅳ. ①R221.2

中國版本圖書館 CIP 數據核字（2021）第188354號

策劃編輯：侍 偉 吴 丹
責任編輯：吴 丹
責任校對：賈 榮
責任印製：李 茗
出 版 人：曾慶宇
出版發行：北京科學技術出版社
社 址：北京西直門南大街16號
郵政編碼：100035
電話傳真：0086-10-66135495（總編室） 0086-10-66113227（發行部）
網 址：www.bkydw.cn
印 刷：北京七彩京通數碼快印有限公司
開 本：787 mm × 1092 mm 1/16
字 數：461千字
印 張：38.5
版 次：2022年1月第1版
印 次：2022年1月第1次印刷
ISBN 978 – 7 – 5714 – 1835 – 9

定 價：**890.00元**

《〈黄帝内經〉版本通鑒·第二輯》編纂委員會

主　編　錢超塵

副主編　王育林　劉　陽

前言

中醫學是超越時代、跨越國度、具有永恒魅力的中華民族文化瑰寶，是富有當代價值、維護人體健康的生命科學，它將伴隨中華民族而永生。中醫學核心經典《黄帝内經》（包括《素問》和《靈樞》），奠定了中醫理論基礎，指導作用歷久彌新，是臨床家登堂入室的津梁，是理論家取之不盡的寶藏，是研究中國傳統文化必讀之書。

讀書貴得善本。章太炎先生鍼對中醫讀書不注重善本的問題，指出『近世治經籍者，皆以得真本爲亟，獨醫家爲藝事，學者往往不尋古始』，認爲這是不好的讀書習慣。他又説：『信乎，稽古之士，宜得善本而讀之也！』閱讀《黄帝内經》，必須對它的成書源流、歷史沿革、當代版本存佚狀況有明確的認識，纔能選擇佳善版本，獲取真知。

《黄帝内經》某些篇段成於战國時期，至西漢整理成文，《漢書·藝文志》載有『《黄帝内經》十八卷』。西晋皇甫謐《鍼灸甲乙經》類編其書，序云：『《黄帝内經》十八卷，今《鍼經》九卷，《素問》九卷，即《内經》也。』這説明《黄帝内經》一直分爲兩種相對獨立的書籍流傳，一種名《素問》，一種名《鍼經》。《鍼經》即《靈樞》的初名，在流傳過程中也稱《九卷》《九靈》《九墟》，東漢末期張仲景、魏太醫令王叔和均引用過《九卷》之名。

《素問》的版本傳承相對明晰。南朝梁全元起作《素問訓解》存亡繼絶，唐初楊上善類編《黄帝内經太素》取之。唐乾元三年（七六〇）朝廷詔令將《素問》作爲中醫考試教材。唐中期王冰以全元起本爲底本作注，收入『七篇大論』，改爲二十四卷八十一篇，爲《素問》的流行奠定了基礎。北宋天聖五年（一〇二七）、景祐二年（一〇三五），以全元起本爲底本的《素問》兩次雕版刊行。北宋嘉祐年間（一〇五六至一〇六三）校正醫書局林億、孫奇等以王冰注本爲底本，增校勘、訓詁、釋音，仍以二十四卷八十一篇刊行。此後《素問》單行本均以北宋嘉祐本爲原本，歷南宋（金）、元、明、清至今，形成多個版本系統。二十四卷本，以金刻本（存十三卷）、元讀書堂本、明顧從德覆宋本、明無名氏覆宋本、明周曰校本、明『醫統』本爲代表；十二卷本，以元古林書堂本、明熊宗立本、明趙府居敬堂本、明吴悌本爲代表；五十卷本，即『道藏』本；此外還有明清注家九卷本、日本刻九卷本等。南宋、北宋及更早之本俱已不存。

《靈樞》在魏晋以後至北宋初期的傳承情况，因史料有缺而相對隱晦。唐初楊上善類編《黄帝内經太素》收入《九卷》。唐中期王冰注《素問》引文，始有『靈樞經』之稱。因存本不全，北宋校正醫書局未校《靈樞》。遲至元祐七年（一〇九二），高麗進獻《黄帝鍼經》，始獲全帙，元祐八年（一〇九三）正月北宋政府頒行之。此後《靈樞》再次沉寂，至南宋紹興乙亥（一一五五），史崧刊出家藏《靈樞》，將原本九卷校正並增修音釋，勒成二十四卷。此本成爲此後所有傳本的祖本，流傳至今已形成多個版本系統。其中二十四卷本，以明無名氏仿宋本、明周曰校本爲代表；十二卷本，以元古林書堂本、明熊宗立本、明趙府居敬堂本、明田經本、明吴悌本、明吴勉學本爲代表；此外還有二十三卷本（即『道藏』本）、明詹林所二卷本、『道藏』收録的《靈樞略》一卷本、日本刻九卷本等。

除《素問》《靈樞》各有單行本之外，《黄帝内經》尚有類編本。西晉皇甫謐《鍼灸甲乙經》，將《素問》《九卷》《明堂孔穴鍼灸治要》三書類編，但編輯時『删其浮辭，除其重複』，故與《素問》《靈樞》對勘，《鍼灸甲乙經》文句每不全足。唐代楊上善《黄帝内經太素》三十卷，將《九卷》《素問》全文收入，不加删掇，詳加注釋。《黄帝内經太素》文獻價值巨大，但在南宋之後却沉寂無聞，直到清光緒中葉，學者楊守敬在日本發現仁和寺存有仁和三年（八八七，相當於唐光啓三年）舊鈔卷子本，存二十三卷，遂影寫携歸，一時轟動醫林。嗣後日本國内相繼再發現佚文二卷有奇，至此《黄帝内經太素》現存二十五卷，堪稱《黄帝内經》版本史上的奇迹。

綜觀《黄帝内經》版本歷史，可謂一縷不絶，沉浮聚散；視其存亡現狀，又可謂同源異派，星分飄零。現存《黄帝内經》善本分散保存在國内外諸多藏書機構，此前囿於信息交流、印刷技術，從未有大規模集中最優秀版本出版的先例。當今電子信息技術發展日新月異，互聯網的普及使信息交流具有前所未有的廣泛性、時效性，乘此東風，《黄帝内經》現存的諸多優秀版本得以鳩聚刊印，爲中醫從業者及愛好者和傳統文化學者集中學習、研究提供便利。『《黄帝内經》版本通鑒』叢書，首次對《黄帝内經》精善本進行大規模集中解題、影印，目的是保存經典、傳承文明、繼往開來，爲振興中醫奠基，爲中華文化復興增添一份力量。

繼二〇一九年『《黄帝内經》版本通鑒·第一輯』出版十二種優秀版本之後，『《黄帝内經》版本通鑒·第二輯』再次精選十三種經典版本，包括《素問》六種、《靈樞》六種、《太素》一種，列録如下。

（1）蕭延平校刻蘭陵堂本《太素》。

（2）元讀書堂本《素問》。

（3）明熊宗立本《靈樞》。

（4）朝鮮小字整板本《素問》。

（5）明吴悌本《靈樞》。

（6）楊守敬題記覆宋本《素問》。

（7）朝鮮銅活字（乙亥字）本《靈樞》。

（8）明趙府居敬堂本《靈樞》。

（9）明『醫統』本《素問》。

（10）明『醫統』本《靈樞》。

（11）明詹林所本《素問》。

（12）明詹林所本《靈樞》。

（13）明潘之恒《黄海》本《素問》。

這十三種經典版本的特點如下。

（1）蕭延平校刻蘭陵堂本《太素》，校印俱精，爲《太素》刊本中之精品。

（2）元讀書堂本《素問》，爲今僅存的宋元刊本三種之一，巾箱本，分二十四卷，與顧從德覆宋本一致，但附有《亡篇》，各篇文字内容、音釋拆附情况又與元古林書堂本高度近似。此本校刻精善，爲現存《素問》之佳槧，足以與元古林書堂本、顧從德本並美；若單論文字訛誤之少，猶過二本。

（3）朝鮮小字整板本《素問》，爲現存朝鮮本之較早者，其底本爲元古林書堂本。品相顯拙，但勝在校勘精審，仍具有較高的版本價值。

（4）楊守敬題記覆宋本《素問》、明潘之恒《黄海》本《素問》，均承自宋本，作二十四卷。前者當是以顧從德覆宋本改版（删去刻工）者，後者是以宋本校勘重刻者，品相良佳。

（5）本輯收入明代兩種《素問》《靈樞》合刻本，分别是吴勉學校刻『古今醫統正脉全書』本（簡稱『醫統』本）、閩書林詹林所本（簡稱詹本），二者各有特色。『醫統』本《素問》以顧從德本爲底本仿刻，《靈樞》以吴悌本爲底本重刻，校刻皆良。詹本《素問》以熊宗立本爲底本，删去宋臣注重刻；《靈樞》亦以熊宗立本爲底本，合併爲兩卷重刻。詹本品相不甚佳，訛舛不少，因刊刻年代尚早，今存完帙，在探索《黄帝内經》版本源流方面，仍具一定價值。

（6）本輯收入的《靈樞》均爲明代版本，屬古林書堂十二卷本系統，各具特色。其中，熊宗立本上承古林書堂本（仿刻，熊宗立句讀），下爲本輯明代諸本之祖。吴悌本（校審精，品相佳）、趙府居敬堂本(品相佳,後世通行)、詹林所本(合併爲二卷)皆直承熊宗立本;『醫統』本承吴悌本;朝鮮銅活字(乙亥字)本(朝鮮銅活字官刻,校審精,品相佳)承田經本(即山東布政使司本),田經本承熊宗立本。

『《黄帝内經》版本通鑒』卷帙浩大,爲出版這套叢書,北京科學技術出版社領導及各位編輯同仁以極高的使命感和責任心,付出了極大的心血和努力,剋服了諸多困難,終成其功,謹此致以崇高敬意。相信這套叢書必不辜負同仁之望,可在促進中醫藥事業發展、深化祖國傳統文化研究、增强國家文化軟實力等諸多方面做出應有的貢獻。

囿於執筆者眼界、學識,諸篇解題必有疏漏及訛誤之處,請方家、讀者不吝指正。

錢超塵

[説明:爲更準確地體現版本、訓詁學研究的學術内涵,撰寫時保留了部分異體字,所選擇字樣如下:欬(欬嗽)、並(並且)、併(合併)、嶽(山嶽)、鍼、於、異。]

目録

明『醫統』本《靈樞》…………一
明熊宗立本《靈樞》…………三七三

《黄帝内經》版本通鑒·第二輯

明『醫統』本《靈樞》

解題 劉陽

解題

明代刻書事業發達，尤其明代中後期，嘉靖、萬曆年祚綿長，政治環境較爲寬鬆，社會物質財富積纍漸豐，全國不少刻書中心進入高度繁榮的發展階段。其時徽州坊刻業崛起，人謂歙刻可與蘇、常爭價。萬曆二十九年（一六〇一），歙商吴勉學主持校刻了大型叢書『古今醫統正脉全書』，在醫學出版史上影響很大。

吴勉學，字肖愚，又字師古，歙縣豐南人（今屬黄山市徽州區）。官至光禄署丞，後弃官從事刻書事業。吴家是典型的『賈而好儒』的徽商世家，也是博學富藏的藏書世家。吴勉學把畢生精力集中用在整理古籍、編校刻書事業上，成爲明隆慶、萬曆間（一五七三至一六二〇）徽州府最大的刻書家，身兼編校、書商等職，坊名『師古齋』。吴勉學一生刊刻圖書三百餘種三千五百餘卷，尤以刊刻大量醫學圖書聞名於世。

作爲儒商，吴勉學有較爲傳統的『正統』觀念，『古今醫統正脉全書』序説：『醫有統有脉，得其正脉，而後可以接醫家之統。醫之正脉，始於神農、黄帝，而諸賢直溯正脉以紹其統於不衰，猶之禪家仙派千萬世相續而不絶，未可令其闕略不全，使觀者無所考見也。』他在叢書内收録了歷代重要醫籍四四種，首列《黄帝内經素問》與《黄帝内經靈樞》，便是其觀念的體現。他在底本選擇上頗爲審慎，《素問》選用的是嘉靖二十九年（一五五〇）顧從德覆宋刻本，這是公認的善本；《靈樞》則選用嘉靖中期的吴悌校刻本，此亦屬佳本。吴勉學將《素問》顧從德本再行摹刻，冠於叢書之首；將吴悌本《靈樞》進行了重刻，編次於《素問》之後。初版於萬曆二十九年（一六〇一），據《素問》内封，二種合題爲『黄帝素問靈樞合集』，右行小字『金壇王宇泰先生訂正 映旭齋藏板』，左行小字『步月樓梓行』。同時《靈樞》又有單獨的内封，題爲『靈樞經』，右行小字『映旭齋藏板』，左行小字『步月樓梓行』。

『醫統』本《靈樞》是吴勉學以嘉靖中期的吴悌本爲底本重刻的，版式仿同刻的『醫統』本《素問》。書十二卷，目録題『黄帝素問靈樞』，各卷大題作『黄帝素問靈樞經』，緊接各卷卷題，次行、第三行列校閲者名氏，作『明新安吴勉學師古校，應天徐鎔春沂閲』。左右雙邊，半葉十行，行二十字，注文雙行小字同，版心白口，上端刻『靈樞』二字。單黑魚尾，魚尾下列卷數，作『卷某』。版心中下部列葉碼，每卷另起。版心下部偶爾印有本葉字數。

『醫統』本《靈樞》文字内容、排版方式與吴悌本《靈樞》幾乎完全一致。吴悌本的一個重要特點是，將其他版本各篇末所附『音釋』改爲隨文出注，並有所删改，『醫統』本全都將之繼承了下來。吴悌本的一些標志性訛誤，如『九鍼十二原第一』『四關主治五藏，五藏有疾，當取之十二原』中的後『五藏』二字脱，『禁服第四十八』『割臂歃血』中的『歃』誤作『動』，『醫統』本全部照搬，顯示出『醫統』本並未以别本參校。因此，吴勉學僅能以理校勘，祇改動了極少文字，如『經别第十一』『足少陽之正……此爲一合也』，『醫統』本改『一』爲『二』，是。

對照吴悌本看，『醫統』本《靈樞》亦有自生訛字，如『經脉第十』『脾足太陰之脉……黄疸』中的『疸』誤作『疽』，此類極罕。

總體來看，明萬曆年間吴勉學校刻的『醫統』本《靈樞》，是據嘉靖中期的吴悌本重刻的，屬十二卷本系統。此本校閲精審，在《靈樞》諸本中屬於較好的版本。

黃帝內經靈樞

映旭齋藏板

靈樞經

步月樓梓行

黄帝素問靈樞目録

第一卷

九鍼十二原第一　本輸第二

小鍼解第三　邪氣藏府病形第四

第二卷

根結第五　壽夭剛柔第六

官鍼第七　本神第八

終始第九

第三卷

經脉第十　經别第十一

經水第十二
第四卷
經筋第十三　骨度第十四
五十營第十五　營氣第十六
脉度第十七　營衛生會第十八
四時氣第十九
第五卷
五邪第二十　寒熱病第二十一
癲狂病第二十二　熱病第二十三
厥病第二十四　病本第二十五

雜病第二十六　周痺第二十七
口問第二十八
第六卷
師傳第二十九　決氣第三十
腸胃第三十一　平人絕穀第三十二
海論第三十三　五亂第三十四
脹論第三十五　五癃津液別第三十六
五閲五使第三十七　逆順肥瘦第三十八
血絡第三十九　陰陽清濁第四十
第七卷

陰陽繫日月第四十一　病傳第四十二
淫邪發夢第四十三
順氣一日分爲四時第四十四
外揣第四十五　五變第四十六
本藏第四十七
第八卷
禁服第四十八　五色第四十九
論勇第五十　背腧第五十一
衛氣第五十二　論痛第五十三
天年第五十四　逆順第五十五

五味第五十六
第九卷
水脹第五十七　賊風第五十八
衛氣失常第五十九　玉版第六十
五禁第六十一　動輸第六十二
五味論第六十二
陰陽二十五人第六十四
第十卷
五音五味第六十五　百病始生第六十六
行鍼第六十七　上膈第六十八

憂恚無言第六十九　寒熱第七十
邪客第七十一　通天第七十二
第十一卷
官能第七十三　論疾診尺第七十四
刺節真邪第七十五　衛氣行第七十六
九宮八風第七十七
第十二卷
九鍼論第七十八　歲露論第七十九
大惑論第八十　癰疽第八十一

黄帝素問靈樞目録終

黄帝素問靈樞經卷一

明　新安吴勉學師古　校
應天徐　鎔春沂　閲

九針十二原第一　法天

黄帝問於岐伯曰：余子萬民，養百姓，而收租税。余哀其不給，而屬有疾病。余欲勿使被毒藥，無用砭石，欲以微針通其經脉，調其血氣，營其逆順出入之會。令可傳於後世，必明爲之法，令終而不滅，久而不絶，易用難忘，爲之經紀。異其章，别其表裏，爲之終始。令各有形，先立針經。願聞其情。岐伯荅曰：臣請推而次之，令有綱紀始於一終於九焉請言其道小針之要易陳而難入粗守形上守神神乎神客在門未覩其疾惡知其原刺之微在速遲粗守關上守機機之動不離其空空中之機淸靜而微其來不可逢其往不可追知機之道者不可掛以髮不知機道叩之不發知其往來要與之期粗之闇乎妙哉工獨有之往者爲逆來者爲順明知逆順正行無問逆而奪之惡得無虛追而濟之惡得無實迎之隨之以意和之針道畢矣凡用針者虛則實之滿則泄之宛音鬱又藴陳則除之邪勝則虛之大要曰徐而疾則實疾而徐則虛言實

與虛若有若無察後與先若存若亡爲虛與實若得
若失虛實之要九針最妙補寫之時以針爲之寫曰
必持內之放而出之排陽得針邪氣得泄按而引針
是謂內溫血不得散氣不得出也補曰隨之隨之意
若妄之若行若按如蚊虻止如留如還去如絃絕令
左屬右其氣故止外門以閉中氣乃實必無留血急
取誅之持針之道堅者爲寶正指直刺無針左右神
在秋毫屬意病者審視血脈者刺之無殆方刺之時
必在懸陽及與兩衛神屬勿去知病存亡血脈者在
腧春遇切橫居視之獨澄切之獨堅九針之名各不同

形一曰鑱（鉏銜切）針長一寸六分二曰員針長一寸六
分三曰鍉（音低）針長三寸半四曰鋒針長　寸六分五
曰鈹針長四寸廣二分半六曰員利針長一寸六分
七曰毫針長三寸六分八曰長針長七寸九曰大針
長四寸鑱針者頭大末銳去寫陽氣員針者針如卵
形揩摩分間不得傷肌肉以寫分氣鍉針者鋒如黍
粟之銳主按脈勿陷以致其氣鋒針者刃三隅以發
痼疾鈹針者末如劒鋒以取大膿員利針者大如氂（音毛）
且員且銳中身微大以取暴氣毫針者尖如蚊虻
喙靜以徐往微以久留之而養以取痛痹[illegible]

利身薄可以取遠痺大針者尖如梃其鋒微員以寫
機關之水也九針畢矣夫氣之在脉也邪氣在上濁
氣在中清氣在下故針陷脉則邪氣出針中脉則濁
氣出針大深則邪氣反沉病益故曰皮肉筋脉各有
所處病各有所宜各不同形各以任其所宜無實無
虛損不足而益有餘是謂甚病病益甚取五脉者死
取三脉者恇奪陰者死奪陽者狂針害畢矣刺之而
氣不至無問其數刺之而氣至乃去之勿復針針各
有所宜各不同形各任其所爲刺之要氣至而不効
効之信若風之吹雲明乎若見蒼天刺之道畢矣黃

帝曰願五藏六府所出之處岐伯曰五藏五腧五五二十五腧六府六腧六六三十六腧經脉十二絡脉十五凡二十七氣以上下所出爲井所溜爲滎所注爲腧所行爲經所入爲合二十七氣所行皆在五腧也節之交三百六十五會知其要者一言而終不知其要流散無窮所言節者神氣之所遊行出入也非皮肉筋骨也覩其色察其目知其散復一其形聽其動静知其邪正右主推之左持而禦之氣至而去之凡將用針必先診脉視氣之劇易乃可以治也五藏之氣已絶於内而用針者反實其外是謂重竭必死

其死也靜治之者輙反其氣取腋與膺五藏之氣已絕於外而用針者反實其內是謂逆厥逆厥則必死其死也躁治之者反取四末刺之害中而不去則精泄害中而去則致氣精泄則病益甚而恇致氣則生爲癰瘍五藏有六府六府有十二原十二原出於四關四關主治五藏五藏有疾當取之十二原十二原者五藏之所以稟三百六十五節氣味也五藏有疾也應出十二原二原各有所出明知其原覩其應而知五藏之害矣陽中之少陰肺也其原出於大淵大淵二陽中之太陽心也其原出於大陵大陵二陰中之少

陽肝也其原出於大衝大衝二陰中之至陰脾也其原出於太白太白二陰中之太陰腎也其原出於太谿太谿二膏之原出於鳩尾鳩尾一肓之原出於脖蒲沒切胦於桑切脖胦一凡此十二原者主治五藏六府之有疾者也脹取三陽飧泄取三陰今夫五藏之有疾也譬猶刺也猶汚也猶結也猶閉也刺雖久猶可拔也汚雖久猶可雪也結雖久猶可解也閉雖久猶可決也或言久疾之不可取者非其說也夫善用鍼者取其疾也猶拔刺也猶雪汚也猶解結也猶決閉也疾雖久猶可畢也言不可治者未得其術也刺諸

熱者如以手探湯刺寒清者如人不欲行陰有陽疾者取之下陵三里正往無殆氣下乃止不下復始也疾高而内者取之陰之陵泉疾高而外者取之陽之陵泉也

本輸第二 法地

黄帝問於岐伯曰凡刺之道必通十二經絡之所終始絡脉之所别處五輸之所留六府之所與合四時之所出入五藏之所溜處闊數之度淺深之狀高下所至願聞其解岐伯曰請言其次也肺出於少商少商者手太指端内側也爲井木溜于魚際魚際者手

魚也爲滎音營絕小水注于大淵大淵魚後一寸陷者中
也爲腧行於經渠經渠寸口中也動而不居爲經入
于尺澤尺澤肘中之動脉也爲合手太陰經也心出
於中衝中衝手中指之端也爲井木溜於勞宫勞宫
掌中中指本節之內間也爲滎注于大陵大陵掌後
兩骨之間方下者也爲腧行於間使間使之道兩筋
之間三寸之中也有過則至無過則止爲經入于曲
澤曲澤肘內廉下陷者之中也屈而得之爲合手少
陰也肝出於大敦大敦者足大指之端及三毛之中
也爲井木溜于行間行間足大指間也爲滎注于大

衝大衝行間上二寸陷者之中也爲腧行於中封中
封內踝之前一寸半陷者之中使逆則宛使和則通
搖足而得之爲經入于曲泉曲泉輔骨之下大筋之
上也屈膝而得之爲合足厥陰也脾出於隱白隱白
者足大指之端內側也爲井木溜於大都大都本節
之後下陷者之中也爲滎注于太白太白腕骨之下
也爲腧行於商丘商丘內踝之下陷者之中也爲經
入于陰之陵泉陰之陵泉輔骨之下陷者之中也伸
而得之爲合足太陰也腎出於涌泉涌泉者足心也
爲井木溜于然谷然谷然骨之下者也爲滎注于大

谿大谿內踝之後跟骨之上陷中者也爲腧行于復留復留上內踝二寸動而不休爲經入于陰谷陰谷輔骨之後大筋之下小筋之上者按之應手屈膝而得之爲合足少陰經也膀胱出於至陰至陰者足小指之端也爲井金溜于通谷通谷本節之前外側也爲滎注于束骨束骨本節之後陷者中也爲腧過于京骨京骨足外側大骨之下爲原行於昆侖在外踝之後跟骨之上爲經入於委中委中膕中央爲合委而取之足太陽也膽出於竅陰竅陰者足小指次指之端也爲井金溜于俠谿俠谿足小指次指之間也

爲滎注于臨泣臨泣上行一寸半陷者中也爲腧過
于丘墟丘墟外踝之前下陷者中也爲原行於陽輔
陽輔外踝之上輔骨之前及絶骨之端也爲經入於
陽之陵泉陽之陵泉在膝外陷者中也爲合伸而得
之足少陰也胃出于厲兑厲兑者足大指內次指之
端也爲井金溜于內庭內庭次指外間也爲滎注于
陷谷陷谷者上中指內間上行二寸陷者中也爲腧
過于衝陽衝陽足跗上五寸陷者中也爲原摇足而
得之行於解谿解谿上衝陽一寸半陷者中也爲經
入于下陵下陵膝下三寸胻骨外三里也爲合復下

三里三寸爲巨虛上廉復下上廉三寸爲巨虛下廉也大腸屬上小腸屬下足陽明胃脉也大腸小腸皆屬于胃是足陽明也三焦者上合手少陽出于關衝關衝者手小指次指之端也爲井金溜于液門液門小指次指之間也爲滎注于中渚中渚本節之後陷中者也爲腧過于陽池陽池在腕上陷者之中也爲原行于支溝支溝上腕三寸兩骨之間陷者中也爲經入于天井天井在肘外大骨之陷者中也爲合屈肘乃得之三焦下腧在于足大指之前少陽之後出于膕中外廉名曰委陽是太陽絡也手少陽經也三

焦者足少陽太陰一本作陽之所將太陽之別也上踝五寸別入貫腨時兗切腸出于委陽並太陽之正入絡膀胱約下焦實則閉癃虛則遺溺遺溺則補之閉癃則寫之手太陽小腸者上合於太陽出於少澤少澤小指之端也爲井金溜於前谷前谷在手外廉本節前陷者中也爲滎注于後谿後谿者在手外側本節之後也爲腧過于腕骨腕骨在手外側腕骨之前爲原行于陽谷陽谷在銳骨之下陷者中也爲經入於小海小海在肘內大骨之外去端半寸陷者中也伸臂而得之爲合手太陽經也大腸上合手陽明出于商

陽商陽大指次指之端也爲井金溜于本節之前二間爲榮注于本節之後三間爲腧過于合谷合谷在大指歧骨之間爲原行于陽谿陽谿在兩筋間陷者中也爲經入于曲池在肘外輔骨陷者中也屈臂而得之爲合手陽明也是謂五藏六府之腧五五二十五腧六六三十六腧也六府皆出足之三陽上合于手者也缺盆之中任脉也名曰天突一次任脉側之動脉足陽明也名曰人迎二次脉手陽明也名曰扶突三次脉手太陽也名曰天窻四次脉足少陽也名曰天容五次脉手少陽也名曰天牖六次脉足太陽

脈名曰天柱七次脈頸中央之脈督脈也名曰風府腋內動脈手太陰也名曰天府腋下三寸手心主也名曰天池刺上關者呿(祛遮切)不能欠刺下關者欠不能呿刺犢鼻者屈不能伸刺兩關者伸不能屈足陽明挾喉之動脈也其腧在膺中手陽明次在其腧外不至曲頰一寸手太陽當曲頰足少陽在耳下曲頰之後手少陽出耳後上加完骨之上足太陽挾項大筋之中髮際陰尺動脈在五里五腧之禁也肺合大腸大腸者傳道之府心合小腸小腸者受盛之府肝合膽膽者中精之府脾合胃胃者五穀之府腎合膀

胱膀胱者津液之府也少陽屬腎腎上連肺故將兩藏三焦者中瀆之府也水道出焉屬膀胱是孤之府也是六府之所與合者春取絡脈諸滎大經分肉之間甚者深取之間者淺取之夏取諸腧孫絡肌肉皮膚之上秋取諸合餘如春法冬取諸井諸腧之分欲深而留之此四時之序氣之所處病之所舍藏之所宜轉筋者立而取之可令遂已痿厥者張而刺之可令立快也

小針解第三　法人

所謂易陳者易言也難入者難著于人也粗守形者

守刺法也上守神者守人之血氣有餘不足可補瀉也神客者正邪共會也神者正氣也客者邪氣也在門者邪循正氣之所出入也未覩其疾者先知邪正何經之疾也惡知其原者先知何經之病所取之處也刺之微者數遲者徐疾之意也粗守關者守四肢而不知血氣正邪之往來也上守機者知守氣也機之動不離其空中者知氣之虛實用針之徐疾也空中之機淸淨以微者針以得氣密意守氣勿失也其來不可逢者氣盛不可補也其往不可追者氣虛不可寫也不可掛以髮者言氣易失也扣之不發者言

不知補寫之意也血氣已盡而氣不下也知其往來者知氣之逆順盛虛也要與之期者知氣之可取之時也粗之闇者冥冥不知氣之微密也妙哉上獨有之者盡知針意也往者爲逆者言氣之虛而小小者逆也來者爲順者言形氣之平平者順也明知逆順正行無問者言知所取之處也迎而奪之者寫也追而濟之者補也所謂虛則實之者氣口虛而當補之也滿則泄之者氣口盛而當寫之也宛陳則除之者去血脉也邪勝則虛之者言諸經有盛者皆寫其邪也徐而疾則實者言徐內而疾出也疾而徐則虛者

言疾内而徐出也言實與虛若有若無者言實者有氣虛者無氣也察後有先若亡若存者言氣之虛實補寫之先後也察其氣之已下與常存也爲虛與實若得若失者言補者佖音必滿兒然若有得也寫則怳吁往切在兒然若有失也夫氣之在脉也邪氣在上者言邪氣之中人也高故邪氣在上也濁氣在中者言水穀皆入于胃其精氣上注于肺濁溜于腸胃言寒溫不適飲食不絕而病生于腸胃故命曰濁氣在中也清氣在下者言清濕地氣之中人也必從足始故曰清氣在下也針陷脉則邪氣出者起之上針中脉則邪

氣出者取之陽明合也針大深則邪氣反沉者言淺浮之病不欲深刺也深則邪氣從之入故曰反沉也皮肉筋脉各有所處者言經絡各有所主也取五脉者死言病在中氣不足但用針盡大寫其諸陰之脉也取三陽之脉者唯言盡寫三陽之氣令病人恇然不復也奪陰者死言取尺之五里五往者也奪陽者狂正言也覩其色察其目知其散復一其形聽其動靜者言上工知相五色于目有知調尺寸小大緩急滑濇以言所病也知其邪正者知論虚邪與正邪之風也右主推之左持而御之者言持針而出入也氣

至而去之者言補寫氣調而去之也調氣在于終始一者持心也節之交三百六十五會者絡脉之滲灌諸節者也所謂五藏之氣已絶于内者脉口氣内絶不至反取其外之病處與陽經之合有留針以致陽氣陽氣至則内重竭重竭則死矣其死也無氣以動故靜所謂五藏之氣已絶于外者脉口氣外絶不至反取其四末之輸有留針以致其陰氣陰氣至則陽氣反入入則逆逆則死矣其死也陰氣有餘故躁所以察其目者五藏使五色循明循明則聲章聲章者則言聲與平生異也

邪氣藏府病形第四　法時

黄帝問於岐伯曰邪氣之中人也奈何岐伯荅曰邪氣之中人高也黄帝曰高下有度乎岐伯曰身半已上者邪中之也身半以下者濕中之也故曰邪之中人也無有常中于陰則溜于府中于陽則溜于經黄帝曰陰之與陽也異名同類上下相會經絡之相貫如環無端邪之中人或中于陰或中于陽上下左右無有恒常其故何也岐伯曰諸陽之會皆在于面中人也方乘虛時及新用力若飲食汗出腠理開而中于邪中于面則下陽明中于項則下大陽中于頰則

下少陽其中于膺（一作肩）背兩脇亦中（一作下）其經黃帝曰其中于陰奈何岐伯答曰中于陰者常從臂胻始夫臂與胻其陰皮薄其肉淖澤故俱受于風獨傷其陰黃帝曰此故傷其藏乎岐伯答曰身之中于風也不必動藏故邪入于陰經則其藏氣實邪氣入而不能客（一作容）故還之於府故中陽則溜于經中陰則溜于府黃帝曰邪之中人藏奈何岐伯曰愁憂恐懼則傷心形寒寒飲則傷肺以其兩寒相感中外皆傷故氣逆而上行有所墮墜惡血留內有所大怒氣上而不下積于脇下則傷肝有所擊仆若醉入房汗出當風

則傷脾有所用力舉重若入房過度汗出浴水則傷腎黃帝曰五藏之中風柰何岐伯曰陰陽俱感邪乃得往黃帝曰善哉黃帝問於岐伯曰首面與身形也屬骨連筋同血合於氣耳天寒則裂地凌冰其卒寒或手足懈惰然而其面不衣何也岐伯荅曰十二經脉三百六十五絡其血氣皆上於面而走空竅其精陽氣上走於目而為睛其別氣走於耳而為聽其宗氣上出於鼻而為臭其濁氣出於胃走脣舌而為味其氣之津液皆上熏于面而皮又厚其肉堅故天熱甚寒不能勝之也黃帝曰邪之中人其病形何如岐

伯曰虚邪之中身也洒淅動形正邪之中人也微先見于色不知于身若有若無若亡若存有形無形莫知其情黄帝曰善哉黄帝問於岐伯曰余聞之見其色知其病命曰明按其脉知其病命曰神問其病知其處命曰工余願聞見而知之按而得之問而極之爲之奈何岐伯荅曰夫色脉與尺之相應也如桴鼓影響之相應也不得相失也此亦本末根葉之出候也故根死則葉枯矣色脉形肉不得相失也故知一則爲工知二則爲神知三則神且明矣黄帝曰願卒聞之岐伯荅曰色青者其脉絃也赤者其脉鉤也黄

者其脉代也白者其脉毛黑者其脉石見其色而不
得其脉反得其相勝之脉則死矣得其相生之脉則
病已矣黄帝問於岐伯曰五藏之所生變化之病形
何如岐伯荅曰先定其五色五脉之應其病乃可别
也黄帝曰色脉已定别之奈何岐伯曰調其脉之緩
急小大滑濇而病變定矣黄帝曰調之奈何岐伯荅
曰脉急者尺之皮膚亦急脉緩者尺之皮膚亦緩脉
小者尺之皮膚亦減而少氣脉大者尺之皮膚亦賁
而起脉滑者尺之皮膚亦滑脉濇者尺之皮膚亦濇
凡此變者有微有甚故善調尺者不待於寸善調脉

不待於色能參合而行之者可以爲上工上工十
全九行二者爲中工中工十全七行一者爲下工十
全六黃帝曰請問脉之緩急小大滑濇之病形何如
岐伯曰臣請言五藏之病變也心脉急甚者爲瘈瘲
微急爲心痛引背食不下緩甚爲狂笑微緩爲伏梁
在心下上下行時唾血大甚爲喉吤音戒微大爲心痹
引背善淚出小甚爲善噦微小爲消癉滑甚爲善渴
微滑爲心疝引臍小腹鳴濇甚爲瘖微濇爲血溢維
經絡有陽維陰維厥耳鳴顛疾　肺脉急甚爲顛疾微急爲
肺寒熱怠惰欬唾血引腰背胷若鼻息肉不通緩甚

爲多汗微緩爲痿瘻偏風頭以下汗出不可止大甚爲脛腫微大爲肺痺引胷背起惡日光小甚爲泄微小爲消癉滑甚爲息賁上氣微滑爲上下出血濇甚爲嘔血微濇爲鼠瘻在頸支腋之間下不勝其上其應善痠（音酸）矣　肝脉急甚者爲惡言微急爲肥氣在脇下若覆杯緩甚爲善嘔微緩爲水瘕（音賈）痺也大甚爲内癰善嘔衄微大爲肝痺陰縮欬引小腹小甚爲多飲微小爲消癉滑甚爲㿉疝微滑爲遺溺濇甚爲溢飲微濇爲瘈（音治）攣筋痺　脾脉急甚爲瘈瘲（音縱）微急爲膈中食飲入而還出後沃沫緩甚爲痿厥微緩

爲風痿四肢不用心慧然若無病大甚爲擊仆微大
爲疝氣腹裹大膿血在腸胃之外小甚爲寒熱微小
爲消癉滑甚爲㿗癃微滑爲蟲毒蛕胡隗切腹中長虫蝎胡葛切蠹虫
腹熱濇甚爲腸潰微濇爲內㿗多下濃血腎脈
急甚爲骨癲疾微急爲沉厥奔豚足不收不得前後
緩甚爲折脊微緩爲洞洞者食不化下嗌還出大甚
爲陰痿微大爲石水起臍巳下至小腹腄竹垂切腄然
上至胃脘死不治小甚爲洞泄微小爲消癉滑甚爲
㿗癃微滑爲骨痿坐不能起起則目無所見濇甚爲
大癰微濇爲不月沉痔黃帝曰病之六變者刺之奈

何岐伯荅曰諸急者多寒緩者多熱大者多氣少血
小者血氣皆少滑者陽氣盛微有熱濇者多血少氣
微有寒是故刺急者深內而久留之刺緩者淺內而
疾發針以去其熱刺大者微寫其氣無出其血刺滑
者疾發針而淺內之以寫其陽氣而去其熱刺濇者
必中其脉隨其逆順而久留之必先按而循之已發
針疾按其痏榮美切無令其血出以和其脉諸小者陰
陽形氣俱不足勿取以針而調以甘藥也黃帝曰余
聞五藏六府之氣滎輸所入爲合令何道從入入安
連願聞其故岐伯荅曰此陽脉之別入于內屬於

府者也黃帝曰滎輸與合各有名乎岐伯荅曰滎輸治外經合治內府黃帝曰治內府奈何岐伯曰取之于合黃帝曰合各有名乎岐伯荅曰胃合於三里大腸合入于巨虛上廉小腸合入于巨虛下廉三焦合入于委陽膀胱合入于委中央膽合入于陽陵泉黃帝曰取之奈何岐伯荅曰取之三里者低跗取之巨虛者舉足取之委陽者屈伸而索之委中者屈而取之陽陵泉者正竪膝予之齊下至委陽之陽取之取諸外經者揄申而從之黃帝曰願聞六府之病岐伯荅曰面熱者足陽明病魚絡血者手陽明病兩跗之

上脉竪陷者足陽明病此胃脉也大腸病者腸中切
痛而鳴濯濯冬日重感于寒即泄當臍而痛不能久
立與胃同候取巨虛上廉胃病者腹䐜脹胃脘當心
而痛上肢兩脇膈咽不通食飲不下取之三里也
小腸病者小腹痛腰脊控睪音高而痛時窘之後當耳
前熱若寒甚若獨肩上熱甚及手小指次指之間熱
若脉陷者此其候也手太陽病也取之巨虛下廉
三焦病者腹氣滿小腹尤堅不得小便窘急溢則水
留即爲脹候在足太陽之外大絡大絡在太陽少陽
之間亦見于脉取委陽膀胱病者小腹偏腫而痛以

手按之即欲小便而不得肩上熱若脉陷及足小指外廉及脛踝後皆熱若脉陷取委中央◆膽病者善大息口苦嘔宿汁心下澹澹恐人將捕之嗌中吤吤然數唾在足少陽之本末亦視其脉之陷下者灸之其寒熱者取陽陵泉黄帝曰刺之有道乎岐伯荅曰刺此者必中氣穴無中肉節中氣穴則針染一作遊于巷中肉節即皮膚痛補寫反則病益篤中筋則筋緩邪氣不出與其真相搏亂而不去反還内著用針不審以順爲逆也

其寒熱者取陽陵泉
然數唾在足少陽之
大息口苦嘔宿汁心
外廉及脛踝後皆熱
手按之即欲小便而

黃帝素問靈樞經卷二

新安吳勉學師古　校
應天徐　鎔春沂　閱

根結第五　法音

岐伯曰：天地相感，寒暖相移，陰陽之道，孰少孰多，陰道偶，陽道奇。發于春夏，陰氣少，陽氣多，陰陽不調，何補何寫？發于秋冬，陽氣少，陰氣多，陰氣盛而陽氣衰，故莖葉枯槁，濕雨下歸，陰陽相移，何寫何補？奇邪離經，不可勝數，不知根結，五藏六府，折關敗樞，開闔而走，陰陽大失，不可復取。九針之玄，要在終始，故能知終始一言而畢不知終始針道咸絕太陽根於至陰結于命門命門者目也陽明根于厲兌結于額大額大者鉗耳也少陽根于竅陰結于窻籠窻籠者耳中也太陽爲開陽明爲闔少陽爲樞故開折則肉節瀆而暴病起矣故暴病者取之太陽視有餘不足瀆者皮肉宛膲音焦而弱也闔折則氣無所止息而痿疾起矣故痿疾者取之陽明視有餘不足無所止息者眞氣稽留邪氣居之也樞折即骨繇音搖而不安於地故骨繇者取之少陽視有餘不足骨繇者節緩而不收也所謂骨繇者搖故也當窮其本也太陰根于隱白

結于大倉少陰根于湧泉結于廉泉厥陰根于大敦結于玉英絡于膻中太陰爲開厥陰爲闔少陰爲樞故開折則倉廩無所輸膈洞膈洞者取之太陰視有餘不足故開折者氣不足而生病也闔折即氣絕而喜悲悲者取之厥陰視有餘不足樞折則脉有所結而不通不通者取之少陰視有餘不足有結者皆取之不足足太陽根于至陰溜于京骨注于崑崙入于天柱飛揚也足少陽根于竅陰溜于丘墟注于陽輔入于天容光明也足陽明根于厲兌溜于衝陽注于下陵入于人迎豐隆也手太陽根于少澤溜于陽谷

注于少海入于天窻支正也手少陽根于關衝溜于陽池注于支溝入于天牖外關也手陽明根于商陽溜于合谷注于陽谿入于扶突偏歷也此所謂十二經者盛絡皆當取之一日一夜五十營以營五藏之精不應數者名曰狂生所謂五十營者五藏皆受氣持其脉口數其至也五十動而不一代者五藏皆受氣四十動一代者一藏無氣三十動一代者二藏無氣二十動一代者三藏無氣十動一代者四藏無氣不滿十動一代者五藏無氣予之短期要在終始所謂五十動而不一代者以爲常也以知五藏之期予

之短期者乍數乍踈也黄帝曰逆順五體者言人骨節之小大肉之堅脆皮之厚薄血之清濁氣之滑濇脉之長短血之多少經絡之數余已知之矣此皆布衣匹夫之士也夫王公大人血食之君身體柔脆肌肉軟弱血氣慓悍滑利其刺之徐疾淺深多少可得同之乎岐伯荅曰膏粱菽藿之味何可同也氣滑即出疾其氣濇則出遲氣悍則針小而入淺氣濇則針大而入深深則欲留淺則欲疾以此觀之刺布衣者深以留之刺大人者微以徐之此皆因氣慓悍滑利也黄帝曰形氣之逆順柰何岐伯曰形氣不足病氣

有餘是邪勝也急寫之形氣有餘病氣不足急補之形氣不足病氣不足此陰陽氣俱不足也不可刺之刺之則重不足重不足則陰陽俱竭血氣皆盡五藏空虛筋骨髓枯老者絶滅壯者不復矣形氣有餘病氣有餘此謂陰陽俱有餘也急寫其邪調其虛實故曰有餘者寫之不足者補之此之謂也故曰刺不知逆順真邪相搏滿而補之則陰陽四溢腸胃充郭肝肺内䐜充人反陰陽相錯虛而寫之則經脉空虛血氣竭枯腸胃僻辟皮膚薄著毛腠夭膲予之死期故曰用鍼之要在于知調陰與陽調陰與陽精氣乃光合

形與氣使神內藏故曰上工平氣中工亂脉下工絕氣危生故曰下工不可不愼也必審五藏變化之病五脉之應經絡之實虛皮之柔麄而後取之也

壽夭剛柔第六 法律

黃帝問於少師曰余聞人之生也有剛有柔有弱有強有短有長有陰有陽願聞其方少師荅曰陰中有陰陽中有陽審知陰陽刺之有方得病所始刺之有理謹度病端與時相應內合于五藏六府外合于筋骨皮膚是故內有陰陽外亦有陰陽在內者五藏爲陰六府爲陽在外者筋骨爲陰皮膚爲陽故曰病在

陰之陰者刺陰之滎輸病在陽之陽者刺陽之合病在陽之陰者刺陰之經病在陰之陽者刺絡脉故曰病在陽者命曰風病在陰者命曰痺病陽俱病命曰風痺病有形而不痛者陽之類也無形而痛者陰之類也無形而痛者其陽完而陰傷之也急治其陰無攻其陽有形而不痛者其陰完而陽傷之也急治其陽無攻其陰陰陽俱動乍有形乍無形加以煩心命曰陰勝其陽此謂不表不裏其形不久黃帝問於伯高曰余聞形氣病之先後外内之應奈何伯高荅曰風寒傷形憂恐忿怒傷氣氣傷藏乃病藏寒傷形乃

應形風傷筋脉筋脉乃應此形氣外内之相應也黄帝曰刺之奈何伯高荅曰病九日者三刺而已病一月者十刺而已多少遠近以此衰之久痺不去身者視其血絡盡出其血黄帝曰外内之病難易之治奈何伯高荅曰形先病而未入藏者刺之半其日藏先病而形乃應者刺之倍其日此外内難易之應也黄帝問於伯高曰余聞形有緩急氣有盛衰骨有大小肉有堅脆皮有厚薄其以立壽夭奈何伯高曰形與氣相任則壽不相任則夭皮與肉相果則壽不相果則夭血氣經絡勝形則壽不勝形則夭黄帝曰何謂

形之緩急伯高答曰形充而皮膚緩者則壽形充而皮膚急者則夭形充而脉堅大者順也形充而脉小以弱者氣衰衰則危矣若形充而顴不起者骨小骨小而夭矣形充而大肉䐃渠永切腹䐃脂堅而有分者肉堅肉堅則壽矣形充而大肉無分理不堅者肉脆肉脆則夭矣此天之生命所以立形定氣而視壽夭者必明乎此立形定氣而後以臨病人決死生黄帝曰余聞壽夭無以度之伯高答曰墻基卑高不及其地者不滿三十而死其有因加疾者不及二十而死也黄帝曰形氣之相勝以立壽夭奈何伯高答曰平人而

氣勝形者壽病而形肉脫氣勝形者死形勝氣者危
矣黃帝曰余聞刺有三變何謂三變伯高曰有刺營
者有刺衛者有刺寒痹之留經者黃帝曰刺三變者
奈何伯高答曰刺營者出血刺衛者出氣刺寒痹者
內熱黃帝曰營衛寒痹之爲病奈何伯高答曰營之
生病也寒熱少氣血上下行衛之生病也氣痛時來
時去怫愾賁響風寒客于腸胃之中寒痹之爲病也
留而不去時痛而皮不仁黃帝曰刺寒痹內熱奈何
伯高答曰刺布衣者以火焠之刺大人者以藥熨之
黃帝曰藥熨奈何伯高答曰用淳酒二十斤蜀椒一

升乾薑一斤桂心一斤凡四種皆㕮咀漬酒中用綿絮一斤細白布四丈幷內酒中置酒馬矢煴中蓋封塗勿使泄五日五夜出布綿絮曝乾之乾復漬以盡其汁每漬必晬（音醉）其日乃出乾乾幷用滓與綿絮複布爲複巾長六七尺爲六七巾則用之生桑炭炙巾以熨寒痺所刺之處令熱入至于病所寒復炙巾以熨之三十遍而止汗出以巾拭身亦三十遍止起步內中無見風每刺必熨如此病已矣此所謂內熱也

官針第七（法星）

凡刺之要官針最妙九針之宜各有所爲長短大小

各有所施也不得其用病弗能移疾淺針深內傷良
肉皮膚爲癰病深針淺病氣不寫支爲大膿病小針
大氣寫大甚疾必爲害病大針小氣不寫泄亦復爲
敗失針之宜大者寫小者不移已言其過請言其所
施病在皮膚無常處者取以鑱針于病所膚白勿取
病在分肉間取以員針于病所病在經絡痼痺者取
以鋒針病在脉氣少當補之者取之鍉針于井滎分
輸病爲大膿者取以鈹針病痺氣暴發者取以員利
針病痺氣痛而不去者取以毫針病在中者取以長
針病水腫不能通關節者取以大針病在五藏固居

者取以鋒針寫于井滎分輸取以四時凡刺有九日
應九變一曰輸刺輸刺者刺諸經滎輸藏腧也二曰
遠道刺遠道刺者病在上取之下刺府腧也三曰經
刺經刺者刺大經之結絡經分也四曰絡刺絡刺者
刺小絡之血脉也五曰分刺分刺者刺分肉之間也
六曰大寫刺大寫刺者刺大膿以鈹針也七曰毛刺
毛刺者刺浮痺皮膚也八曰巨刺巨刺者左取右右
取左九曰焠刺焠刺者刺燔針則取痺也凡刺有十
二節以應十二經一曰偶刺偶刺者以手直心若背
直痛所一刺前一刺後以治心痺刺此者傍針之也

一曰報刺報刺者刺痛無常處也上下行者直内無拔針以左手隨病所按之乃出針復刺之也三曰恢一作怪刺恢刺者直刺傍之舉之前後恢筋急以治筋痹也四曰齊刺齊刺者直入一傍入二以治寒氣小深者或曰三刺三刺者治痹氣小深者也五曰揚刺揚刺者正内一傍内四而浮之以治寒氣之愽大者也六曰直針刺直針刺者引皮乃刺之以治寒氣之淺者也七曰輸刺輸刺者直入直出稀發針而深之以治氣盛而熱者也八曰短刺短刺者刺骨痹稍搖而深之致針骨所以上下摩骨也九曰浮刺浮刺者傍

入而浮之以治肌急而寒者也十曰陰刺陰刺者左右率刺之以治寒厥中寒厥足踝後少陰也十一曰傍針刺傍針刺者直刺傍刺各一以治留痺久居者也十二曰贊刺贊刺者直入直出數發針而淺之出血是謂治癰腫也脉之所居深不見者刺之微內針而久留之以致其空脉氣也脉淺者勿刺按絕其脉乃刺之無令精出獨出其邪氣耳所謂三刺則穀氣出者先淺刺絕皮以出陽邪再刺則陰邪出者少益深絕皮致肌肉未入分肉間也已入分肉之間則穀氣出故刺法曰始刺淺之以逐邪氣而來血氣後刺

深之以致陰氣之邪最後刺極深之以下穀氣此之謂也故用針者不知年之所加氣之盛衰虛實之所起不可以爲工也凡刺有五以應五藏一曰半刺半刺者淺内而疾發針無針傷肉如拔毛狀取皮氣此肺之應也二曰豹文刺豹文刺者左右前後針之中脉爲故以取經絡之血者此心之應也三曰關刺關刺者直刺左右盡筋上以取筋痺愼無出血此肝之應也或曰淵刺一曰豈刺四曰合谷刺合谷刺者左右鷄足針于分肉之間以取肌痺此脾之應也五曰輸刺輸刺者直入直出深内之至骨以取骨痺此腎

之應也

本神第八　法風

黃帝問於岐伯曰凡刺之法先必本于神血脉營氣精神此五藏之所藏也至其淫泆離藏則精失魂魄飛揚志意恍亂智慮去身者何因而然乎天之罪與人之過乎何謂德氣生精神魂魄心意志思智慮請問其故岐伯荅曰天之在我者德也地之在我者氣也德流氣薄而生者也故生之來謂之精兩精相摶謂之神隨神往來者謂之魂並精而出入者謂之魄所以任物者謂之心心有所憶謂之意意之所存謂

之志因志而存變謂之思因思而遠慕謂之慮因慮而處物謂之智故智者之養生也必順四時而適寒暑和喜怒而安居處節陰陽而調剛柔如是則僻邪不至長生久視是故怵惕思慮者則傷神神傷則恐懼流淫而不止因悲哀動中者竭絕而失生喜樂者神憚散而不藏愁憂者氣閉塞而不行盛怒者迷惑而不治恐懼者神蕩憚而不收心怵惕思慮則傷神神傷則恐懼自失破䐃脫肉毛悴色夭死於冬脾憂愁而不解則傷意意傷則悗音悶亂四肢不舉毛悴色夭死於春肝悲哀動中則傷魂魂傷則狂忘不精不

精則不正當人陰縮而攣筋兩脇骨不舉毛悴色夭
死于秋肺喜樂無極則傷魄魄傷則狂狂者意不存
人皮革焦毛悴色夭死于夏腎盛怒而不止則傷志
志傷則喜忘其前言腰脊不可以俛仰屈伸毛悴色
夭死于季夏恐懼而不解則傷精精傷則骨痠痿厥
精時自下是故五藏主藏精者也不可傷傷則失守
而陰虛陰虛則無氣無氣則死矣是故用鍼者察觀
病人之態以知精神魂魄之存亡得失之意五者以
傷鍼不可以治之也肝藏血血舍魂肝氣虛則恐實
則怒脾藏營營舍意脾氣虛則四肢不用五藏不安

實則腹脹經溲不利心藏脈脈舍神心氣虛則悲實則笑不休肺藏氣氣舍魄肺氣虛則鼻塞不利少氣實則喘喝胷盈仰息腎藏精精舍志腎氣虛則厥實則脹五藏不安必審五藏之病形以知其氣之虛實謹而調之也

終始第九 法野

凡刺之道畢于終始明知終始五藏爲紀陰陽定矣陰者主藏陽者主府陽受氣于四末陰受氣于五藏故寫者迎之補者隨之知迎知隨氣可令和和氣之方必通陰陽五藏爲陰六府爲陽傳之後世以血爲

盟敬之者昌慢之者亡無道行私必得天殃謹奉天道請言終始終始者經脈爲紀持其脈口人迎以知陰陽有餘不足平與不平天道畢矣所謂平人者不病不病者脈口人迎應四時也上下相應而俱往來也六經之脈不結動也本末之寒溫之相守司也形肉血氣必相稱也是謂平人少氣者脈口人迎俱少而不稱尺寸也如是者則陰陽俱不足補陽則陰竭寫陰則陽脫如是者可將以甘藥不可飲以至劑如此者弗灸不已者因而寫之則五藏氣壞矣人迎一盛病在足少陽一盛而躁病在手少陽人迎二盛病

在足太陽二盛而躁病在手太陽人迎三盛病在足陽明三盛而躁病在手陽明人迎四盛且大且數名曰溢陽溢陽爲外格脉口一盛病在足厥陰厥陰一盛而躁在手心主脉口二盛病在足少陰二盛而躁在手少陰脉口三盛病在足太陰三盛而躁在手太陰脉口四盛且大且數者名曰溢陰溢陰爲内關内關不通死不治人迎與太陰脉口俱盛四倍以上命曰關格關格者與之短期人迎一盛寫足少陽而補足厥陰二寫一補日一取之必切而驗之踈取之上氣和乃止人迎二盛寫足太陽補足少陰二寫一補

二日一取之必切而驗之踈取之上氣和乃止人迎三盛寫足陽明而補足太陰二寫一補日二取之必切而驗之踈取之上氣和乃止脉口一盛寫足厥陰而補足少陽二補一寫日一取之必切而驗之踈而取上氣和乃止脉口二盛寫足少陰而補足太陽二補一寫二日一取之必切而驗之踈取之上氣和乃止脉口三盛寫足太陰而補足陽明二補一寫日二取之必切而驗之踈而取之上氣和乃止所以日二取之者太陽主胃大富于穀氣故可日二取之也人迎與脉口俱盛三倍已上命曰陰陽俱溢如是者不

開則血脉閉塞氣無所行流溢于中五藏内傷如此者因而灸之則變易而爲他病矣凡刺之道氣調而止補陰寫陽音氣益彰耳目聰明反此者血氣不行所謂氣至而有效者寫則益虚虚者脉大如其故而不堅也堅如其故者適雖言故病未去也補則益實實者脉大如其故而益堅也夫如其故而不堅者適雖言快病未去也故補則實寫則虚痛雖不隨鍼病必衰去必先通十二經脉之所生病而後可得傳于終始矣故陰陽不相移虚實不相傾取之其經凡刺之屬三刺至穀氣邪僻妄合陰陽易居逆順相反沉

浮異處四時不得稽留淫泆須針而去故一刺則陽邪出再刺則陰邪出三刺則穀氣至穀氣至而止所謂穀氣至者已補而實已寫而虚故以知穀氣至也邪氣獨去者陰與陽未能調而病知愈也故曰補則實寫則虚痛雖不隨針病必衰去矣陰盛而陽虚先補其陽後寫其陰而和之陰虚而陽盛先補其陰後寫其陽而和之三脉動于足大指之間必審其實虚虚而寫之是謂重虚重虚病益甚凡刺此者以指按之脉動而實且疾者疾寫之虚而徐者則補之反此者病益甚其動也陽明在上厥陰在中少陰在下膺

腧中膂背腧中背肩髆虚者取之上垂舌刺舌柱以鈹針也手屈而不伸者其病在筋伸而不屈者其病在骨在骨守骨在筋守筋補須一方實深取之稀按其痏以極出其邪氣一方虚淺刺之以養其脉疾按其痏無使邪氣得入邪氣來也緊而疾穀氣來也徐而和脉實者深刺之以泄其氣脉虚者淺刺之使精氣無得出以養其脉獨出其邪氣刺諸痛者其脉皆實故曰從腰以上者手太陰陽明皆主之從腰以下者足太陰陽明皆主之病在上者下取之病在下者高取之病在頭者取之足病在腰者取之膕病生于

頭者頭重生於手者臂重生手足者足重治病者
刺其病所從生者也春氣在毛夏氣在皮膚秋氣在
分肉冬氣在筋骨刺此病者各以其時爲齊故刺肥
人者秋冬之齊刺瘦人者以春夏之齊病痛者陰也
痛而以手按之不得者陰也深刺之病在上者陽也
病在下者陰也癢者陽也淺刺之病先起陰者先治
其陰而後治其陽病先起陽者先治其陽而後治其
陰刺熱厥者留針反爲寒刺寒厥者留針反爲熱刺
熱厥者二陰一陽刺寒厥者二陽一陰所謂二陰者
二刺陰也一陽者一刺陽也久病者邪氣入深刺此

病者深內而久留之間日而復刺之必先調其左右去其血脈刺道畢矣凡刺之法必察其形氣形肉未脫少氣而脈又躁躁厥者必為繆刺之散氣可收聚氣可布深居靜處占神往來閉戶塞牖魂魄不散專意一神精氣之分毋聞人聲以收其精必一其神令志在針淺而留之微而浮之以移其神氣至乃休男內女外（一作男外女內）堅拒勿出謹守勿內是謂得氣

凡刺之禁

新內勿刺　新刺勿內　已醉勿刺　已刺勿醉

新怒勿刺　已刺勿怒　新勞勿刺　已刺勿勞

已飽勿刺　已刺勿飽　已饑勿刺　已刺勿饑
已渴勿刺　已刺勿渴　大驚大恐必定其氣乃
刺之乘車來者臥而休之如食頃乃刺之出行來者
坐而休之如行十里頃乃刺之凡此十二禁者其脉
亂氣散逆其營衛經氣不次因而刺之則陽病入於
陰陰病出爲陽則邪氣復生粗工勿察是謂伐身形
體淫泆乃消腦髓津液不化脫其五味是謂失氣也
大陽之脉其終也戴眼反折瘛瘲其色白絶皮乃絶
汗絶汗則終矣少陽終者耳聾百節盡縱目系絶目
系絶一日半則死矣其死也色青白乃死陽明終者

口目動作喜驚妄言色黃其上下之經盛而不行則
終矣少陰終者面黑齒長而垢腹脹閉塞上下不通
而終矣厥陰終者中熱嗌乾喜溺心煩甚則舌卷卵
上縮而終矣太陰終者腹脹閉不得息氣噫善嘔嘔
則逆逆則面赤不逆則上下不通上下不通則面黑
皮毛燋而終矣

已飽勿刺　已刺勿飽　已飢勿刺　已刺勿飢
已渴勿刺　已刺勿渴　大驚大恐必定其氣乃
刺之乘車來者臥而休之如食頃乃刺之出行來者
坐而休之如行十里頃乃刺之凡此十二禁者其脈
經氣不次因而刺之則陽病入於

口目動作喜驚妄言色黃其上下之經盛而不行則
終矣少陰終者面黑齒長而垢腹脹閉塞上下不通
而終矣厥陰終者中熱嗌乾喜溺心煩甚則舌卷卵
上縮而終矣太陰終者腹脹閉不得息氣噫善嘔
則逆逆則面赤不逆則上下不通上下不通則面黑
皮毛燋而終矣

黄帝素問靈樞經卷三

明　新安吴勉學師古　校
應天徐　鎔春沂　閲

脉經第十

雷公問於黄帝曰禁脉之言凡刺之理經脉爲始營其所行制其度量内次五藏外别六府願盡聞其道黄帝曰人始生先成精精成而腦髓生骨爲幹脉爲營筋爲剛肉爲牆皮膚堅而毛髮長穀入于胃脉道以通血氣乃行雷公曰願卒聞經脉之始生黄帝曰經脉者所以能决死生處百病調虚實不可不通

肺手太陰之脈起于中焦下絡大腸還循胃口上膈
屬肺從肺系橫出腋下下循臑内行少陰心主之前
下肘中循臂内上骨下廉入寸口上魚循魚際出大
指之端其支者從腕後直出次指内廉出其端是動
則病肺脹滿膨膨而喘欬缺盆中痛甚則交兩手而
瞀此爲臂厥是主肺所生病者欬上氣喘渴煩心胸
滿臑臂内前廉痛厥掌中熱氣盛有餘則肩背痛風
寒汗出中風小便數而欠氣虛則肩背痛寒少氣不
足以息溺色變爲此諸病盛則寫之虛則補之熱則
疾之寒則留之陷下則灸之不盛不虛以經取之盛

者寸口大三倍于人迎虛者則寸口反小于人迎也

大腸手陽明之脉起于大指次指之端循指上廉出合谷兩骨之間上入兩筋之中循臂上廉入肘外廉上臑外前廉上肩出髃(音偶)骨之前廉上出于柱骨之會上下入缺盆絡肺下膈屬大腸其支者從缺盆上頸貫頰入下齒中還出挾口交人中左之右右之左上挾鼻孔是動則病齒痛頸腫是主津液所生病者目黃口乾鼽衄喉痹肩前臑痛大指次指痛不用氣有餘則當脉所過者熱腫虛則寒慄不復爲此諸病盛則寫之虛則補之熱則疾之寒則留之陷下則

灸之不盛不虛以經取之盛者人迎大三倍于寸口
虛者人迎反小於寸口也　胃足陽明之脉起於鼻
之交頞中旁納太陽之脉下循鼻外入上齒中還出
挾口環脣下交承漿却循頤後下廉出大迎循頰車
上耳前過客主人循髮際至額顱其支者從大迎前
下人迎循喉嚨入缺盆下膈屬胃絡脾其直者從缺
盆下乳内廉下挾臍入氣街中其支者起于胃口下
循腹裏下至氣街中而合以下髀關抵伏兎下膝臏
中下循脛外廉下足跗入中指内間其支者下廉三
寸而别下入中指外間其支者别跗上入大指間出

其端是動則病洒洒振寒善呻數欠顏黑病至則惡
人與火聞木聲則惕然而驚心欲動獨閉戶塞牖而
處甚則欲上高而歌棄衣而走賁響腹脹是謂骭厥
是主血所生病者狂瘧溫淫汗出鼽衄口喎唇胗頸
腫喉痹大腹水腫膝臏腫痛循膺乳氣街股伏兔骭
外廉足跗上皆痛中指不用氣盛則身以前皆熱其
有餘于胃則消穀善饑溺色黃氣不足則身以前皆
寒慄胃中寒則脹滿爲此諸病盛則寫之虛則補之
熱則疾之寒則留之陷下則灸之不盛不虛以經取
之盛者人迎大三倍于寸口虛者人迎反小於寸口

也　脾足太陰之脉起于大指之端循指内側白肉際過核骨後上内踝前廉上踹内循脛骨後交出厥陰之前上膝股内前廉入腹屬脾絡胃上膈挾咽連舌本散舌下其支者復從胃別上膈注心中是動則病舌本强食則嘔胃脘痛腹脹善噫得後與氣則快然如衰身體皆重是主脾所生病者舌本痛體不能動揺食不下煩心心下急痛溏瘕音加泄水閉黄疸不能卧强立股膝内腫厥足大指不用爲此諸病盛則寫之虚則補之熱則疾之寒則留之陷下則灸之不盛不虚以經取之盛者寸口大三倍于人迎虚者寸

口反小于人迎　心手少陰之脉起于心中出屬心系下膈絡小腸其支者從心系上挾咽繫目系其直者復從心系却上肺下出腋下下循臑内後廉行太陰心主之後下肘内循臂内後廉抵掌後脫骨之端入掌内後廉循小指之内出其端是動則病嗌乾心痛渴而欲飲是爲臂厥是主心所生病者目黄脇痛臑臂内後廉痛厥掌中熱痛爲此諸病盛則寫之虚則補之熱則疾之寒則留之陥下則灸之不盛不虚以經取之盛者寸口大再倍于人迎虚者寸口反小于人迎也　小腸手太陽之脉起于小指之端循手

外側上腕出踝中直上循臂骨下廉出肘内側兩筋之間上循臑外後廉出肩解繞肩胛交肩上入缺盆絡心循咽下膈抵胃屬小腸其支者從缺盆頸上頰至目銳眥却入耳中其支者别頰上䪼（音拙面骨也）抵鼻至目内眥斜絡于顴是動則病嗌痛頷腫不可以顧肩似拔臑似折是主液所生病者耳聾目黄頰腫頸頷肩臑肘臂外後廉痛爲此諸病盛則寫之虚則補之熱則疾之寒則留之陷下則灸之不盛不虚以經取之盛者人迎大再倍于寸口虚者人迎反小于寸口也

膀胱足太陽之脉起于目内眥上額交巔其

支者從巔至耳上角其直者從巔入絡腦還出別下項循肩髆内挾脊抵腰中入循膂絡腎屬膀胱其支者從腰中下挾脊貫臀入膕中其支者從髆内左右別下貫胛挾脊内過髀樞循髀外從後廉下合膕中以下貫踹都玩切足跟也内出外踝之後循京骨至小指外側是動則病衝頭痛目似脱項如拔脊痛腰似折髀不可以曲膕如結踹如裂是爲踝厥是主筋所生病者痔瘧狂癲疾頭顖音信頂門也項痛目黄淚出鼽衄項背腰尻膕踹脚皆痛小指不用爲此諸病盛則寫之虚則補之熱則疾之寒則留之陷下則灸之不盛不

虚以經取之盛者人迎大再倍于寸口虚者人迎反小于寸口也　腎足少陰之脉起于小指之下邪走足心出于然谷之下循内踝之後別入跟中以上踹内出膕内廉上股内後廉貫脊屬腎絡膀胱其直者從腎上貫肝膈入肺中循喉嚨挾舌本其支者從肺出絡心注胸中是動則病饑不欲食面如漆柴欬唾則有血喝喝而喘坐而欲起目䀮䀮音荒如無所見心如懸若饑狀氣不足則善恐心惕惕如人將捕之是為骨厥是主腎所生病者口熱舌乾咽腫上氣嗌乾及痛煩心心痛黄疸腸澼脊股内後廉痛痿厥嗜臥

足下熱而痛為此諸病盛則寫之虛則補之熱則疾之寒則留之陷下則灸之不盛不虛以經取之灸則强食生肉緩帶被髮大杖重履而步盛者寸口大再倍于人迎虛者寸口反小于人迎也　心主手厥陰心包絡之脉起于胷中出屬心包絡下膈歷絡三膲其支者循胷出脇下腋三寸上抵腋下循臑內行太陰少陰之間入肘中下臂行兩筋之間入掌中循中指出其端其支者別掌中循小指次指出其端是動則病手心熱臂肘攣急腋腫甚則胷脇支滿心中憺憺徒濫切又音淡大動面赤目黃喜笑不休是主脉所生病

者煩心心痛掌中熱爲此諸病盛則寫之虛則補之熱則疾之寒則留之陷下則灸之不盛不虛以經取之盛者寸口大一倍于人迎虛者寸口反小于人迎也　三焦手少陽之脉起于小指次指之端上出兩指之間循手表腕出臂外兩骨之間上貫肘循臑外上肩而交出足少陽之後入缺盆布膻中散落心包下膈循屬三焦其支者從膻中上出缺盆上項繫耳後直上出耳上角以屈下頰至䪼其支者從耳後入耳中出走耳前過客主人前交頰至目銳眥是動則病耳聾渾渾焞焞上渾焞切嗌腫喉痺是主氣所生病者

汗出目銳眥痛頰痛耳後肩臑肘臂外皆痛小指次
指不用爲此諸病盛則寫之虛則補之熱則疾之寒
則留之陷下則灸之不盛不虛以經取之盛者人迎
大一倍于寸口虛者人迎反小于寸口也　膽足少
陽之脈起于目銳眥上抵頭角下耳後循頸行手少
陽之前至肩上却交出手少陽之後入缺盆其支者
從耳後入耳中出走耳前至目銳眥後其支者別銳
眥下大迎合于手少陽抵于䪼下加頰車下頸合缺
盆以下胷中貫膈絡肝屬膽循脇裏出氣街繞毛際
橫入髀厭中其直者從缺盆下腋循胷過季脇下合

髀厭中以下循髀陽出膝外廉下外輔骨之前直下抵絶骨之端下出外踝之前循足跗上入小指次指之間其支者别跗上入大指之間循大指歧骨内出其端還貫爪甲出三毛是動則病口苦善大息心脇痛不能轉側甚則面微有塵體無膏澤足外反熱是爲陽厥是主骨所生病者頭痛頷痛目鋭眥痛缺盆中腫痛腋下腫馬刀俠癭汗出振寒瘧胷脇肋髀膝外至胻絶骨外踝前及諸節皆痛小指次指不用爲此諸病盛則寫之虚則補之熱則疾之寒則留之陷下則灸之不盛不虚以經取之盛者人迎大一倍于

寸口虛者人迎反小于寸口也　肝足厥陰之脉起于大指叢毛之際上循足跗上廉去內踝一寸上踝八寸交出太陰之後上膕內廉循股陰入毛中過陰器抵小腹挾胃屬肝絡膽上貫膈布脇肋循喉嚨之後上入頏顙連目系上出額與督脉會于巔其支者從目系下頰裏環唇內其支復從肝別貫膈上注肺是動則病腰痛不可以俛仰丈夫㿗疝婦人少腹腫甚則嗌乾面塵脫色是肝所生病者胷滿嘔逆飧泄狐疝遺溺閉癃爲此諸病盛則寫之虛則補之熱則疾之寒則留之陷下則灸之不盛不虛以經取之盛

者寸口大一倍于人迎虛者寸口反小于人迎也
手太陰氣絶則皮毛焦太陰者行氣溫于皮毛者也
故氣不榮則皮毛焦皮毛焦則津液去皮節津液去
皮節者則爪枯毛折毛折者則毛先死丙篤丁死火
勝金也　手少陰氣絶則脉不通脉不通則血不流
血不流則髦色不澤故其面黑如漆柴者血先死壬
篤癸死水勝火也　足太陰氣絶者則脉不榮肌肉
唇舌者肌肉之本也脉不榮則肌肉軟肌肉軟則舌
萎人中滿人中滿則唇反唇反者肉先死甲篤乙死
木勝土也　足少陰氣絶則骨枯少陰者冬脉也伏

行而濡骨髓者也故骨不濡則肉不能著也骨肉不相親則肉軟却肉軟却故齒長而垢髮無澤髮無澤者骨先死戊篤己死土勝水也　足厥陰氣絕則筋絕厥陰者肝脉也肝者筋之合也筋者聚于陰氣而脉絡于舌本也故脉弗榮則筋急筋急則引舌與卵故脣青舌卷卵縮則筋先死庚篤辛死金勝木也五陰氣俱絕則目系轉轉則目運目運者為志先死志先死則遠一日半死矣六陽氣絕則陰與陽相離離則腠理發泄絕汗乃出故旦占夕死夕占旦死經脉十二者伏行分肉之間深而不見其常見者足太陰

過于外踝之上無所隱故也諸脉之浮而常見者皆絡脉也六經絡手陽明少陽之大絡起于五指間上合肘中飲酒者衛氣先行皮膚先充絡脉絡脉先盛故衛氣已平營氣乃滿而經脉大盛脉之卒然動者皆邪氣居之留于本末不動則熱不堅則陷且空不與衆同是以知其何脉之動也雷公曰何以知經脉之與絡脉異也黄帝曰經脉者常不可見也其虚實也以氣口知之脉之見者皆絡脉也雷公曰細子無以明其然也黄帝曰諸絡脉皆不能經大節之間必行絕道而出入復合于皮中其會皆見于外故諸刺

絡脉者必刺其結上甚血者雖無結急取之以寫其邪而出其血留之發為痺也凡診絡脉脉色青則寒且痛赤則有熱胃中寒手魚之絡多青矣胃中有熱魚際絡赤其暴黑者留久痺也其有赤有黑有青者寒熱氣也其青短者少氣也凡刺寒熱者皆多血絡必間日而一取之血盡而止乃調其虛實其小而短者少氣甚者寫之則悶悶甚則仆不得言悶則急坐之也　手太陰之別名曰列缺起于腕上分間並太陰之經直入掌中散入于魚際其病實則手鋭掌熱虛則欠㰦音去開口也小便遺數取之去腕半寸別走陽

明也　手少陰之别名曰通里去腕一寸半别而上行循經入于心中繫舌本屬目系其實則支膈虛則不能言取之掌後一寸别走太陽也手心主之别名曰内關去腕二寸出于兩筋之間循經以上繫于心包絡心系實則心痛虛則爲頭强取之兩筋間也

手太陽之别名曰支正上腕五寸内注少陰其别者上走肘絡肩髃實則節弛肘廢虛則生肬音由小者如指痂疥取之所别也　手陽明之别名曰偏歷去腕三寸别入太陰其别者上循臂乘肩髃上曲頰偏齒其别者入耳合于宗脉實則齲聾虛則齒寒痹隔取

之所別也　手少陽之別名曰外關去腕二寸外繞臂注胷中合心主病實則肘攣虛則不收取之所別也　足太陽之別名曰飛陽去踝七寸別走少陰實則鼽窒頭背痛虛則鼽衄取之所別也　足少陽之別名曰光明去踝五寸別走厥陰下絡足跗實則厥虛則痿躄坐不能起取之所別也　足陽明之別名曰豐隆去踝八寸別走太陰其別者循脛骨外廉上絡頭項合諸經之氣下絡喉嗌其病氣逆則喉痹瘁瘖實則狂巔虛則足不收脛枯取之所別也　足太陰之別名曰公孫去本節之後一寸別走陽明其別

者入絡腸胃厥氣上逆則霍亂實則腸中切痛虛則皷脹取之所別也　足少陰之別名曰大鍾當踝後繞跟別走太陽其別者并經上走于心包下外貫腰脊其病氣逆則煩悶實則閉癃虛則腰痛取之所別者也　足厥陰之別名曰蠡溝去内踝五寸別走少陽其別者徑脛上睪音高結于莖其病氣逆則睪腫卒疝實則挺長虛則暴癢取之所別也　任脉之別名曰尾翳下鳩尾散于腹實則腹皮痛虛則癢搔取之所別也　督脉之別名曰長強挾膂上項散頭上下當肩胛左右別走太陽入貫膂實則脊強虛則頭重

高揣之挾脊之有過者取之所別也　脾之大絡名曰大包出淵腋下三寸布胷脅實則身盡痛虛則百節盡皆縱此脉若羅絡之血者皆取之脾之大絡脉也凡此十五絡者實則必見虛則必下視之不見求之上下人經不同絡脉異所別也

經別第十一

黃帝問于岐伯曰余聞人之合于天道也内有五藏以應五音五色五時五味五位也外有六府以應六律六律建陰陽諸經而合之十二月十二辰十二節十二經水十二時十二經脉者此五藏六府之所以

應天道夫十二經脈者人之所以生病之所以成人之所以治病之所以起學之所始工之所止也粗之所易上之所難也請問其離合出入奈何岐伯稽首再拜曰明乎哉問也此粗之所過上之所息也請卒言之足太陽之正別入于膕中其一道下尻五寸別入于肛屬于膀胱散之腎循膂當心入散直者從膂上出于項復屬于太陽此爲一經也　足少陰之正至膕中別走太陽而合上至腎當十四顀〔椎脊上高骨〕出屬帶脈直者繫舌本復出于項合于太陽此爲一合成以諸陰之別皆爲正也　足少陽之正繞髀入毛

際合于厥陰別者入季脇之間循胷裏屬膽散之上肝貫心以上挾咽出頤頷中散于面繫目系合少陽于外眥也　足厥陰之正別跗上上至毛際合于少陽與別俱行此爲二合也　足陽明之正上至髀入于腹裏屬胃散之脾上通于心上循咽出于口上頞䪼還繫目系合于陽明也　足太陰之正上至髀合于陽明與別俱行上結于咽貫舌中此爲三合也

手太陽之正指地別于肩解入腋走心繫小腸也

手少陰之正別入于淵腋兩筋之間屬于心上走喉嚨出于面合目内眥此爲四合也　手少陽之正指

天別于巔入缺盆下走三焦散于胷中也　手心主之正別下淵腋三寸入胷中別屬三焦出循喉嚨出耳後合少陽完骨之下此爲五合也　手陽明之正從手循膺乳別于肩髃入柱骨下走大腸屬于肺上循喉嚨出缺盆合于陽明也　手太陰之正別入淵腋少陰之前入走肺散之太陽上出缺盆循喉嚨復合陽明此六合也

經水第十二

黃帝問于岐伯曰經脉十二者外合于十二經水而内屬于五藏六府夫十二經水者其有大小深淺廣

狹遠近各不同五藏六府之高下小大受穀之多少
亦不等相應奈何夫經水者受水而行之五藏者合
神氣魂魄而藏之六府者受穀而行之受氣而揚之
經脉者受血而營之合而以治奈何刺之深淺灸之
壯數可得聞乎岐伯荅曰善哉問也天至高不可度
地至廣不可量此之謂也且夫人生于天地之間六
合之内此天之高地之廣也非人力之所度量而至
也若夫八尺之士皮肉在此外可度量切循而得之
其死可解剖而視之其藏之堅脆府之大小穀之多
少脉之長短血之清濁氣之多少十二經之多血少

氣與其少血多氣與其皆多血氣與其皆少血氣皆有大數其治以針艾各調其經氣固其常有合乎黃帝曰余聞之快于耳不解于心願卒聞之歧伯荅曰此人之所以參天地而應陰陽也不可不察

足太陽外合于淸水內屬于膀胱而通水道焉

足少陽外合于渭水內屬于膽

足陽明外合于海水內屬于胃

足太陰外合于湖水內屬于脾

足少陰外合于汝水內屬于腎

足厥陰外合于澠水內屬于肝

手太陽外合于淮水内屬于小腸而水道出焉
手少陽外合于漯水内屬于三焦
手陽明外合于江水内屬于大腸
手太陰外合于河水内屬于肺
手少陰外合于濟水内屬于心
手心主外合于漳水内屬于心包
凡此五藏六府十二經水者外有源泉而内有所稟
此皆内外相貫如環無端人經亦然故天爲陽地爲
陰腰以上爲天腰以下爲地故海以北者爲陰湖以
北者爲陰中之陰漳以南者爲陽河以北至漳者爲

陽中之陰漯以南至江者爲陽中之太陽此一隅之陰陽也所以人與天地相參也黃帝曰夫經水之應經脉也其遠近淺深水血之多少各不同合而以刺之柰何岐伯荅曰足陽明五藏六府之海也其脉大血多氣盛熱壯刺此者不深弗散不留不寫也足陽明刺深六分留十呼足太陽深五分留七呼足少陽深四分留五呼足太陰深三分留四呼足少陰深二分留三呼足厥陰深一分留二呼手之陰陽其受氣之道近其氣之來疾其刺深者皆無過二分其留皆無過一呼其少長大小肥瘦以心一本作意撩一本作料之命

曰法天之常灸之亦然灸而過此者得惡火則骨枯
脉濇刺而過此者則脫氣黃帝曰夫經脉之小大血
之多少膚之厚薄肉之堅脆及膕之大小可爲量度
乎岐伯荅曰其可爲度量者取其中度也不甚脫肉
而血氣不衰也若夫度之人痟音消渴病瘦而形肉脫者
惡可以度量刺乎審切循捫按視其寒温盛衰而調
之是謂因適而爲之眞也

黃帝素問靈樞經卷三終

曰法天之常灸之亦然灸而過此者得惡火則骨枯脈
濇刺而過此者則脫氣黃帝曰夫經脈之小大血
之多少膚之厚薄肉之堅脆及膕之大小可為量度
乎岐伯答曰其可為度量者取其中度也不甚脫肉
而血氣不衰也若夫度之人消瘦而形肉脫者
惡可以度量刺乎審切循捫按視其寒溫盛衰而調
之是謂因適而為之真也

黃帝素問靈樞經卷三終

靈樞　卷三　十六

黃帝素問靈樞經卷四

明　新安吳勉學師古　校
應天徐　鎔春沂　閱

經筋第十三

足太陽之筋起于足小指上結于踝邪上結于膝其下循足外側結于踵上循跟結于膕其別者結于踹外上膕中內廉與膕中幷上結于臀上挾脊上項其支者別入結于舌本其直者結于枕骨上頭下顔結于鼻其支者爲目上綱下結于頄音求其支者從腋後外廉結于肩髃其支者入腋下上出缺盆上結于完

骨其支者出缺盆邪上出于頄其病小指支跟腫痛膕攣脊反折項筋急肩不舉腋支缺盆中紐痛不可左右搖治在燔針刼刺以知爲數以痛爲輸名曰仲春痹　足少陽之筋起于小指次指上結外踝上循脛外廉結于膝外廉其支者別起外輔骨上走髀前者結于伏兔之上後者結于尻其直者上乘䏚季脇上走腋前廉繫于膺乳結于缺盆直者上出腋貫缺盆出太陽之前循耳後上額角交巔上下走頷上結于頄支者結于目眥爲外維其病小指次指支轉筋引膝外轉筋膝不可屈伸膕筋急前引髀後引尻即

上乘眇季脇痛上引缺盆膺乳頸維筋急從左之右
右目不開上過右角並蹻脉而行左絡于右故傷左
角右足不用命曰維筋相交治在燔針刼刺以知爲
數以痛爲輸名曰孟春痺也　足陽明之筋起于中
三指結于跗上邪外上加于輔骨上結于膝外廉直
上結于髀樞上循脇屬脊其直者上循骭結于(缺)其
支者結于外輔骨合少陽其直者上循伏兔上結于
髀聚于陰器上腹而布至缺盆而結上頸上挾口合
于頄下結于鼻上合于太陽太陽爲目上網陽明爲
目下網其支者從頰結于耳前其病足中指支脛轉

筋腳跳堅伏兎轉筋髀前腫㿉疝腹筋急引缺盆及頰卒口僻急者目不合熱則筋縱目不開頰筋有寒則急引頰移口有熱則筋弛縱緩不勝收故僻治之以馬膏膏其急者以白酒和桂以塗其緩者以桑鈎鈎之即以生桑灰置之坎中高下以坐等以膏熨急頰且飲美酒噉美炙肉不飲酒者自强也爲之三拊而已治在燔針刧刺以知爲數以痛爲輸名曰季春痹也

足太陰之筋起于大指之端內側上結于內踝其直者絡于膝內輔骨上循陰股結于髀聚于陰器上腹結于齊循腹裏結于肋散于胸中其內者著

于脊其病足大指支内踝痛轉筋痛膝内輔骨痛陰股引髀而痛陰器紐痛下引臍兩脇痛引膺中脊内痛治在燔針刧刺以知為數以痛為輸命曰孟秋痺也

足少陰之筋起于小指之下並足太陰之筋邪走内踝之下結于踵與太陽之筋合而上結于内輔之下並太陰之筋而上循陰股結于陰器循脊内挾膂上至項結于枕骨與足太陽之筋合其病足下轉筋及所過而結者皆痛及轉筋病在此者主癇瘛及痓在外者不能俛在内者不能仰故陽病者腰反折不能俛陰病者不能仰治在燔針刧刺以知為數以

痛爲輸在内者熨引飲藥此筋折紐紐發數甚者死
不治名曰仲秋痺也　足厥陰之筋起于大指之上
上結于内踝之前上循脛上結内輔之下上循陰股
結于陰器絡諸筋其病足大指支内踝之前痛内輔
痛陰股痛轉筋陰器不用傷於内則不起傷於寒則
陰縮入傷於熱則縱挺不收治在行水淸陰氣其病
轉筋者治在燔針刼刺以知爲數以痛爲輸命曰季
秋痺也　手太陽之筋起于小指之上結于腕上循
臂内廉結于肘内銳骨之後彈之應小指之上入結
于腋下其支者後走腋後廉上繞肩胛循頸出走太

陽之前結于耳後完骨其支者入耳中直者出耳上下結于頷上屬目外眥其病小指支肘內銳骨後廉痛循臂陰入腋下腋下痛腋後廉痛繞肩胛引頸而痛應耳中鳴痛引頷目瞑良久乃得視頸筋急則爲筋瘻頸腫寒熱在頸者治在燔針刼刺之以知爲數以痛爲輸其爲腫者復而銳之本支者上曲牙循耳前屬目外眥上頷結于角其痛當所過者支轉筋治在燔針刼刺以知爲數以痛爲輸名曰仲夏痹也

手少陽之筋起于小指次指之端結于腕上循臂結于肘上繞臑外廉上肩走頸合手太陽其支者當曲

頰入繫舌本其支者上曲牙循耳前屬目外眥上乘
頷結于角其病當所過者即支轉筋舌卷治在燔鍼
刼刺以知為數以痛為輸名曰季夏痹也　手陽明
之筋起于大指次指之端結于腕上循臂上結于肘
外上臑結于髃其支者繞肩胛挾脊直者從肩髃上
頸其支者上頰結于頄直者上出手太陽之前上左
角絡頭下右頷其病當所過者支痛及轉筋肩不舉
頸不可左右視治在燔鍼刼刺以知為數以痛為輸
名曰孟夏痹也　手太陰之筋起于大指之上循指
上行結于魚後行寸口外側上循臂結肘中上臑内

廉入腋下出缺盆結肩前髃上結缺盆下結胷裏散
貫賁合賁下抵季脇其病當所過者支轉筋痛甚成
息賁脇急吐血治在燔針刼刺以知為數以痛為輸
名曰仲冬痹也　手心主之筋起于中指與太陰之
筋並行結于肘内廉上臂陰結腋下下散前後挾脇
其支者入腋散胷中結于臂其病當所過者支轉筋
前及胷痛息賁治在燔針刼刺以知為數以痛為輸
名曰孟冬痹也　手少陰之筋起于小指之内側結
于銳骨上結肘内廉上入腋交太陰挾乳裏結于胷
中循臂下繫于臍其病内急心承伏梁下為肘網其

病當所過者支轉筋筋痛治在燔針刼刺以知為數以痛為輸其成伏梁唾血膿者死不治經筋之病寒則反折筋急熱則筋弛縱不收陰痿不用陽急則反折陰急則俛不伸焠刺者刺寒急也熱則筋縱不收無用燔針名曰季冬痹也　足之陽明手之太陽筋急則口目為噼眥急不能卒視治皆如右方也

骨度第十四

黄帝問于伯高曰脉度言經脉之長短何以立之伯高曰先度其骨節之大小廣狹長短而脉度定矣黄帝曰願聞衆人之度人長七尺五寸者其骨節之大

小長短各幾何伯高曰頭之大骨圍二尺六寸胸圍四尺五寸腰圍四尺二寸髮所覆者顱至項尺二寸髮以下至頤長一尺君子終折結喉以下至缺盆中長四寸缺盆以下至𩩲骬音曷骬于胸骨也長九寸過則肺大不滿則肺小𩩲骬以下至天樞長八寸過則胃大不及則胃小天樞以下至橫骨長六寸半過則廻腸廣長不滿則狹短橫骨長六寸半橫骨上廉以下至內輔之上廉長一尺八寸內輔之上廉以下至下廉長三寸半內輔下廉下至內踝長一尺三寸內踝以下至地長三寸膝膕以下至跗屬長一尺六寸跗屬以

下至地長三寸故骨圍大則大過小則不及角以下至柱骨長一尺行腋中不見者長四寸腋以下至季脇長一尺二寸季脇以下至髀樞長六寸髀樞以下至膝中長一尺九寸膝以下至外踝長一尺六寸外踝以下至京骨長三寸京骨以下至地長一寸耳後當完骨者廣九寸耳前當耳門者廣一尺三寸兩顴之間相去七寸兩乳之間廣九寸半兩髀之間廣六寸半足長一尺二寸廣四寸半肩至肘長一尺七寸肘至腕長一尺二寸半腕至中指本節長四寸本節至其末長四寸半項髮以下至背骨長二寸半膂骨

以下至尾骶二十一節長三尺上節長一寸四分分之一奇分在下故上七節至于膂骨九寸八分分之七此衆人骨之度也所以立經脉之長短也是故視其經脉之在于身也其見浮而堅其見明而大者多血細而沉者多氣也

五十營第十五

黄帝曰余願聞五十營奈何岐伯荅曰天周二十八宿宿三十六分人氣行一周千八分日行二十八宿人經脉上下左右前後二十八脉周身十六丈二尺以應二十八宿漏水下百刻以分晝夜故人一呼脉

再動氣行三寸呼吸定息氣行六寸十息氣行六尺日行二分二百七十息氣行十六丈二尺氣行交通于中一周于身下水二刻日行二十五分五百四十息氣行再周于身下水四刻日行四十分二千七百息氣行十周于身下水二十刻日行五宿二十分一萬三千五百息氣行五十營于身水下百刻日行二十八宿漏水皆盡脉終矣所謂交通者并行一數也故五十營備得盡天地之壽矣凡行八百一十丈也

營氣第十六

黄帝曰營氣之道内穀爲寶穀入于胃乃傳之肺流

溢于中布散于外精專者行于經隧常營無已終
復始是謂天地之紀故氣從太陰出注手陽明上行
注足陽明下行至跗上注大指間與太陰合上行抵
髀從脾注心中循手少陰出腋下臂注小指合手太
陽上行乘腋出䪼內注目內眥上巔下項合足太陽
循脊下尻下行注小指之端循足心注足少陰上行
注腎從腎注心外散于胸中循心主脈出腋下臂出
兩筋之間入掌中出中指之端還注小指次指之端
合手少陽上行注膻中散于三焦從三焦注膽出脇
注足少陽下行至跗上復從跗注大指間合足厥陰

上行至肝從肝上注肺上循喉嚨入頏顙之竅究于畜門其支別者上額循巔下項中循脊入骶音氐是督脉也絡陰器上過毛中入臍中上循腹裏入缺盆下注肺中復出太陰此營氣之所行也逆順之常也

脉度第十七

黃帝曰願聞脉度岐伯荅曰手之六陽從手至頭長五尺五六三丈手之六陰從手至胷中三尺五寸三六一丈八尺五六三尺合二丈一尺足之六陽從足上至頭八尺六八四丈八尺足之六陰從足至胷中六尺五寸六六三丈六尺五六三尺合三丈九尺蹻

脉從足至目七尺五寸二七一丈四尺二五一尺合一丈五尺督脉任脉各四尺五寸二四八尺二五一尺合九尺凡都合一十六丈二尺此氣之大經隧也經脉爲裏支而横者爲絡絡之别者爲孫盛而血者疾誅之盛者寫之虚者飲藥以補之五藏常内閱于上七竅也故肺氣通於鼻肺和則鼻能知臭香矣心氣通于舌心和則舌能知五味矣肝氣通于目肝和則目能辨五色矣脾氣通于口脾和則口能知五穀矣腎氣通于耳腎和則耳能聞五音矣五藏不和則七竅不通六府不和則留爲癰故邪在府則陽脉不

和陽脉不和則氣留之氣留之則陽氣盛矣陽氣大盛則陰不利陰脉不利則血留之血留之則陰氣盛矣陰氣大盛則陽氣不能榮也故曰關陽氣大盛則陰氣弗能榮也故曰格陰陽俱盛不得相榮故曰關格關格者不得盡期而死也黃帝曰蹻脉安起安止何氣榮水歧伯答曰蹻脉者少陰之别起于然骨之後上內踝之上直上循陰股入陰上循胷裏入缺盆上出人迎之前入頄屬目內眥合于太陽陽蹻而上行氣并相還則為濡目氣不榮則目不合黃帝曰氣獨行五藏不榮六府何也岐伯答曰氣之不得無行

如水之流如日月之行不休故陰脉榮其藏陽脉榮六府如環之無端莫知其紀終而復始其流溢之氣內溉藏府外濡腠理黃帝曰蹻脉有陰陽何脉當其數岐伯答曰男子數其陽女子數其陰當數者為經其不當數者為絡也

營衛生會第十八

黃帝問于岐伯曰人焉受氣陰陽焉會何氣為營何氣為衛營安從生衛于焉會老壯不同氣陰陽異位願聞其會岐伯答曰人受氣于穀穀入于胃以傳與肺五藏六府皆以受氣其清者為營濁者為衛營在

脉中衛在脉外營周不休五十而復大會陰陽相貫
如環無端衛氣行于陰二十五度行于陽二十五度
分爲晝夜故氣至陽而起至陰而止故曰日中而陽
隴爲重陽夜半而陰隴爲重陰故太陰主內太陽主
外各行二十五度分爲晝夜夜半爲陰隴夜半後而
爲陰衰平旦陰盡而陽受氣矣日中而陽隴日西而
陽衰日入陽盡而陰受氣矣夜半而大會萬民皆臥
命曰合陰平旦陰盡而陽受氣如是無已與天地同
紀黄帝曰老人之不夜瞑者何氣使然少壯之人不
晝瞑者何氣使然歧伯答曰壯者之氣血盛其肌肉

滑氣道通營衛之行不失其常故晝精而夜瞑者者之氣血衰其肌肉枯氣道濇五藏之氣相搏其營氣衰少而衛氣內伐故晝不精夜不瞑黃帝曰願聞營衛之所行皆何道從來岐伯荅曰營出于中焦衛出于下焦黃帝曰願聞三焦之所出岐伯荅曰上焦出于胃上口並咽以上貫膈而布胷中走腋循太陰之分而行還至陽明上至舌下足陽明常與營俱行于陽二十五度行于陰亦二十五度一周也故五十度而復大會于手太陰矣黃帝曰人有熱飲食下胃其氣未定汗則出或出于面或出于背或出于身半其

不循衛氣之道而出何也岐伯曰此外傷于風內開腠理毛蒸理泄衛氣走之固不得循其道此氣慓悍滑疾見開而出故不得從其道故命曰漏泄黄帝曰願聞中焦之所出岐伯答曰中焦亦並胃中出上焦之後此所受氣者泌糟粕蒸津液化其精微上注于肺脉乃化而爲血以奉生身莫貴于此故獨得行于經隧命曰營氣黄帝曰夫血之與氣異名同類何謂也岐伯答曰營衛者精氣也血者神氣也故血之與氣異名同類焉故奪血者無汗奪汗者無血故人生有兩死而無兩生黄帝曰願聞下焦之所出岐伯答

曰下焦者別廻腸注于膀胱而滲入焉故水穀者常并居于胃中成糟粕而俱下于大腸而成下焦滲而俱下濟泌別汁循下焦而滲入膀胱焉黄帝曰人飲酒酒亦入胃穀未熟而小便獨先下何也岐伯答曰酒者熟穀之液也其氣悍以清故後穀而入先穀而液出焉黄帝曰善余聞上焦如霧中焦如漚下焦如瀆此之謂也

四時氣第十九

黄帝問于岐伯曰夫四時之氣各不同形百病之起皆有所生灸刺之道何者爲定一本作寶岐伯答曰四時

之氣各有所在灸刺之道得氣穴爲定故春取經血脈分肉之間甚者深刺之間者淺刺之夏取盛經孫絡取分間絶皮膚秋取經腧邪在府取之合冬取井榮必深以留之溫瘧汗不出爲五十九痏風㽷音水病貌膚脹爲五十七痏取皮膚之血者盡取之飧泄補三陰之上補陰陵泉皆久留之熱行乃止轉筋于陽治其陽轉筋于陰治其陰皆卒刺之徒㽷先取環谷下三寸以鈹針針之已刺而筩之而内之入而復之以盡其㽷必堅來緩則煩悗來急則安靜間日一刺之㽷盡乃止飲閉藥方刺之時徒飲之方飲無食方食

無飲無食他食百三十五日著直略切痺不去久寒不已卒取其三里骨爲幹腸中不便取三里盛寫之虛補之癘風者素刺其腫上已刺以鋭針針其處按出其惡氣腫盡乃止常食方食無食他食腹中常鳴氣上衝胷喘不能久立邪在大腸刺肓之原巨虛上廉三里小腹控睾引腰脊上衝心邪在小腸者連睾系屬于脊貫肝肺絡心系氣盛則厥逆上衝腸胃燻肝散于肓結于臍故取之肓原以散之刺太陰以予之取厥陰以下之取巨虛下廉以去之按其所過之經以調之善嘔嘔有苦長大息心中憺憺恐人將捕之

邪在膽逆在胃膽液泄則口苦胃氣逆則嘔苦故曰
嘔膽取三里以下胃氣逆則刺少陽血絡以閉膽逆
却調其虛實以去其邪飲食不下膈塞不通邪在胃
脘在上脘則刺抑而下之在下脘則散而去之小腹
痛腫不得小便邪在三焦約取之太陽大絡視其絡
脉與厥陰小絡結而血者腫上及胃脘取三里覩其
色察其以知其散復者視其目色以知病之存亡也
一其形聽其動靜者持氣口人迎以視其脉堅且盛
且滑者病日進脉軟者病將下諸經實者病三日已
氣口候陰人迎候陽也

黃帝素問靈樞經卷四終

卷四

黃帝內經素問靈樞[illegible]卷四

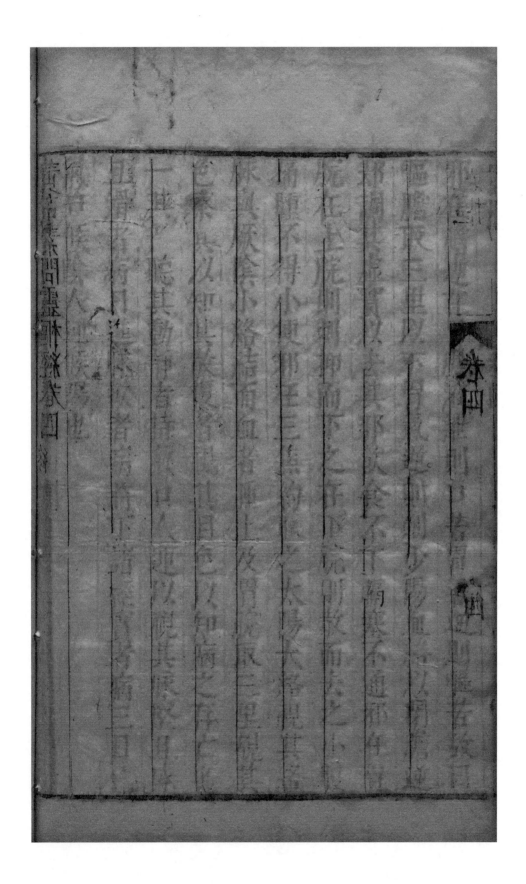

黄帝素問靈樞經卷五

明　新安吴勉學師古　校
明　應天徐　鎔春沂　閲

五邪第二十

邪在肺則病皮膚痛寒熱上氣喘汗出欬動肩背取之膺中外腧背三節五藏一本作五顀又五節之傍以手疾按之快然乃刺之取之缺盆中以越之邪在肝則兩脇中痛寒中惡血在内行善掣節時脚腫取之行間以引脇下補三里以溫胃中取血脉以散惡血取耳間青脉以去其掣邪在脾胃則病肌肉痛陽氣有餘陰

氣不足則熱中善饑陽氣不足陰氣有餘則寒中腸鳴腹痛陰陽俱有餘若俱不足則有寒有熱皆調于三里邪在腎則病骨痛陰痺陰痺者按之而不得腹脹腰痛大便難肩背頸項痛時眩取之湧泉崑崙視有血者盡取之邪在心則病心痛喜悲時眩仆視有餘不足而調之其輸也

寒熱病第二十一

皮寒熱者不可附席毛髮焦鼻槁腊不得汗取三陽之絡以補手太陰肌寒熱者肌痛毛髮焦而唇槁腊不得汗取三陽于下以去其血者補足太陰以出其

汗骨寒熱者病無所安汗注不休齒未槁取其少陰股之絡齒已槁死不治骨厥亦然骨痺舉節不用而痛汗注煩心取三陰一本作三陽之經補之身有所傷血出多及中風寒若有所墮墜四支懈惰不收名曰體惰取其小腹臍下三結交三結交者陽明太陰也臍下三寸關元也厥痺者厥氣上及腹取陰陽之絡視主病也寫陽補陰經也頸側之動脈人迎人迎足陽明也在嬰筋之前嬰筋之後手陽明也名曰扶突次脈足少陽脈也名曰天牖次脈足太陽也名曰天柱腋下動脈臂太陰也名曰天府陽迎頭痛胷滿

不得息取之人迎暴瘖氣鞕硬同取扶突與舌本出血暴聾氣蒙耳目不明取天牖暴攣癇眩足不任身取天柱暴癉內逆肝肺相搏血溢鼻口取天府此爲大牖五部臂陽明有入頄徧齒者名曰大迎下齒齲取之臂惡寒補之不惡寒寫之足太陽有入頄徧齒者多曰角孫上齒齲取之在鼻與頄前方病之時其脉盛盛則寫之虛則補之一曰取之出鼻外足陽明有挾鼻入于面者名曰懸顱屬口對入繫目本視有過者取之損有餘益不足反者益其足太陽有通項入于腦者正屬目本名曰眼系頭目苦痛取之在項中

兩筋間入腦乃別陰蹻陽蹻陰陽相交陽入陰陰出陽交于目銳眥陽氣盛則瞋目陰氣盛則瞑目熱厥取足太陰少陽皆留之寒厥取足陽明少陰于足皆留之舌縱涎下煩悗取足少陰振寒洒洒鼓頷不得汗出腹脹煩悗音悶取手太陰刺虛者刺其去也刺實者刺其來也春取絡脉夏取分腠秋取氣口冬取經輸凡此四時各以時爲齊絡脉治皮膚分腠治肌肉氣口治筋脉經輸治骨髓五藏身有五部伏兔一腓二腓者腨也背三五藏之腧四項五此五部有癰疽者死病始手臂者先取手陽明太陰而汗出病始頭

首者先取項太陽而汗出病始足脛者先取足陽明而汗出臂太陰可汗出足陽明可汗出故取陰而汗出甚者止之于陽取陽而汗出甚者止之于陰凡刺之害中而不去則精泄不中而去則致氣精泄則病甚而恇致氣則生爲癰疽也

癲狂第二十二

目眥外決于面者爲銳眥在内近鼻者爲内眥上爲外眥下爲内眥癲疾始生先不樂頭重痛視舉目赤甚作極已而煩心候之于顔取手太陽陽明太陽血變而止癲疾始作而引口啼呼喘悸者候之手陽明

太陽左強者攻其右右強者攻其左血變而止癲疾
始作先反僵因而脊痛候之足太陽陽明太陰手太
陰血變而止治癲疾者常與之居察其所當取之處
病至視之有過者寫之置其血于瓠壺之中至其發
時血獨動矣不動灸窮骨二十壯窮骨者骶骨也骨
癲疾者顑（音坎頷）齒諸腧分肉皆滿而骨居汗出煩悗
嘔多沃沫氣下泄不治筋癲疾者身倦攣急大刺項
大經之大杼脉嘔多沃沫氣下泄不治脉癲疾者暴
仆四肢之脉皆脹而縱脉滿盡刺之出血不滿灸之
挾項太陽灸帶脉于腰相去三寸諸分肉本輸嘔多

沃沫氣下泄不治癲疾者疾發如狂者死不治狂始生先自悲也喜忘苦怒善恐者得之憂饑治之取手太陽陽明血變而止及取足太陰陽明狂始發少卧不飢自高賢也自辯智也自尊貴也善罵詈日夜不休治之取手陽明太陽太陰舌下少陰視之盛者皆取之不盛釋之也狂言驚善笑好歌樂妄行不休者得之大恐治之取手陽明太陽太陰狂目妄見耳妄聞善呼者少氣之所生也治之取手太陽太陰陽明足太陰頭兩顑狂者多食善見鬼神善笑而不發于外者得之有所大喜治之取足太陰太陽陽明後取

手太陰太陽陽明狂而新發未應如此者先取曲泉左右動脉及盛者見血有頃已不已以法取之灸骨骶二十壯風逆暴四肢腫身漯漯唏然時寒饑則煩飽則善變取手太陰表裏足少陰陽明之經肉清取滎骨清取井經也厥逆爲病也足暴清胷若將裂腸若將以刀切之煩而不能食脉大小皆濇煖取足少陰清取足陽明清則補之溫則寫之厥逆腹脹滿腸鳴胷滿不得息取之下胷二脇欬而動手者與背腧以手按之立快者是也內閉不得溲刺足少陰太陽與骶上以長針氣逆則取其太陰陽明厥陰甚取少

陰陽明動者之經也少氣身漯漯也言吸吸也骨痠體重懈惰不能動補足少陰短氣息短不屬動作氣索補足少陰去血絡也

熱病第二十三

偏枯身偏不用而痛言不變志不亂病在分腠之間巨鍼取之益其不足損其有餘乃可復也痱音肥之為病也身無痛者四肢不收智亂不甚其言微知可治甚則不能言不可治也病先起于陽後入于陰者先取其陽後取其陰浮而取之熱病三日而氣口靜人迎躁者取之諸陽五十九刺以寫其熱而出其汗實

其陰以補其不足者身熱甚陰陽皆靜者勿刺也其
可刺者急取之不汗出則泄所謂勿刺者有死徵也
熱病七日八日脉口動喘而短者急刺之汗且自出
淺刺手大指間熱病七日八日脉微小病者溲血口
中乾一日半而死脉代者一日死熱病已得汗出而
脉尚躁喘且復熱勿刺膚喘甚者死熱病七日八日
脉不躁躁不散數後三日中有汗三日不汗四日死
未曾汗者勿腠刺之熱病先膚痛窒鼻充面取之皮
以第一針五十九苛軫鼻索皮于肺不得索之火火
者心也熱病先身濇倚而熱煩悗乾唇口嗌取之皮

以第一針五十九膚脹口乾寒汗出索脉于心不得索之水水者腎也熱病嗌乾多飲善驚臥不能起取之膚肉以第六針五十九目眥青索肉于脾不得索之木木者肝也熱病面青腦痛手足躁取之筋間以第四針于四逆筋躄目浸索筋于肝不得索之金金者肺也熱病數驚瘈音掣瘲音粽而狂取之脉以第四針急寫有餘者癲疾毛髮去索血于心不得索之水水者腎也熱病身重骨痛耳聾而好瞑取之骨以第四針五十九刺骨病不食齧齒耳青索骨于腎不得索之土土者脾也熱病不知所痛耳聾不能自收口乾

陽熱甚陰頗有寒者熱在髓死不可治熱病頭痛顳
（而涉切）顬（音儒）目瘈（音制）脉痛善衄厥熱病也取之以第三
針視有餘不足寒熱痔熱病體重腸中熱取之以第
四針於其腧及下諸指間索氣于胃胳得氣也熱病
挾臍急痛胷脇滿取之湧泉與陰陵泉取以第四針
針嗌裏熱病而汗且出及脉順可汗者取之魚際大
淵大都太白寫之則熱去補之則汗出汗出大甚取
內踝上橫脉以止之熱病已得汗而脉尚躁盛此陰
脉之極也死其得汗而脉靜者生熱病脉尚盛躁而
不得汗者此陽脉之極也死脉盛躁得汗靜者生熱

病不可刺者有九一曰汗不出大顴發赤噦者死二曰泄而腹滿甚者死三曰目不明熱不已者死四曰老人嬰兒熱而腹滿者死五曰汗不出嘔下血者死六曰舌本爛熱不已者死七曰欬而衄汗不出出不至足者死八曰髓熱者死九曰熱而痓巨郢切者死腰折瘛瘲齒噤齘音介也凡此九者不可刺也所謂五十九刺者兩手外内側各三凡十二痏五指間各一凡八痏足亦如是頭入髮一寸傍三分各三凡六痏更入髮三寸邊五凡十痏耳前後口下者各一項中一凡六痏巔上一顖會一髮際一廉泉一風池二天柱二

氣滿胷中喘息取足太陰大指之端去爪甲如韭葉寒則留之熱則疾之氣下乃止心疝暴痛取足太陰厥陰盡刺去其血絡喉痺舌卷口中乾煩心心痛臂内廉痛不可及頭取手小指次指爪甲下去端如韭葉目中赤痛從内眥始取之陰蹻風痓身反折先取足太陽及膕中及血絡出血中有寒取三里癃取之陰蹻及三毛上及血絡出血男子如蠱女子如怚身體腰脊如解不欲飲食先取湧泉見血視跗上盛者盡見血也

厥病第二十四

厥頭痛面若腫起而煩心取之足陽明太陰厥頭痛頭脉痛心悲善泣視頭動脉反盛者刺盡去血後調足厥陰厥頭痛貞貞頭重而痛寫頭上五行行五先取手少陰後取足少陰厥頭痛意善忘按之不得取頭面左右動脉後取足太陰厥頭痛項先痛腰脊爲應先取天柱後取足太陽厥頭痛頭痛甚耳前後脉湧有熱寫出其血後取足少陽貞頭痛頭痛甚腦盡痛手足寒至節死不治頭痛不可取于腧者有所擊墮惡血在于内若肉傷痛未已可則刺不可遠取也頭痛不可刺者大痹爲惡日作者可令少愈不可已

頭半寒痛先取手少陽陽明後取足少陽陽明厥心痛與背相控善瘛如從後觸其心傴僂者腎心痛也先取京骨崑崙發針不已取然谷厥心痛腹脹胸滿心尤痛甚胃心痛也取之大都大白厥心痛痛如以錐針刺其心心痛甚者脾心痛也取之然谷大谿厥心痛色蒼蒼如死狀終日不得大息肝心痛也取之行間大衝厥心痛臥若徒居心痛間動作痛益甚色不變肺心痛也取之魚際大淵真心痛手足清至節心痛甚旦發夕死夕發旦死心痛不可刺者中有盛聚不可取于腧腸中有蟲瘕及蛟蛕皆不可取以小

針心腸痛憹（音懊）作痛腫聚往來上下行痛有休止腹
熱喜渴涎出者是蛟蛕也以手聚按而堅持之無令
得移以大針刺之久持之蟲不動乃出針也𢘅（音烹）腹
憹痛形中上者耳聾無聞取耳中耳鳴取耳前動脉
耳痛不可刺者耳中有膿若有乾耵（音頂）聹（音寧乃頂切）耳無
聞也耳聾取手小指次指爪甲上與肉交者先取手
後取足耳鳴取手中指爪甲上左取右右取左先取
手後取足足髀不可舉側而取之在樞合中以員利
針大針不可刺病注下血取曲泉風痺淫濼病不可
已者足如履冰時如入湯中股脛淫濼煩心頭痛時

嘔時悗眩已汗出久則目眩悲以喜恐短氣不樂不
出三年死也

病本第二十五

先病而後逆者治其本先逆而後病者治其本先寒而後生病者治其本先病而後生寒者治其本先熱而後生病者治其本先泄而後生他病者治其本必且調之乃治其他病先病而後中滿者治其標先病後泄者治其本先中滿而後煩心者治其本有客氣有同氣大小便不利治其標大小便利治其本病發而有餘本而標之先治其本後治其標病發而不足

標而本之先治其標後治其本謹詳察間甚以意調之間者并行甚爲獨行先小大便不利而後生他病者治其本也

雜病第二十六

厥挾脊而痛者至頂頭沉沉然目䀮䀮然腰脊强取足太陽膕中血絡厥胷滿面腫脣漯漯暴言難甚則不能言取足陽明厥氣走喉而不能言手足清大便不利取足少陰厥而腹嚮嚮然多寒氣腹中穀穀便溲難取足太陰嗌乾口中熱如膠取足少陰膝中痛取犢鼻以員利針發而間之針大如氂刺膝無疑溪

聾不能言取足陽明能言取手陽明瘧不渴間日而作取足陽明渴而日作取手陽明齒痛不惡清飲取足陽明惡清飲取手陽明聾而不痛者取足少陽聾而痛者取手陽明衄而不止衃血流取足太陽衃血取手太陽不已刺宛骨下不已刺膕中出血腰痛痛上寒取足太陽陽明痛上熱取足厥陰不可以俛仰取足少陽中熱而喘取足少陰膕中血絡喜怒而不欲食言益小刺足太陰怒而多言刺足少陽顑痛刺手陽明與顑之盛脉出血項痛不可俛仰刺足太陽不可以顧刺手太陽也小腹滿大上走胷至心淅淅

身時寒熱小便不利取足厥陰腹滿大便不利腹大
亦上走胷嗌喘息喝喝然取足少陰腹滿食不化腹
嚮嚮然不能大便取足太陰心痛引腰脊欲嘔取足
少陰心痛腹脹嗇嗇然大便不利取足太陰心痛引
背不得息刺足少陰不已取手少陽心痛引小腹滿
上下無常處便溲難刺足厥陰心痛但短氣不足以
息刺手太陰心痛當九節次之按已次按之立已不
已上下求之得之立已顑痛刺足陽明曲周動脉見
血立已不已按人迎于經立已氣逆上刺膺中陷者
與下胷動脉腹痛刺臍左右動脉已刺按之立已不

已刺氣街已刺按之立已痿厥爲四末束悗乃疾解
之日二不仁者十日而知無休病已止歲以草刺鼻
嚏嚏而已無息而疾迎引之立已大驚之亦可已

周痹第二十七

黄帝問于岐伯曰周痹之在身也上下移徙隨脉其
上下左右相應間不容空願聞此痛在血脉之中邪
將在分肉之間乎何以致是其痛之移也間不及下
針其慉痛之時不及定治而痛已止矣何道使然願
聞其故岐伯答曰此衆痹也非周痹也黄帝曰願聞
衆痹岐伯對曰此各在其處更發更止更居更起以

右應左以左應右非能周也更發更休也黃帝曰善刺之柰何岐伯對曰刺此者痛雖已止必刺其處勿令復起帝曰善願聞周痺何如岐伯對曰周痺者在于血脉之中隨脉以上隨脉以下不能左右各當其所黃帝曰刺之柰何岐伯對曰痛從上下者先刺其下以過一作遏之後刺其上以脫之痛從下上者先刺其上以過之後刺其下以脫之黃帝曰善此痛安生何因而有名岐伯對曰風寒濕寒客于外分肉之間迫切而爲沫沫得寒則聚聚則排分肉而分裂也分裂則痛痛則神歸之神歸之則熱熱則痛解痛解則

厥厥則他痺發發則如是帝曰善余已得其意矣此
内不在藏而外未發于皮獨居分肉之間眞氣不能
周故命曰周痺故刺痺者必先切循其下之六經視
其虛實及大絡之血結而不通及虛而脉陷空者而
調之熨而通之其瘛堅轉引而行之黃帝曰善余已
得其意矣亦得其事也九者經巽之理十二經脉陰
陽之病也

口問第二十八

黃帝閒居辟左右而問于歧伯曰余已聞九針之經
論陰陽逆順六經已畢願得口問歧伯避席再拜曰

善乎哉問也此先師之所口傳也黄帝曰願聞口傳
岐伯答曰夫百病之始生也皆生于風雨寒暑陰陽
喜怒飲食居處大驚卒恐則血氣分離陰陽破散經
絡厥絶脉道不通陰陽相逆衛氣稽留經脉虚空血
氣不次乃失其常論不在經者請道其方黄帝曰人
之欠者何氣使然岐伯答曰衛氣晝日行於陽夜半
則行於陰陰者主夜夜者卧陽者主上陰者主下故
陰氣積于下陽氣未盡陽引而上陰引而下陰陽相
引故數欠陽氣盡陰氣盛則目瞑陰氣盡而陽氣盛
則寤矣寫足少陰補足太陽黄帝曰人之噦者何

然岐伯曰穀入于胃胃氣上注于肺今有故寒氣
與新穀氣俱還入于胃新故相亂真邪相攻氣并相
逆復出于胃故爲噦補手太陰寫足少陰黃帝曰人
之唏者何氣使然岐伯曰此陰氣盛而陽氣虛陰
氣疾而陽氣徐陰氣盛而陽氣絕故爲唏補足太陽
寫足少陰黃帝曰人之振寒者何氣使然岐伯曰寒
氣客于皮膚陰氣盛陽氣虛故爲振寒寒慄補諸陽
黃帝曰人之噫者何氣使然岐伯曰寒氣客于胃厥
逆從下上散復出于胃故爲噫補足太陰陽明一曰
補眉本也黃帝曰人之嚏者何氣使然岐伯曰陽氣

和利滿于心出于鼻故爲噫補足太陽榮眉本一曰
眉上也黄帝曰人之嚲音妥者何氣使然岐伯曰胃不
實則諸脉虚諸脉虚則筋脉懈惰筋脉懈惰則行陰
用力氣不能復故爲嚲因其所在補分肉間黄帝曰
人之哀而泣涕出者何氣使然岐伯曰心者五藏六
府之主也目者宗脉之所聚也上液之道也口鼻者
氣之門戶也故悲哀愁憂則心動心動則五藏六府
皆摇摇則宗脉感宗脉感則液道開液道開故泣涕
出焉液者所以灌精濡空竅者也故上液之道開則
泣泣不止則液竭液竭則精不灌精不灌則目無所

見矣故命曰奪精補天柱經俠頸黃帝曰人之大息者何氣使然岐伯曰憂思則心系急心系急則氣道約約則不利故大息以伸出之補手少陰心主足少陽留之也黃帝曰人之涎下者何氣使然岐伯曰飲食者皆入于胃胃中有熱則蟲動蟲動則胃緩胃緩則廉泉開故涎下補足少陰黃帝曰人之耳中鳴者何氣使然岐伯曰耳者宗脉之所聚也故胃中空則宗脉虛虛則下溜脉有所竭者故耳鳴補客主人手大指爪甲上與肉交者也黃帝曰人之自齧舌者何氣使然此厥逆走上脉氣輩（輩旋失）至也少陰氣至則

齧舌少陽氣至則齧頰陽明氣至則齧唇矣視主病者則補之凡此十二邪者皆奇邪之走空竅者也故邪之所在皆爲不足故上氣不足腦爲之不滿耳爲之苦鳴頭爲之苦傾目爲之眩中氣不足溲便爲之變腸爲之苦鳴下氣不足則乃爲痿厥心悗補足外踝下留之黃帝曰治之奈何岐伯曰腎主爲欠取足少陰肺主爲噦取手太陰足少陰唏者陰與陽絶故補足太陽瀉足少陰振寒者補諸陽噫者補足太陰陽明嚏者補足太陽眉本嚲因其所在補分肉間泣出補天柱經俠頸俠頸者頭中分也太息補手少陰

心主足少陽留之涎下補足少陰耳鳴補客主人三
大指爪甲上與肉交者自齧舌視主病者則補之目
眩頭傾補足外踝下留之痿厥心悗刺足大指間上
二寸留之一曰足外踝下留之

黄帝素問靈樞經卷五終

三寸陷者之三日足外踝下留之

次頭傾補足外踝下留之藏感心意足大指間上

大指爪甲上與肉交者自齒舌肩主病者則補之目

心主足之陽明太陰下補足少陰……主入

黄帝素問靈樞經卷六

新安吳勉學師古　校
明　應天徐　鎔春沂　閲

師傳第二十九

黄帝曰余聞先師有所心藏弗著于方余願聞而藏之則而行之上以治民下以治身使百姓無病上下和親德澤下流子孫無憂傳于後世無有終時可得聞乎岐伯曰遠乎哉問也夫治民與自治治彼與治此治小與治大治國與治家未有逆而能治之也夫惟順而已矣順者非獨陰陽脈論氣之逆順也百姓

人民皆欲順其志也黃帝曰順之柰何岐伯曰入國問俗入家問諱上堂問禮臨病人問所便（平聲下同）黃帝曰便病人柰何岐伯曰夫中熱消癉則便寒寒中之屬則便熱胃中熱則消穀令人懸心善饑臍以上皮熱腸中熱則出黃如糜臍以下皮寒胃中寒則腹脹腸中寒則腸鳴飧泄胃中寒腸中熱則脹而且泄胃中熱腸中寒則疾饑小腹痛脹黃帝曰胃欲寒饑腸欲熱飲兩者相逆便之柰何且夫王公大人血食之君驕恣從欲輕人而無能禁之禁之則逆其志順之則加其病便之柰何治之何先岐伯曰人之情莫不

惡死而樂生告之以其敗語之以其善導之以其所便開之以其所苦雖有無道之人惡有不聽者乎黃帝曰治之奈何岐伯曰春夏先治其標後治其本秋冬先治其本後治其標黃帝曰便其相逆者奈何岐伯曰便此者食飲衣服亦欲適寒溫寒無淒愴暑無出汗食飲者熱無灼灼寒無滄滄寒溫中適故氣將持乃不致邪僻也黃帝曰本藏以身形支節䐃肉候五藏六府之小大焉今夫王公大人臨朝即位之君而問焉誰可捫循之而後答乎岐伯曰身形支節者藏府之蓋也非面部之閱也黃帝曰五藏之氣閱于

面者余已知之矣以肢節知而閱之奈何岐伯曰五
藏六府者肺爲之蓋巨肩陷咽候見其外黃帝曰善
岐伯曰五藏六府心爲之主缺盆爲之道骶骨有餘
以候髑骬黃帝曰善岐伯曰肝者主爲將使之候外
欲知堅固視目小大黃帝曰善岐伯曰脾者主爲衛
使之迎糧視唇舌好惡以知吉凶黃帝曰善岐伯曰
腎者主爲外使之遠聽視耳好惡以知其性黃帝曰
善願聞六府之候岐伯曰六府者胃爲之海廣骸大
頸張胷五穀乃容鼻隧以長以候大腸唇厚人中長
以候小腸目下果大其膽乃横鼻孔在外膀胱漏泄

鼻柱中央起三焦乃約此所以候六府者也上下三
等藏安且良矣

決氣第三十

黃帝曰余聞人有精氣津液血脈余意以爲一氣耳
今乃辨爲六名余不知其所以然歧伯曰兩神相搏
合而成形常先身生是謂精何謂氣歧伯曰上焦開
發宣五穀味熏膚充身澤毛若霧露之溉是謂氣何
謂津歧伯曰腠理發泄汗出溱溱是謂津何謂液歧
伯曰穀入氣滿淖音閙澤注于骨骨屬屈伸洩澤補益
腦髓皮膚潤澤是謂液何謂血歧伯曰中焦受氣取

汗變化而赤是謂血何謂脉岐伯曰壅遏營氣令無所避是謂脉黃帝曰六氣者有餘不足氣之多少腦髓之虛實血脉之清濁何以知之岐伯曰精脫者耳聾氣脫者目不明津脫者腠理開汗大泄液脫者骨屬屈伸不利色夭腦髓消脛痠音酸耳數鳴血脫者色白夭然不澤其脉空虛此其候也黃帝曰六氣者貴賤何如岐伯曰六氣者各有部主也其貴賤善惡可爲常主然五谷與胃爲大海也

腸胃第三十一

黃帝問于伯高曰余願聞六府傳穀者腸胃之小大

長短受穀之多少奈何伯高曰請盡言之穀所從入淺深遠近長短之度脣至齒長九分口廣二寸半齒以後至會厭深三寸半大容五合舌重十兩長七寸廣二寸半咽門重十兩廣一寸半至胃長一尺六寸胃紆曲屈伸之長二尺六寸大一尺五寸徑五寸大容二斗五升小腸後附脊左環迴周疊積其注于迴腸者外附于臍上迴運環十六曲大二寸半徑八分分之少半長三丈三尺迴腸當臍左環迴周葉積而下迴運環反十六曲大四寸徑一寸寸之少半長二丈一尺廣腸傳脊以受迴腸左環葉脊上下辟大

八寸徑二寸寸之大半長二尺八寸腸胃所入至所出長六丈四寸四分廻曲環反三十二曲也

平人絕穀第三十二

黄帝曰願聞人之不食七日而死何也伯高曰臣請言其故胃大一尺五寸徑五寸長二尺六寸横屈受水穀三斗五升其中之穀常留二斗水一斗五升而滿上焦泄氣出其精微慓悍滑疾下焦下溉諸腸小腸大二寸半徑八分分之少半長三丈二尺受穀二斗四升水六升三合合之大半廻腸大四寸徑一寸寸之少半長二丈一尺受穀一斗水七升半廣腸大

八寸徑二寸寸之大半長二尺八寸受穀九升三合八分合之一腸胃之長凡五丈八尺四寸受水穀九斗二升一合合之大半此腸胃所受水穀之數也平人則不然胃滿則腸虛腸滿則胃虛更虛更滿故氣得上下五藏安定血脉和利精神乃居故神者水穀之精氣也故腸胃之中當留穀二斗水一斗五升故平人日再後後二升半一日中五升七日五七三斗五升而留水穀盡矣故平人不食飲七日而死者水穀精氣津液皆盡故也

海論第三十三

黃帝問於岐伯曰余聞刺法于夫子夫子之所言不離于營衛血氣夫十二經脉者内屬于府藏外絡于肢節夫子乃合之于四海乎岐伯答曰人亦有四海十二經水經水者皆注于海海有東西南北命曰四海黃帝曰以人應之奈何岐伯曰人有髓海有血海有氣海有水穀之海凡此四者以應四海也黃帝曰遠乎哉夫子之合人天地四海也願聞應之奈何岐伯答曰必先明知陰陽表裏滎輸所在四海定矣黃帝曰定之奈何岐伯曰胃者水穀之海其輸上在氣街下至三里衝脉者爲十二經之海其輸上在于大

杼下出于巨虛之上下廉膻中者爲氣之海其輸上
在于柱骨之上下前在于人迎腦爲髓之海其輸上
在于其盖下在風府黄帝曰凡此四海者何利何害
何生何敗岐伯曰得順者生得逆者敗知調者利不
知調者害黄帝曰四海之逆順奈何岐伯曰氣海有
餘者氣滿胷中悗息面赤氣海不足則氣少不足以
言血海有餘則常想其身大怫然不知其所病血海
不足亦常想其身小狹然不知其所病水穀之海有
餘則腹滿水穀之海不足則饑不受穀食髓海有餘
則輕勁多力自過其度髓海不足則腦轉耳鳴脛痠

眩冒目無所見懈怠安臥黄帝曰余已聞逆順調之柰何岐伯曰審守其輸而調其虛實無犯其害順者得復逆者必敗黄帝曰善

五亂第三十四

黄帝曰經脉十二者別爲五行分爲四時何失而亂何得而治岐伯曰五行有序四時有分相順則治相逆則亂黄帝曰何謂相順岐伯曰經脉十二者以應十二月十二月者分爲四時四時者春秋冬夏其氣各異營衛相隨陰陽已和清濁不相干如是則順之而治黄帝曰何謂逆而亂岐伯曰清氣在陰濁氣在

陽營氣順脉衛氣逆行清濁相干亂于胷中是謂大悗故氣亂于心則煩心密嘿俛首静伏亂于肺則俛仰喘喝接手以呼亂于腸胃則爲霍亂亂于臂脛則爲四厥亂于頭則爲厥逆頭重眩仆黄帝曰五亂者刺之有道乎岐伯曰有道以來有道以去審知其道是謂身寶黄帝曰善願聞其道岐伯曰氣在于心者取之手少陰心主之輸氣在于肺者取之手太陰滎足少陰輸氣在于腸胃者取之足太陰陽明不下者取之三里氣在于頭者取之天柱大杼不知取足太陽滎輸氣在于臂足取之先去血脉後取其陽明少

陽之滎輸黄帝曰補寫奈何岐伯曰徐入徐出謂之導氣補寫無形謂之同精是非有餘不足也亂氣之相逆也黄帝曰允乎哉道明乎哉論請著之玉版命曰治亂也

脹論第三十五

黄帝曰脉之應于寸口如何而脹岐伯曰其脉大堅以濇者脹也黄帝曰何以知藏府之脹也岐伯曰陰爲藏脹爲府黄帝曰夫氣之令人脹也在於血脉之中邪藏府之内乎岐伯曰三一作二者皆存焉然非脹之舍也黄帝曰願聞脹之舍岐伯曰夫脹者皆在于

藏府之外排藏府而郭胷脇脹皮膚故命曰脹黄帝曰藏府之在胷脇腹裏之内也若匣匱之藏禁器也各有次舍異名而同處一域之中其氣各異願聞其故黄帝曰未解其意再問岐伯曰夫胷腹藏府之郭也膻中者心主之宫城也胃者大倉也咽喉小腸者傳送也胃之五竅者閭里門戶也廉泉玉英者津液之道也故五藏六府者各有畔界其病各有形狀營氣循脉衛氣逆為脉脹衛氣並脉循分為膚脹三里而寫近者一下遠者三下無問虛實工在疾寫黄帝曰願聞脹形岐伯曰夫心脹者煩心短氣臥不安肺

脹者虛滿而喘欬肝脹者脇下滿而痛引小腹脾脹者善噦四肢煩悗體重不能勝衣臥不安腎脹者腹滿引背央央然腰髀痛六府脹胃脹者腹滿胃脘痛鼻聞焦臭妨于食大便難大腸脹者腸鳴而痛濯濯冬日重感于寒則飧泄不化小腸脹者少腹䐜脹引腰而痛膀胱脹者小腹滿而氣癃三焦脹者氣滿于皮膚中輕輕然而不堅膽脹者脇下痛脹口中苦善大息凡此諸脹者其道在一明知逆順鍼數不失寫虛補實神去其室致邪失正真不可定粗之所敗謂之夭命補虛寫實神歸其室久塞其空謂之良工黃

帝曰脹者焉生何因而有歧伯曰衛氣之在身也常然並脉循分肉行有逆順陰陽相隨乃得天和五藏更始四時循序五穀乃化然後厥氣在下營衛留止寒氣逆上真邪相攻兩氣相搏乃合爲脹也黄帝曰善何以解惑歧伯曰合之于真三合而得帝曰善黄帝問于歧伯曰脹論言無問虚實工在疾寫近者一下遠者三下今有其三而不下者其過焉在歧伯對曰此言陷于肉肓而中氣穴者也不中氣穴則氣内閉針不陷肓則氣不行上越中肉則衛氣相亂陰陽相逐其于脹也當寫不寫氣故不下三而不下必更

其道氣下乃止不下復始可以萬全烏有殆者乎其于脹也必審其胗音軫當寫則寫當補則補如鼓應桴惡有不下者乎

五癃津液別第三十六

黃帝問于岐伯曰水穀入于口輸于腸胃其液別爲五天寒衣薄則爲溺與氣天熱衣厚則爲汗悲哀氣并則爲泣中熱胃緩則爲唾邪氣内逆則氣爲之閉塞而不行不行則爲水脹余知其然也不知其何由生願聞其道岐伯曰水穀皆入于口其味有五各注其海津液各走其道故三焦出氣以溫肌肉充皮膚

爲其津其流而不行者爲液天暑衣厚則腠理開故
汗出寒留于分肉之間聚沫則爲痛天寒則腠理閉
氣濕不行水下留于膀胱則爲溺與氣五藏六府心
爲之主耳爲之聽目爲之候肺爲之相肝爲之將脾
爲之衛腎爲之主外故五藏六府之津液盡上滲于
目心悲氣幷則心系急心系急則肺舉肺舉則液上
溢夫心系與肺不能常舉乍上乍下故欬而泣出矣
中熱則胃中消穀消穀則蟲上下作腸胃充郭故胃
緩胃緩則氣逆故唾出五穀之津液和合而爲膏者
內滲入于骨空補益腦髓而下流于陰股陰陽不和

則便液溢而下流于陰髓液皆減而下下過度則虛
虛故腰背痛而脛痠陰陽氣道不通四海塞閉三焦
不寫津液不化水穀并行腸胃之中別于迴腸留于
下焦不得滲膀胱則下焦脹水溢則爲水脹此津液
五別之逆順也

五閱五使第三十七

黃帝問于岐伯曰余聞刺有五官五閱以觀五氣五
氣者五藏之使也五時之副也願聞其五使當安出
岐伯曰五官者五藏之閱也黃帝曰願聞其所出令
可爲常岐伯曰脉出于氣口色見于明堂五色更出

以應五時各如其常經氣入藏必當治裏帝曰善五色獨决于明堂乎岐伯曰五官以辨闕庭必張乃立明堂明堂廣大蕃蔽見外方壁高基引垂居外五色乃治平博廣大壽中百歲見此者刺之必已如是之人者血氣有餘肌肉堅緻故可苦已針黄帝曰願聞五官岐伯曰鼻者肺之官也目者肝之官也口唇者脾之官也舌者心之官也耳者腎之官也黄帝曰以官何候岐伯曰以候五藏故肺病者喘息鼻張肝病者眥青脾病者唇黄心病者舌卷短顴赤腎病者顴與顏黑黄帝曰五脉安出五色安見其常色殆者如

何岐伯曰五官不辨闕庭不張小其明堂蕃蔽不見又埤其墻墻下無基垂角去外如是者雖平常殆況加疾哉黄帝曰五色之見于明堂以觀五藏之氣左右高下各有形乎岐伯曰府藏之在中也各以次舍左右上下各如其度也

逆順肥瘦第三十八

黄帝問于岐伯曰余聞鍼道于夫子衆多畢悉矣夫子之道應若失而據未有堅然者也夫子之問學熟乎將審察于物而心生之乎岐伯曰聖人之爲道者上合于天下合于地中合于人事必有明法以起度

數法式檢押乃後可傳焉故匠人不能釋尺寸而意短長廢繩墨而起平水也工人不能置規而爲員去矩而爲方知用此者固自然之物易用之教逆順之常也黃帝曰願聞自然奈何岐伯曰臨深決水不用功力而水可竭也循掘決衝而經可通也此言氣之滑濇血之清濁行之逆順也黃帝曰願聞人之白黑肥瘦小長各有數乎岐伯曰年質壯大血氣充盈膚革堅固因加以邪刺此者深而留之此肥人也廣肩腋項肉薄厚皮而黑色脣臨臨然其血黑以濁其氣濇以遲其爲人也貪于取與刺此者深而留之多益

其數也黃帝曰刺瘦人奈何岐伯曰瘦人者皮薄色
少肉廉廉然薄脣輕言其血清氣滑易脫于氣易損
于血刺此者淺而疾之黃帝曰刺常人奈何岐伯曰
視其白黑各爲調之其端正敦厚者其血氣和調刺
此者無失常數也黃帝曰刺壯士眞骨者奈何岐伯
曰刺壯士眞骨堅肉緩節監監然此人重則氣濇血
濁刺此者深而留之多益其數勁則氣滑血清刺此
者淺而疾之黃帝曰刺嬰兒奈何岐伯曰嬰兒者其
肉脆血少氣弱刺此者以豪針淺刺而疾發針日再
可也黃帝曰臨深決水奈何岐伯曰血清氣濁疾寫

之則氣竭焉黃帝曰循掘决衝奈何岐伯曰血濇氣濇疾寫之則經可通也黃帝曰脉行之逆順奈何岐伯曰手之三陰從藏走手手之三陽從手走頭足之三陽從頭走足足之三陰從足走腹黃帝曰少陰之脉獨下行何也岐伯曰不然夫衝脉者五藏六府之海也五藏六府皆稟焉其上者出於頏顙滲諸陽灌諸精其下者注少陰之大絡出于氣街循陰股内廉入膕中伏行骭骨内下至内踝之後屬而别其下者並于少陰之經滲三陰其前者伏行出跗屬下循跗入大指間滲諸絡而温肌肉故别絡結則跗上不動

不動則厥厥則寒矣黃帝曰何以明之岐伯曰五官導之切而驗之其非必動然後乃可明逆順之行也

黃帝曰窘乎哉聖人之爲道也明于日月微于毫釐其非夫子孰能道之也

血絡論第三十九

黃帝曰願聞其奇邪而不在經者岐伯曰血絡是也

黃帝曰刺血絡而仆者何也血出而射者何也血少黑而濁者何也血出清而半爲汁者何也發針而腫者何也血出若多若少而面色蒼蒼者何也發針而面色不變而煩悗者何也多出血而不動搖者何也

願聞其故岐伯曰脈氣甚而血虛者刺之則脫氣脫氣則仆血氣俱盛而陰氣多者其血滑刺之則射陽氣畜積久留而不寫者其血黑以濁故不能射新飲而液滲于絡而未合和于血也故血出而汁別焉其不新飲者身中有水久則爲腫陰氣積于陽其氣因于絡故刺之血未出而氣先行故腫陰陽之氣其新相得而未和合因而寫之則陰陽俱脫表裏相離故脫色而蒼蒼然刺之血出多色不變不煩悗者刺絡而虛經虛經之屬于陰者陰脫故煩悶陰陽相得而合爲痺者此爲內溢于經外注于絡如是者陰陽俱

有餘雖多出血而弗能虛也黃帝曰相之奈何岐伯曰血脈者盛堅橫以赤上下無常處小者如針大者如筋則而寫之萬全也故無失數矣失數而反各如其度黃帝曰針入而肉著者何也岐伯曰熱氣因于針則針熱熱則肉著于針故堅焉

陰陽清濁第四十

黃帝曰余聞十二經脈以應十二經水者其五色各異清濁不同人之血氣若一應之奈何岐伯曰人之血氣苟能若一則天下爲一矣惡有亂者乎黃帝曰余聞一人非問天下之衆岐伯曰夫一人者亦有亂

人天下之衆亦有亂人其合爲一耳黃帝曰願聞人氣之清濁岐伯曰受穀者濁受氣者清清者注陰濁者注陽濁而清者上出于咽清而濁者則下行清濁相干命曰亂氣黃帝曰夫陰清而陽濁濁者有清清者有濁清濁別之奈何岐伯曰氣之大別清者上注於肺濁者下走於胃胃之清氣上出于口肺之濁氣下注外經內積于海黃帝曰諸陽皆濁何陽濁甚乎岐伯曰手太陽獨受陽之濁手太陰獨受陰之清其清者上走空竅其濁者下行諸經諸陰皆清足太陰獨受其濁黃帝曰治之奈何岐伯曰清者其氣滑濁

者其氣濇此氣之常也故刺陰者深而留之刺陽者淺而疾之清濁相干者以數調之也

黄帝素問靈樞經卷七

明　新安吳勉學師古　校
明　應天徐　鎔春沂　閲

陰陽繫日月第四十一

黄帝曰余聞天爲陽地爲陰日爲陽月爲陰其合之于人奈何歧伯曰腰以上爲天腰以下爲地故天爲陽地爲陰故足之十二經脉以應十二月月生於水故在下者爲陰手之十指以應十日日主火故在上者爲陽黄帝曰合之于脉奈何歧伯曰寅者正月之生陽也主左足之少陽未者六月主右足之少陽卯者

二月主左足之太陽午者五月主右足之太陽辰者三月主左足之陽明巳者四月主右足之陽明此兩陽合于前故曰陽明申者七月之生陰也主右足之少陰丑者十二月主左足之少陰酉者八月主右足之太陰子者十一月主左足之太陰戌者九月主右足之厥陰亥者十月主左足之厥陰此兩陰交盡故曰厥陰甲主左手之少陽巳主右手之少陽乙主左手之太陽戊主右手之太陽丙主左手之陽明丁主右手之陽明此兩火幷合故爲陽明庚主右手之少陰癸主左手之少陰辛主右手之太陰壬主左手之

太陰故足之陽者陰中之少陽也足之陰者陰中之太陰也手之陽者陽中之太陽也手之陰者陽中之少陰也腰以上者爲陽腰以下者爲陰其於五藏也心爲陽中之大陽肺爲陰中之少陰肝爲陰中之少陽脾爲陰中之至陰腎爲陰中之大陰黃帝曰以治奈何岐伯曰正月二月三月人氣在左無刺左足之陽四月五月六月人氣在右無刺右足之陽七月八月九月人氣在右無刺右足之陰十月十一月十二月人氣在左無刺左足之陰黃帝曰五行以東方甲乙木王春春者蒼色主肝肝者足厥陰也今乃以甲

為左手之少陽不合于數何也岐伯曰此天地之陰陽也非四時五行之以次行也且夫陰陽者有名而無形故數之可十離之可百散之可千推之可萬此之謂也

病傳第四十二

黄帝曰余受九鍼于夫子而私覽於諸方或有導引行氣喬摩灸熨刺焫飲藥之一者可獨守耶將盡行之乎岐伯曰諸方者衆人之方也非一人之所盡行也黄帝曰此乃所謂守一勿失萬物畢者也今余已聞陰陽之要虛實之理傾移之過可治之屬願聞病

之變化淫傳絕敗而不可治者可得聞乎岐伯曰要乎哉問道昭乎其如日醒窘乎其如夜瞑能被而服之神與俱成畢將服之神自得之生神之理可著于竹帛不可傳于子孫黃帝曰何謂日醒岐伯曰明於陰陽如惑之解如醉之醒黃帝曰何謂夜瞑岐伯曰瘖乎其無聲漠乎其無形折毛發理正氣橫傾淫邪泮衍血脉傳溜大氣入藏腹痛下淫可以致死不可以致生黃帝曰大氣入藏奈何岐伯曰病先發于心一日而之肺三日而之肝五日而之脾三日不已死冬夜半夏日中病先發于肺三日而之肝一日而之

脾五日而之胃十日不已死冬日入夏日出病先發于肝三日而之脾五日而之胃三日而之腎三日不已死冬日入夏蚤食病先發于脾一日而之胃二日而之腎三日而之膂膀胱十日不已死冬人定夏晏食病先發于胃五日而之腎三日而之膂膀胱五日而上之心二日不已死冬夜半夏日昳病先發于腎三日而之膂膀胱三日而上之心三日而之小腸三日不已死冬大晨夏早晡病先發于膀胱五日而之腎一日而之小腸一日而之心二日不已死冬雞鳴夏下晡諸病以次相傳如是者皆有死期不可刺也

問一藏及二三四藏者乃可刺

淫邪發夢第四十三

黃帝曰願聞淫邪泮衍奈何岐伯曰正邪從外襲內而未有定舍反淫于藏不得定處與營衛俱行而與魂魄飛揚使人卧不得安而喜夢氣淫于府則有餘于外不足于內氣淫于藏則有餘于內不足于外黃帝曰有餘不足有形乎岐伯曰陰氣盛則夢涉大水而恐懼陽氣盛則夢大火而燔焫陰陽俱盛則夢相殺上盛則夢飛下盛則夢墮甚饑則夢取甚飽則夢予肝氣盛則夢怒肺氣盛則夢恐懼哭泣飛揚心氣盛

則夢善笑恐畏脾氣盛則夢歌樂身體重不舉腎氣盛則夢腰脊兩解不屬凡此十二盛者至而寫之立已厥氣客于心則夢見丘山煙火客于肺則夢飛揚見金鐵之奇物客于肝則夢山林樹木客于脾則夢見丘陵大澤壞屋風雨客于腎則夢臨淵沒居水中客于膀胱則夢遊行客于胃則夢飲食客于大腸則夢田野客于小腸則夢聚邑衝衢客于膽則夢鬬訟自刳客于陰器則夢接内客于項則夢斬首客于脛則夢行走而不能前及居深地窌力交切苑中客于股肱則夢禮節拜起客于胞䐈則夢溲便凡此有數不

足者至而補之立已也

順氣一日分爲四時第四十四

黃帝曰夫百病之所始生者必起于燥濕寒暑風雨陰陽喜怒飲食居處氣合而有形得藏而有名余知其然也夫百病者多以旦慧晝安夕加夜甚何也岐伯曰四時之氣使然黃帝曰願聞四時之氣岐伯曰春生夏長秋收冬藏是氣之常也人亦應之以一日分爲四時朝則爲春日中爲夏日入爲秋夜半爲冬朝則人氣始生病氣衰故旦慧日中人氣長長則勝邪故安夕則人氣始衰邪氣始生故加夜半人氣入藏

邪氣獨居於身故甚也黄帝曰其時有反者何也岐伯曰是不應四時之氣藏獨主其病者是必以藏氣之所不勝時者甚以其所勝時者起也黄帝曰治之奈何岐伯曰順天之時而病可與期順者爲工逆者爲粗黄帝曰善余聞刺有五變以主五輸願聞其數岐伯曰人有五藏五藏有五變五變有五輸故五五二十五輸以應五時黄帝曰願聞五變岐伯曰肝爲牡藏其色青其時春其音角其味酸其日甲乙心爲牡藏其色赤其時夏其日丙丁其音徵其味苦脾爲牡藏其色黄其時長夏其日戊己其音宫其味甘肺

爲牝藏其色白其音商其時秋其日庚辛其味辛腎
爲牝藏其色黑其時冬其日壬癸其音羽其味鹹是
爲五變黄帝曰以主五輸奈何藏主冬冬刺井色主
春春刺滎時主夏夏刺輸音主長夏長夏刺經味主
秋秋刺合是謂五變以主五輸黄帝曰諸原安合以
致六輸岐伯曰原獨不應五時以經合之以應其數
故六六三十六輸黄帝曰何謂藏主冬時主夏音主
長夏味主秋色主春願聞其故岐伯曰病在藏者取
之井病變于色者取之滎病時間時甚者取之輸病
變于音者取之經經滿而血者病在胃及以飲食不

節得病者取之於合故命曰味主合是謂五變也

外揣第四十五

黄帝曰余聞九針九篇余親授其調頗得其意夫九針者始于一而終於九然未得其要道也夫九針者小之則無内大之則無外深不可爲下高不可爲蓋恍惚無窮流溢無極余知其合于天道人事四時之變也然余願雜之毫毛渾束爲一可乎岐伯曰明乎哉問也非獨針道焉夫治國亦然黄帝曰余願聞針道非國事也岐伯曰夫治國者夫惟道焉非道何可小大深淺雜合爲一乎黄帝曰願卒聞之岐伯曰日

與月焉水與鏡焉鼓與響焉夫日月之明不失其影水鏡之察不失其形鼓響之應不後其聲動搖則應和盡得其情黄帝曰窘乎哉昭昭之明不可蔽其不可蔽不失陰陽也合而察之切而驗之見而得之若清水明鏡之不失其形也五音不彰五色不明五藏波蕩若是則外内相襲若鼓之應桴響之應聲影之似形故遠者司外揣内近者司内揣外是謂陰陽之極天地之蓋請藏之靈蘭之室弗敢使泄也

五變第四十六

黄帝問於少俞曰余聞百疾之始期也必生於風雨

寒暑循毫毛而入腠理或復還或留止或爲風腫汗出或爲消癉或爲寒熱或爲留痺或爲積聚奇邪淫溢不可勝數願聞其故夫同時得病或病此或病彼意者天之爲人生風乎何其異也少俞曰夫天之風者非以私百姓也其行公平正直犯者得之避者得無殆非求人而人自犯之黄帝曰一時遇風同時得病其病各異願聞其故少俞曰善乎哉問請論以比匠人匠人磨斧斤礪刀削斲材木木之陰陽尚有堅脆堅者不入脆者皮弛至其交節而缺斤斧焉夫一木之中堅脆不同堅者則剛脆者易傷況其材木之

不同皮之厚薄汁之多少而各異耶夫木之蚤花先生葉者遇春霜烈風則花落而葉萎久曝大旱則脆木薄皮者枝條汁少而葉萎久陰淫雨則薄皮多汁者皮漬而漉卒風暴起則剛脆之木枝折杌傷秋霜疾風則剛脆之木根搖而葉落凡此五者各有所傷況於人乎黄帝曰以人應木奈何少俞荅曰木之所傷也皆傷其枝枝之剛脆而堅未成傷也人之有常病也亦因其骨節皮膚腠理之不堅固者邪之所舍也故常爲病也黄帝曰人之善病風厥漉汗者何以候之少俞荅曰肉不堅腠理踈則善病風黄帝曰何

以候肉之不堅也少俞荅曰膕肉不堅而無分理理
者粗理粗理而皮不緻者腠理踈此言其渾然者黄
帝曰人之善病消癉者何以候之少俞荅曰五藏皆
柔弱者善病消癉黄帝曰何以知五藏之柔弱也少
俞荅曰夫柔弱者必有剛强剛强多怒柔者易傷也
黄帝曰何以候柔弱之與剛强少俞荅曰此人薄皮
膚而目堅固以深者長衝直揚其心剛剛則多怒怒
則氣上逆胷中畜積血氣逆留髖皮充肌血脉不行
轉而爲熱熱則消肌膚故爲消癉此言其人暴剛而
肌肉弱者也黄帝曰人之善病寒熱者何以候之少

俞荅曰小骨弱肉者善病寒熱黄帝曰何以候骨之
小大肉之堅脆色之不一也少俞荅曰顴骨者骨之
本也顴大則骨大顴小則骨小皮膚薄而其肉無䐃
其臂懦懦然其地色殆然不與其天同色汚然獨異
此其候也然後臂薄者其髓不滿故善病寒熱也黄
帝曰何以候人之善病痺者少俞荅曰粗理而肉不
堅者善病痺黄帝曰痺之高下有處乎少俞荅曰欲
知其高下者各視其部黄帝曰人之善病腸中積聚
者何以候之少俞荅曰皮膚薄而不澤肉不堅而淖
音闊澤如此腸胃惡惡則邪氣留止積聚乃傷脾胃之

間寒溫不次邪氣稍至稸積留止大聚乃起黄帝曰
余聞病形已知之矣願聞其時少俞荅曰先立其年
以知其時時高則起時下則殆雖不陷下當年有衝
通其病必起是謂因形而生病五變之紀也

本藏第四十七

黄帝問於岐伯曰人之血氣精神者所以奉生而周
于性命者也經脉者所以行血氣而營陰陽濡筋骨
利關節者也衛氣者所以溫分肉充皮膚肥腠理司
關闔者也志意者所以御精神收魂魄適寒溫和喜
怒者也是故血和則經脉流行營覆陰陽筋骨勁強

關節清利矣衛氣和則分肉解利皮膚調柔腠理緻密矣志意和則精神專直魂魄不散悔怒不起五藏不受邪矣寒溫和則六府化穀風痺不作經脉通利肢節得安矣此人之平常也五藏者所以藏精神血氣魂魄者也六府者所以化水穀而行津液者也此人之所以具受于天也無愚智賢不肖無以相倚也然有其獨盡天壽而無邪僻之病百年不衰雖犯風雨卒寒大暑猶有弗能害也有其不離屏蔽室內無怵惕之恐然猶不免於病何也願聞其故岐伯曰窘乎哉問也五藏者所以參天地副陰陽而連四時化

五節者也五藏者故有小大高下堅脆端正偏傾者六府亦有小大長短厚薄結直緩急凡此二十五者各不同或善或惡或吉或凶請言其方心小則安邪弗能傷易傷以憂心大則憂不能傷易傷于邪心高則滿于肺中悗而善忘難開以言心下則藏外易傷于寒易恐以言心堅則藏安守固心脆則善病消癉熱中心端正則和利難傷心偏傾則操持不一無守司也肺小則少飲不病喘喝肺大則多飲善病胷痺喉痺逆氣肺高則上氣肩息欬肺下則居賁迫肺善脇下痛肺堅則不病欬上氣肺脆則苦病消癉易傷

肺端正則和利難傷肺偏傾則胷偏痛也肝小則藏安無脇下之病肝大則逼胃迫咽則苦膈中且脇下痛肝高則上支賁切脇悗爲息賁肝下則逼胃脇下空脇下空則易受邪肝堅則藏安難傷肝脆則善病消癉易傷肝端正則和利難傷肝偏傾則脇下痛也脾小則藏安難傷於邪也脾大則苦湊䏚而痛不能疾行脾高則䏚引季脇而痛脾下則下加于大腸下加于大腸則藏苦受邪脾堅則藏安難傷脾脆則善病消癉易傷脾端正則和利難傷脾偏傾則善滿善脹也腎小則藏安難傷腎大則善病腰痛不可以俛

仰易傷以邪腎高則苦背膂痛不可以俛仰腎下則
腰尻痛不可以俛仰為狐疝腎堅則不病腰背痛腎
脆則苦病消癉易傷腎端正則和利難傷腎偏傾則
苦腰尻痛也凡此二十五變者人之所苦常病黄帝
曰何以知其然也岐伯曰赤色小理者心小粗理者
心大無髑音結骬音盆者心高髑骬小短舉者心下髑骬
長者心下堅髑骬弱小以薄者心脆髑骬直下不舉
者心端正髑骬倚一方者心偏傾也白色小理者肺
小粗理者肺大巨肩反膺陷喉者肺高合腋張脇者
肺下好肩背厚者肺堅肩背薄者肺脆背膺厚者肺

端正脇偏踈者肺偏傾也青色小理者肝小粗理者肝大廣胷反骹音敲者肝高合脇兎骹者肝下胷脇好者肝堅脇骨弱者肝脆膺腹好相得者肝端正脇骨偏舉者肝偏傾也黄色小理者脾小粗理者脾大揭唇者脾高唇下縱者脾下唇堅者脾堅唇大而不堅者脾脆唇上下好者脾端正唇偏舉者脾偏傾也黑色小理者腎小粗理者腎大高耳者腎高耳後陷者腎下耳堅者腎堅耳薄不堅者腎脆耳好前居牙車者腎端正耳偏高者腎偏傾也凡此諸變者持則安減則病也帝曰善然非余之所問也願聞人之有不

可病者至盡天壽雖有深憂大恐怵惕之志猶不能減也甚寒大熱不能傷也其有不離屏蔽室內又無怵惕之恐然不免於病者何也願聞其故岐伯曰五藏六府邪之舍也請言其故五藏皆小者少病苦燋心大愁憂五藏皆大者緩于事難使以憂五藏皆高者好高舉措五藏皆下者好出人下五藏皆堅者無病五藏皆脆者不離于病五藏皆端正者和利得人心五藏皆偏傾者邪心而善盜不可以爲人平反覆言語也黃帝曰願聞六府之應岐伯荅曰肺合大腸大腸者皮其應心合小腸小腸者脉其應肝合膽膽

者筋其應脾合胃胃者肉其應腎合三焦三焦膀胱
者腠理毫毛其應黃帝曰應之奈何岐伯曰肺應皮
皮厚者大腸厚皮薄者大腸脾薄緩腹裏大者大腸
大而長皮急者大腸急而短皮滑者大腸直皮肉不
相離者大腸結心應脉皮厚者脉厚脉厚者小腸厚
皮薄者脉薄脉薄者小腸薄皮緩者脉緩脉緩者小
腸大而長皮薄而脉冲小者小腸小而短諸陽經脉
皆多紆屈者小腸結脾應肉肉䐃渠永反堅大者胃厚
肉䐃麼者胃薄肉䐃小而麼者胃不堅肉䐃不稱身
者胃下胃下者下管約不利肉䐃不堅者胃緩肉䐃

無小裹累者胃急肉䐃多少裹累者胃結胃結者上管約不利也肝應爪爪厚色黃者膽厚爪薄色紅者膽薄爪堅色青者膽急爪濡色赤者膽緩爪直色白無約者膽直爪惡色黑多紋者膽結也腎應骨密理厚皮者三焦膀胱厚粗理薄皮者三焦膀胱薄疎腠理者三焦膀胱緩皮急而無毫毛者三焦膀胱急毫毛美而粗者三焦膀胱直稀毫毛者三焦膀胱結也黃帝曰厚薄美惡皆有形願聞其所病歧伯荅曰視其外應以知其內藏則知所病矣

黃帝素問靈樞經卷七 終

黄帝素問靈樞經卷八

明　新安吴勉學師古　校
　　應天徐　鎔春沂　閲

禁服第四十八

雷公問於黄帝曰細子得受業通於九鍼六十篇旦暮勤服之近者編絶久者簡垢然尚諷誦弗置未盡解於意矣外揣言渾束爲一未知所謂也夫大則無外小則無内大小無極高下無度束之奈何士之才力或有厚薄智慮褊淺不能博大深奥自强于學若細子細子恐其散于後世絶于子孫敢問約之奈何

黃帝曰善乎哉問也此先師之所禁坐私傳之也割臂動血之盟也子若欲得之何不齋乎雷公再拜而起曰請聞命于是也乃齋宿三日而請曰敢問今日正陽細子願以受盟黃帝乃與俱入齋室割臂歃血黃帝親祝曰今日正陽歃血傳方有敢背此言者反受其殃雷公再拜曰細子受之黃帝乃左握其手右授之書曰慎之慎之吾爲子言之凡刺之理經脈爲始營其所行知其度量内刺五藏外刺六府審察衛氣爲百病母調諸虛實虛實乃止寫其血絡血盡不殆矣雷公曰此皆細子之所以通未知其所約也

帝曰夫約方者猶約囊也滿而弗約則輸泄方成弗約則神與弗俱雷公曰願爲下材者勿滿而約之黃帝曰未滿而知約之以爲工不可以爲天下師雷公曰願聞爲工黃帝曰寸口主中人迎主外兩者相應俱往俱來若引繩大小齊等春夏人迎微大秋冬寸口微大如是者名曰平人人迎大一倍于寸口病在足少陽一倍而躁在手少陽人迎二倍病在足太陽二倍而躁病在手太陽人迎三倍病在足陽明三倍而躁病在手陽明盛則爲熱虛則爲寒緊則爲痛痺代則乍甚乍間盛則寫之虛則補之緊痛則取之分

肉代則取血絡且飲藥陷下則灸之不盛不虛以經
取之名曰經刺人迎四倍者且大且數名曰溢陽溢
陽爲外格死不治必審按其本末察其寒熱以驗其
藏府之病寸口大于人迎一倍病在足厥陰一倍而
躁在手心主寸口二倍病在足少陰二倍而躁在手
少陰寸口三倍病在足太陰三倍而躁在手太陰盛
則脹滿寒中食不化虛則熱中出糜少氣溺色變緊
則痛痺代則乍痛乍止盛則寫之虛則補之緊則先
刺而後灸之代則取血絡而後調之陷下則徒灸之
陷下者脉血結于中中有著血血寒故宜灸之不盛

不虛以經取之寸口四倍者名曰內關內關者且大且數死不治必審察其本末之寒溫以驗其藏府之病通其營輸乃可傳于大數大數曰盛則徒寫之虛則徒補之緊則灸刺且飲藥陷下則徒灸之不盛不虛以經取之所謂經治者飲藥亦曰灸刺脈急則引脈大以弱則欲安靜用力無勞也

五色第四十九

雷公問於黃帝曰五色獨決于明堂乎小子未知其所謂也黃帝曰明堂者鼻也闕者眉間也庭者顏也蕃者頰側也蔽者耳門也其間欲方大去之十步皆

見于外如是者壽必中百歲雷公曰五官之辨奈何黄帝曰明堂骨高以起平以直五藏次于中央六府挾其兩側首面上于闕庭王宫在于下極五藏安于胷中真色以致病色不見明堂潤澤以清五官惡得無辨乎雷公曰其不辨者可得聞乎黄帝曰五色之見也各出其色部部骨陷者必不免於病矣其色部乘襲者雖病甚不死矣雷公曰官五色奈何黄帝曰青黑爲痛黄赤爲熱白爲寒是謂五官雷公曰病之益甚與其方衰如何黄帝曰外内皆在焉切其脉口滑小緊以沉者病益甚在中人迎氣大緊以浮者其

病益甚在外其脉口浮滑者病日進人迎沉而滑者
病日損其脉口滑以沉者病日進在内其人迎脉滑
盛以浮者其病日進在外脉之浮沉及人迎與寸口
氣小大等者病難已病之在藏沉而大者易已小爲
逆病在府浮而大者其病易已人迎盛堅者傷於寒
氣口甚堅者傷於食雷公曰以色言病之間甚奈何
黄帝曰其色麁以明沉大者爲甚其色上行者病益甚
其色下行如雲徹散者病方以五色各有藏部有外
部有内部也色從外部走内部者其病從外走内其
色從内走外者其病從内走外病生於内者先治其

陰後治其陽反者益甚其病生於陽者先治其外後治其内反者益甚其脉滑大以代而長者病從外來目有所見志有所惡此陽氣之并也可變而已雷公曰小子聞風者百病之始也厥逆者寒濕之起也別之奈何黄帝曰常候闕中薄澤爲風冲濁爲痺在地爲厥此其常也各以其色言其病雷公曰人不病卒死何以知之黄帝曰大氣入于藏府者不病而卒死矣雷公曰病小愈而卒死者何以知之黄帝曰赤色出兩顴大如母指者病雖小愈必卒死黑色出於庭大如母指必不病而卒死雷公再拜曰善哉其死有

期乎黄帝曰察色以言其時雷公曰善乎願卒聞之黄帝曰庭者首面也闕上者咽喉也闕中者肺也下極者心也直下者肝也肝左者膽也下者脾也方上者胃也中央者大腸也挾大腸者腎也當腎者臍也面王以上者小腸也面王以下者膀胱子處也顴有疑落字者肩也顴後者臂也臂下者手也目內眥上者膺乳也挾繩而上者背也循牙車以下者股也中央者膝也膝以下者脛也當脛以下者足也巨分者股裏也巨屈者膝臏也此五藏六府肢節之部也各有部分有部分用陰和陽用陽和陰當明部分萬舉萬當

能別左右是謂大道男女異位故曰陰陽審察澤夭
謂之良工沉濁爲內浮澤爲外黃赤爲風青赤爲痛
白爲寒黃而膏潤爲膿赤甚者爲血痛甚爲攣寒甚
爲皮不仁五色各見其部察其浮沉以知淺深察其
澤夭以觀成敗察其散摶以知遠近視色上下以知
病處積神於心以知往今故相氣不微不知是非屬
意勿去乃知新故色明不麄沉夭爲甚不明不澤其
病不甚其色散駒駒然未有聚其病散而氣痛聚未
成也腎乘心心先病腎爲應色皆如是男子色在于
面王爲小腹痛下爲卵痛其圜直爲莖痛高爲本下

爲首狐疝㿗陰之屬也女子在于面王爲膀胱子處之病散爲痛搏爲聚方員左右各如其色形其隨而下至胝爲淫有潤如膏狀爲暴食不潔左爲左右爲右其色有邪聚散而不端面色所指者也色者青黑赤白黄皆端滿有別鄉別鄉赤者其色亦大如榆莢在面王爲不日其色上鋭首空上向下鋭下向在左右如法以五色命藏青爲肝赤爲心白爲肺黄爲脾黑爲腎肝合筋心合脉肺合脾脾合肉腎合骨也

論勇第五十

黄帝問於少俞曰有人於此並行並立其年之長少

等也衣之厚薄均也卒然遇烈風暴雨或病或不病或皆病或皆不病其故何也少俞曰帝問何急黃帝曰願盡聞之少俞曰春青風夏陽風秋涼風冬寒風凡此四時之風者其所病各不同形黃帝曰四時之風病人如何少俞曰黃色薄皮弱肉者不勝春之虛風白色薄皮弱肉者不勝夏之虛風青色薄皮弱肉不勝秋之虛風赤色薄皮弱肉不勝冬之虛風也黃帝曰黑色不病乎少俞曰黑色而皮厚肉堅固不傷於四時之風其皮薄而肉不堅色不一者長夏至而有虛風者病矣其皮厚而肌肉堅者長夏至而言虛

風者病矣其皮厚而肌肉堅者必重感于寒外内皆然乃病黄帝曰善黄帝曰夫人之忍痛與不忍痛者非勇怯之分也夫勇士之不忍痛者見難則前見痛則止夫怯士之忍痛者聞難則恐遇痛不動夫勇士之忍痛者見難不恐遇痛不動夫怯士之不忍痛者見難與痛目轉面盻恐不能言失氣驚顔色變化乍死乍生余見其然也不知其何由願聞其故少俞曰夫忍痛與不忍痛者皮膚之薄厚肌肉之堅脆緩急之分也非勇怯之謂也黄帝曰願聞勇怯之所由然少俞曰勇士者目深以固長衡直揚三焦理横其心

端直其肝大以堅其膽滿以傍怒則氣盛而胷張肝舉而膽橫眥裂而目揚毛起而面蒼此勇士之由然者也黃帝曰願聞怯士之所由然少俞曰怯士者目大而不減陰陽相失其焦理縱䯏骬短而小肝系緩其膽不滿而縱腸胃挺脇下空雖方大怒氣不能滿其胷肝肺雖舉氣衰復下故不能久怒此怯士之所由然者也黃帝曰怯士之得酒怒不避勇士者何藏使然少俞曰酒者水穀之精熟穀之液也其氣慓悍其入于胃中則胃脹氣上逆滿於胷中肝浮膽橫當是之時同比于勇士氣衰則悔與勇士同類不知爲

之名曰酒悖也

背腧第五十一

黄帝問於岐伯曰願聞五藏之腧出於背者岐伯曰胷中大腧在杼骨之端肺腧在三焦之間心腧在五焦之間膈腧在七焦之間肝腧在九焦之間脾腧在十一焦之間腎腧在十四焦之間皆挾脊相去三寸所則欲得而驗之按其處應在中而痛解乃其腧也灸之則可刺之則不可氣盛則寫之虚則補之以火補者毋吹其火須自滅也以火寫者疾吹其火傳其艾須其火滅也

衛氣第五十二

黃帝曰五藏者所以藏精神魂魄者也六府者所以受水穀而行化物者也其氣内于五藏而外絡肢節其浮氣之不循經者爲衛氣其精氣之行于經者爲營氣陰陽相隨外内相貫如環之無端亭亭淳淳乎孰能窮之然其分别陰陽皆有標本其實所難之處能别陰陽十二經者[redacted]病之所生候虚實之所在者能得病之高下知六[redacted]之氣街者能知解結契紹于門戶能知虚石之堅軟者知補寫之所在能知六經之標本者可以無惑于天下岐伯曰博哉聖帝之論

臣請盡意悉言之足太陽之本在跟以上五寸中標在兩絡命門命門者目也足少陽之本在竅陰之間標在窗籠之前窗籠者耳也足少陰之本在內踝下上三寸中標在背腧與舌下兩脉也足厥陰之本在行間上五寸所標在背腧也足陽明之本在厲兌標在人迎頰挾頏顙也足太陰之本在中封前上四寸之中標在背腧與舌本也手太陽之本在外踝之後標在命門之上一寸也手少陽之本在小指次指之間上二寸標在耳後上角下外眥也手陽明之本在肘骨中上至別陽標在顏下合鉗上也手太陰之本

在寸口之中標在腋內動也手少陰之本在銳骨之端標在背腧也手心主之本在掌後兩筋之間二寸中標在掖下下三寸也凡候此者下虛則厥下盛則熱上虛則眩上盛則熱痛故石者絕而止之虛者引而起之請言氣街胷氣有街腹氣有街頭氣有街脛氣有街故氣在頭者止之于腦氣在胷者止之膺與背腧氣在腹者止之背腧與衝脈於臍左右之動脈者氣在脛者止之于氣街與承山踝上以下取此者用毫鍼必先按而在久應於手乃刺而予之所治者頭痛眩仆腹痛中滿暴脹及有新積痛可移者易已也

積不痛難已也

論痛第五十三

黃帝問於少俞曰筋骨之強弱肌肉之堅脆皮膚之厚薄腠理之疎密各不同其于針石火焫之痛何如腸胃之厚薄堅脆亦不等其於毒藥何如願盡聞之少俞曰人之骨強筋弱肉緩皮膚厚者耐痛其于針石之痛火焫亦然黃帝曰其耐火焫者何以知之少俞荅曰加以黑色而美骨者耐火焫黃帝曰其不耐針石之痛者何以知之少俞曰堅肉薄皮者不耐針石之痛于火焫亦然黃帝曰人之病或同時而傷或

易已或難已其故何如少俞曰同時而傷其身多熱者易已多寒者難已黃帝曰人之勝毒何以知之少俞曰胃厚色黑大骨及肥者皆勝毒故其瘦而薄胃者皆不勝毒也

天年第五十四

黃帝問於岐伯曰願聞人之始生何氣築爲基何立而爲循何失而死何得而生岐伯曰以母爲基以父爲楯失神者死得神者生也黃帝曰何者爲神岐伯曰血氣已和榮衛已通五藏已成神氣舍心魂魄畢具乃成爲人黃帝曰人之壽夭各不同或夭壽或卒

死或病久願聞其道岐伯曰五藏堅固血脉和調肌肉解利皮膚緻密營衛之行不失其常呼吸微徐氣以度行六府化穀津液布揚各如其常故能長久黄帝曰人之壽百歲而死何以致之岐伯曰使道隧以長基牆高以方通調營衛三部三里起骨高肉滿百歲乃得終黄帝曰其氣之盛衰以至其死可得聞乎岐伯曰人生十歲五藏始定血氣已通其氣在下故好走二十歲血氣始盛肌肉方長故好趨三十歲五藏大定肌肉堅固血脉盛滿故好步四十歲五藏六府十二經脉皆大盛以平定腠理始踈榮華頽落髮

頰班白平盛不搖故好坐五十歲肝氣始衰肝葉始薄膽汁始滅目始不明六十歲心氣始衰苦憂悲血氣懈惰故好臥七十歲脾氣虛皮膚枯八十歲肺氣衰魄離故言善悞九十歲腎氣焦四藏經脉空虛百歲五藏皆虛神氣皆去形骸獨居而終矣黄帝曰其不能終壽而死者何如岐伯曰其五藏皆不堅使道不長空外以張喘息暴疾又卑基牆薄脉少血其肉不石數中風寒血氣虛脉不通真邪相攻亂而相引故中壽而盡也

逆順第五十五

黃帝問於伯高曰余聞氣有逆順脈有盛衰刺有大約可得聞乎伯高曰氣之逆順者所以應天地陰陽四時五行也脈之盛衰者所以候血氣之虛實有餘不足刺之大約者必明知病之可刺與其未可刺與其已不可刺也黃帝曰候之奈何伯高曰兵法曰無迎逢逢之氣無擊堂堂之陣刺法曰無刺熇呼木熇之熱無刺漉漉之汗無刺渾渾之脈無刺病與脈相逆者黃帝曰候其可刺奈何伯高曰上工刺其未生者也其次刺其未盛者也其次刺其已衰者也上工刺其方襲者也與其形之盛者也與其病之與脈相

逆者也故曰方其盛也勿敢毁傷刺其已衰事必大
昌故曰上工治未病不治已病此之謂也

五味第五十六

黄帝曰願聞穀氣有五味其入五藏分别奈何伯高
曰胃者五藏六府之海也水穀皆入于胃五藏六府
皆稟氣于胃五味各走其所喜穀味酸先走肝穀味
苦先走心穀味甘先走脾穀味辛先走肺穀味鹹先
走腎穀氣津液已行營衛大通乃化糟粕以次傳下
黄帝曰營衛之行奈何伯高曰穀始入于胃其精微
者先出于胃之兩焦以溉五藏别出兩行營衛之道

其大氣之摶而不行者積于胷中命曰氣海出於肺循喉咽故呼則出吸則入天地之精氣其大數常出三入一故穀不入半日則氣衰一日則氣少矣黃帝曰穀之五味可得聞乎伯高曰請盡言之五穀秔音庚米甘麻酸大豆鹹麥苦黃黍辛五果棗甘李酸栗鹹杏苦桃辛五畜牛甘犬酸猪鹹羊苦雞辛五菜葵甘韭酸藿鹹薤苦葱辛五色黃色宜甘青色宜酸黑色宜鹹赤色宜苦白色宜辛凡此五者各有所宜五宜所言五色者脾病者宜食秔米飯牛肉棗葵心病者宜食麥羊肉杏薤腎病者宜食大豆黃卷猪肉栗藿

肝病者宜食麻犬肉李韭肺病者宜食黄黍雞肉桃
葱五禁肝病禁辛心病禁鹹脾病禁酸腎病禁甘肺
病禁苦肝色青宜食甘秔米飯牛肉棗葵皆甘心色
赤宜食酸犬肉麻李韭皆酸脾色黄宜食鹹大豆豕
肉栗藿皆鹹肺色白宜食苦麥羊肉杏薤皆苦腎色
黑宜食辛黄黍雞肉桃葱皆辛

黄帝素問靈樞經卷八　終

黃帝素問靈樞經卷九

明　新安吳勉學師古　校
應天徐　鎔春沂　閲

水脹第五十七

黃帝問於岐伯曰水與膚脹鼓脹腸覃石瘕石水何以別之岐伯荅曰水始起也目窠上微腫如新臥起之狀其頸脉動時欬陰股間寒足脛瘇腹乃大其水已成矣以手按其腹隨手而起如裹水之狀此其候也黃帝曰膚脹何以候之岐伯曰膚脹者寒氣客于皮膚之間鼕鼕音空然不堅腹大身盡腫皮厚按其腹

胷而不起腹色不變此其候也鼓脹何如岐伯曰腹脹身皆大大與膚脹等也色蒼黃腹筋起此其候也腸覃何如岐伯曰寒氣客于腸外與衛氣相搏氣不得營因有所繫癖而内着惡氣乃起瘜肉乃生其始生也大如雞卵稍以益大至其成如懷子之狀久者離歲按之則堅推之則移月事以時下此其候也石瘕何如岐伯曰石瘕生于胞中寒氣客于子門子門閉塞氣不得通惡血當寫不寫衃（音坏）以留止日以益大狀如懷子月事不以時下皆生于女子可導而下

黃帝曰膚脹鼓脹可刺邪岐伯曰先寫其脹之血

後調其經刺去其血絡也

賊風第五十八

黃帝曰夫子言賊風邪氣之傷人也令人病焉今有其不離屏蔽不出室穴之中卒然病者非不離賊風邪氣其故何也岐伯曰此皆嘗有所傷于濕氣藏于血脉之中分肉之間久留而不去若有所墮墜惡血在内而不去卒然喜怒不節飲食不適寒溫不時腠理閉而不通其開而遇風寒則血氣凝結與故邪相襲則爲寒痺其有熱則汗出汗出則受風雖不遇賊風邪氣必有因加而發焉黃帝曰今夫子之所言者

皆病人之所自知也其毋所遇邪氣又毋怵惕之所志卒然而病者其故何也唯有因鬼神之事乎岐伯曰此亦有故邪留而未發因而志有所惡及有所慕血氣内亂兩氣相搏其所從來者微視之不見聽而不聞故似鬼神黄帝曰其祝（音呪）而已者其故何也岐伯曰先巫者因知百病之勝先知其病之所從生者可祝而已也

衛氣失常第五十九

黄帝曰衛氣之留於腹中搐積不行苑蘊不得常所使人支脇胃中滿喘呼逆息者何以去之伯高曰

氣積于胷中者上取之積于腹中者下取之上下皆滿者傍取之黃帝曰取之奈何伯高對曰積于上寫人迎天突喉中積于下者寫三里與氣街上下皆滿者上下取之與季脇之下一寸（一本云季脇之下深一寸）重者雞足取之診視其脉大而弦急及絕不至者及腹皮急甚者不可刺也黃帝曰善黃帝問於伯高曰何以知皮肉氣血筋骨之病也伯高曰色起兩眉薄澤者病在皮脣色青黃赤白黑者病在肌肉營氣濡然者病在血氣目色青黃赤白黑者病在筋耳焦枯受塵垢病在骨黃帝曰病形何如取之奈何伯高曰夫百病

變化不可勝數然皮有部肉有柱血氣有輸骨有屬
黃帝曰願聞其故伯高曰皮之部輸于四末肉之柱
在臂脛諸陽分肉之間與足少陰分間血氣之輸輸
于諸絡氣血留居則盛而起筋部無陰無陽無左無
右候病所在骨之屬者骨空之所以受益而益腦髓
者也黃帝曰取之奈何伯高曰夫病變化浮沉深淺
不可勝窮各在其處病間者淺之甚者深之間者小
之甚者衆之隨變而調氣故曰上工黃帝問于伯高
曰人之肥瘦大小寒溫有老壯少小別之奈何伯高
對曰人年五十已上爲老二十已上爲壯十八已上

爲少六歲已上爲小黃帝曰何以度知其肥瘦伯高
曰人有肥有膏有肉黃帝曰別此奈何伯高曰䐃肉
堅一本云䐃肉皮滿者肥䐃肉不堅皮緩者膏皮肉不相
離者肉黃帝曰身之寒溫何如伯高曰膏者其肉淖
而粗理者身寒細理者身熱脂者其肉堅細理者熱
粗理者寒黃帝曰其肥瘦大小奈何伯高曰膏者多
氣而皮縱緩故能縱腹垂腴肉者身體容大脂者其
身收小黃帝曰三者之氣血多少何如伯高曰膏者
多氣多氣者熱熱者耐寒肉者多血則充形充形則
平脂者其血清氣滑少故不能大此安于衆人者也

黃帝曰衆人奈何伯高曰衆人皮肉脂膏不相加也血與氣不能相多故其形不小不大各自稱其形命曰衆人黃帝曰善治之奈何伯高曰必先别其三形血之多少氣之清濁而後調之治無失常經是故高人縱腹垂腴肉人者上下容大脂人者雖脂不能大者

玉版第六十

黃帝曰余以小針爲細物也夫子乃言上合之于天下合之于地中合之于人余以爲過針之意矣願聞其故歧伯曰何物大於天乎夫大于針者惟五兵者

焉五兵者死之備也非生之具且夫人者天地之鎭
也其不可不參乎夫治民者亦唯針焉夫針之與五
兵其孰小乎黄帝曰病之生時有喜怒不測飲食不
節陰氣不足陽氣有餘營氣不行乃發爲癰疽陰陽
不通兩熱相搏乃化爲膿小針能取之乎歧伯曰聖
人不能使化者爲之邪不可留也故兩軍相當旗幟
相望白刃陳于中野者此非一日之謀也能使其民
令行禁止士卒無白刃之難者非一日之教也須臾
之得也夫至使身被癰疽之病膿血之聚者不亦離
道遠乎夫癰疽之生膿血之成也不從天下不從地

出積微之所生也故聖人自治于未有形也愚者遭其已成也黄帝曰其已形不予遭膿已成不予見爲之奈何岐伯曰膿已成十死一生故聖人弗使已成而明爲良方著之竹帛使能者踵而傳之後世無有終時者爲其不予遭也黄帝曰其已有膿血而後遭乎不導之以小針治乎岐伯曰以小治小者其功小以大治大者多害故其已成膿血者其唯砭石鈹音披大針也鋒之所取也黄帝曰多害者其不可全乎岐伯曰其在逆順焉黄帝曰願聞逆順岐伯曰以爲傷者其白眼青黑眼小是一逆也内藥而嘔者是二逆也

腹痛渴甚是三逆也肩項中不便是四逆也音嘶色脫是五逆也除此五者爲順矣黄帝曰諸病皆有逆順可得聞乎岐伯曰腹脹身熱脉大是一逆也腹鳴而滿四肢清泄其脉大是二逆也衄而不止脉大是三逆也咳且溲血脫形其脉小勁是四逆也欬脫形身熱脉小以疾是謂五逆也如是者不過十五日而死矣其腹大脹四末清脫形泄甚是一逆也腹脹便(平聲)血其脉大時絶是二逆也欬溲血形肉脫脉搏是三逆也嘔血胷滿引背脉小而疾是四逆也欬嘔腹脹且飧泄其脉絶是五逆也如是者不及一時而死

矣工不察此者而刺之是謂逆治黄帝曰夫子之言針甚駿以配天地上數天文下度地紀内别五藏外次六府經脉二十八會盡有周紀能殺生人不能起死者子能反之乎岐伯曰能殺生人不能起死者也黄帝曰余聞之則爲不仁然願聞其道弗行於人岐伯曰是明道也其必然也其如刀劒之可以殺人如飲酒使人醉也雖勿診猶可知矣黄帝曰願卒聞之岐伯曰人之所受氣者穀也穀之所注者胃也胃者水穀氣血之海也海之所行雲氣者天下也胃之所出氣血者經隧也經隧者五藏六府之大絡也迎而

奪之而已矣黃帝曰上下有數乎岐伯曰迎之五裏中道而止五至而已五往而藏之氣盡矣故五五二十五而竭其輸矣此所謂奪其天氣者也非能絕其命而傾其壽者也黃帝曰願卒聞之岐伯曰闚門而刺之者死于家中入門而刺之者死于堂上黃帝曰善乎方明哉道請著之玉版以爲重寶傳之後世以爲刺禁令民勿敢犯也

五禁第六十一

黃帝問于岐伯曰余聞刺有五禁何謂五禁岐伯曰禁其不可刺也黃帝曰余聞刺有五奪岐伯曰無寫

其不可奪者也黃帝曰余聞刺有五過岐伯曰補寫
無過其度黃帝曰余聞刺有五逆岐伯曰病與脉相
逆命曰五逆黃帝曰余聞刺有九宜岐伯曰明知九
針之論是謂九宜黃帝曰何謂五禁願聞其不可刺
之時岐伯曰甲乙日自乘無刺頭無發矇于耳内丙
丁日自乘無振埃于肩喉廉泉戊己日自乘四季無
刺腹去爪寫水庚辛日自乘無刺關節于股膝壬癸
日自乘無刺足脛是謂五禁黃帝曰何謂五奪岐伯
曰形肉已奪是一奪也大奪血之後是二奪也大汗
出之後是三奪也大泄之後是四奪也新産及大血

之後是五奪也此皆不可寫黄帝曰何謂五逆岐伯曰熱病脉靜汗已出脉盛躁是一逆也病泄脉洪大是二逆也著痺不移䐃肉破身熱脉偏絶是三逆也淫而奪形身熱色夭然白及後下血衃血衃篤重是謂四逆也寒熱奪形脉堅搏是謂五逆也

動輸第六十二

黄帝曰經脉十二而手太陰足少陰陽明獨動不休何也岐伯曰是明胃脉也胃爲五藏六府之海其清氣上注于肺肺氣從太陰而行之其行也以息往來故人一呼脉再動一吸脉亦再動呼吸不已故動而

不止黄帝曰氣之過于寸口也上十焉息下八焉伏何道從還不知其極岐伯曰氣之離藏也卒然如弓弩之發如水之下岸上于魚以反衰其餘氣衰散以逆上故其行微黄帝曰足之陽明何因而動岐伯曰胃氣上注于肺其悍氣上衝頭者循咽上走空竅循眼系入絡腦出顑下客主人循牙車合陽明并下人迎此胃氣別走于陽明者也故陰陽上下其動也若一故陽病而陽脉小者爲逆陰病而陰脉大者爲逆故陰陽俱静俱動若引繩相傾者病黄帝曰足少陰何因而動岐伯曰衝脉者十二經之海也與少陰之

大絡起于腎下出于氣街循陰股内廉邪入膕中循脛骨内廉並少陰之經下入内踝之後入足下其別者邪入踝出屬跗上入大指之間注諸絡以溫足脛此脉之常動者也黃帝曰營衛之行也上下相貫如環之無端今有其卒然遇邪氣及逢大寒手足懈惰其脉陰陽之道相輸之會行相失也氣何由還岐伯曰夫四末陰陽之會者此氣之大絡也四街者氣之徑路也故絡絶則徑通四末陰陽氣從合相輸如環黃帝曰善此所謂如環無端莫知其紀終而復始此之謂也

五味論第六十三

黃帝問于少俞曰五味入于口也各有所走各有所病酸走筋多食之令人癃鹹走血多食之令人渴辛走氣多食之令人洞心苦走骨多食之令人變嘔甘走肉多食之令人悗心余知其然也不知其何由願聞其故少俞荅曰酸入于胃其氣澁以收上之兩焦弗能出入也不出即留于胃中胃中和溫則下注膀胱膀胱之胞薄以懦得酸則縮綣約而不通水道不行故癃陰者積筋之所終也故酸入而走筋矣黃帝曰鹹走血多食之令人渴何也少俞曰鹹入于胃其

氣上走中焦注于脉則血氣走之血與鹹相得則凝
凝則胃中汁注之注之則胃中竭竭則咽路焦故舌
本乾而善渴血脉者中焦之道也故鹹入而走血矣
黄帝曰辛走氣多食之令人洞心何也少俞曰辛入
于胃其氣走于上焦上焦者受氣而營諸陽者也姜
韭之氣薰之營衛之氣不時受之久留心下故洞心
辛與氣俱行故辛入而與汗俱出黄帝曰苦走骨多
食之令人變嘔何也少俞曰苦入于胃五穀之氣皆
不能勝苦苦入下脘三焦之道皆閉而不通故變嘔
齒者骨之所終也故苦入而走骨故入而復出知其

走骨也黄帝曰甘走肉多食之令人悗心何也少俞曰甘入于胃其氣弱小不能上至于上焦而與穀留于胃中者令人柔潤者也胃柔則緩緩則蟲動蟲動則令人悗心其氣外通於肉故甘走肉

陰陽二十五人第六十四

黄帝曰余聞陰陽之人何如伯高曰天地之間六合之内不離于五人亦應之故五五二十五人之政而陰陽之人不與焉其態又不合于衆者五余已知之矣願聞二十五人之形血氣之所生别而以候從外知内何如岐伯曰悉乎哉問也此先師之秘也雖伯

高猶不能明明之也黃帝避席遵循而郄曰余聞之得其人弗斂是謂重失得而泄之天將厭之余願得而明之金匱藏之不敢揚之岐伯曰先立五形金木水火土別其五色異其五形之人而二十五人具矣黃帝曰願卒聞之岐伯曰慎之慎之臣請言之

木形之人比於上角似於蒼帝其爲人蒼色小頭長面大肩背直身小手足好有才勞心少力多憂勞於事能音耐下同春夏不能秋冬感而病生足厥陰佗佗然

大角之人比於左足少陽少陽之上遺遺然

左角之人比於右足少陽少陽之下隨隨然一曰少角

鈦音第角

之人比於右足少陽少陽之上推推然一曰右角　判角
之人比於左足少陽少陽之下栝栝然　火形之人
比於上徵似於赤帝其爲人赤色廣䏺音引脫面小頭好
肩背髀腹小手足行安地疾心行搖肩背肉滿有氣
輕財少信多慮見事明好顏急心不壽暴死能春夏
不能秋冬秋冬感而病生手少陰核核然　質徵之
人比於左手太陽太陽之上肌肌然一曰質之人一曰大徵
少徵之人比於右手太陽太陽之下慆慆然　右徵
之人比於右手太陽太陽之上鮫鮫然一曰熊熊然一曰熊　質
判之人比於左手太陽太陽之下支支頤頤然一曰質人

土形之人比於上宮似於上古黃帝其爲人黃色
圓面大頭美肩背大腹美股脛小手足多肉上下相
稱行安地舉足浮安心好利人不喜權勢善附人也
能秋冬不能春夏春夏感而病生足太陰敦敦然
大宮之人比於左足陽明陽明之上婉婉然　加宮
之人比於左足陽明陽明之下坎坎然一曰衆之人　少
宮之人比於右足陽明陽明之上樞樞然　左宮之
人比於右足陽明陽明之下兀兀然一曰衆之人一曰陽明之上
金形之人比於上商似於白帝其爲人方面白色
小頭小肩背小腹小手足如骨發踵外骨輕身清廉

急心靜悍善爲吏能秋冬不能春夏春夏感而病生手太陰敦敦然　釱商之人比於左手陽明陽明之上廉廉然　右商之人比於左手陽明陽明之下脫脫然　右商之人比於右手陽明陽明之上監監然　小商之人比於右手陽明陽明之下嚴嚴然　水形之人比於上羽似於黑帝其爲人黑色面不平大頭廉頤小肩大腹動手足發行搖身下尻長背延延然不敬畏善欺紿人戮死能秋冬不能春夏春夏感而病生足少陰汗汗然　大羽之人比於右足太陽太陽之上頰頰然　小羽之人比於左足太陽太陽

之下紆紆然　衆之爲人比於右足太陽太陽之下
絜絜然之人一曰加　桎之爲人比於左足太陽太陽之
上安安然　是故五形之人二十五變者衆之所以
相欺者是也黄帝曰得其形不得其色何如岐伯曰
形勝色色勝形者至其勝時年加感則病行失則憂
矣形色相得者富貴大樂黄帝曰其形色相勝之時
年加可知乎岐伯曰凡年忌下上之人大忌常加七
歲十六歲二十五歲三十四歲四十三歲五十二歲
六十一歲皆人之大忌不可不自安也感則病行失
則憂矣當此之時無爲姦事是謂年忌黄帝曰夫子

之言脉之上下血氣之候以知形氣奈何岐伯曰足陽明之上血氣盛則髯美長血少氣多則髯短故氣少血多則髯少血氣皆少則無髯兩吻多畫足陽明之下血氣盛則下毛美長至胷血多氣少則下毛美短至臍行則善高舉足足指少肉足善寒血少氣多則肉而善瘃音竹手足寒血氣皆少則無毛有則稀枯悴善痿厥足痺足少陽之上氣血盛則通髯美長血多氣少則通髯美短血少氣多則少髯血氣皆少則無鬚感於寒濕則善痺骨痛爪枯也足少陽之下血氣盛則脛毛美長外踝肥血多氣少則脛毛美短外踝

皮堅而厚血少氣多則胻（音杭又下孟切脛也）毛少外踝皮薄而軟血氣皆少則無毛外踝瘦無肉足太陽之上血氣盛則美眉眉有毫毛血多氣少則惡眉面多少理血少氣多則面多肉血氣和則美色足太陰之下血氣盛則跟肉滿踵堅氣少血多則瘦跟空血氣皆少則喜轉筋踵下痛手陽明之上血氣盛則髭美血少氣多則髭惡血氣皆少則無髭手陽明之下血氣盛則腋下毛美手魚肉以溫氣血皆少則手瘦以寒手少陽之上血氣盛則眉美以長耳色美血氣皆少則耳焦惡色手少陽之下血氣盛則手捲多肉以溫血

氣皆少則寒以瘦氣少血多則瘦以多脉手太陽之上血氣盛則有多鬚面多肉以平血氣皆少則面瘦惡色手太陽之下血氣盛則掌肉充滿血氣皆少則掌瘦以寒黄帝曰二十五人者刺之有約乎岐伯曰美眉者足太陽之脉氣血多惡眉者血氣少其肥而澤者血氣有餘肥而不澤者氣有餘血不足瘦而無澤者氣血俱不足審察其形氣有餘不足而調之可以知逆順矣黄帝曰刺其諸陰陽奈何岐伯曰按其寸口人迎以調陰陽切循其經絡之凝色結而不通者此於身皆爲痛痺甚則不行故凝濇凝濇者致氣

以瀉之血和乃止其絡絡者脉絡血不和决之乃行

故曰氣有餘於上者導而下之氣不足於上者推而

休之其稽留不至者因而迎之必明於經隧乃能持

之寒與熱爭者導而行之其宛陳血不結者則而予

之必先明知二十五人則血氣之所在左右上下刺

約畢也

黃帝素問靈樞經卷十

明　新安吳勉學師古　校
應天徐　鎔春沂　閱

五音五味第六十五

右徵與少徵調右手太陽上
左商與左徵調左手陽明上
少徵與太宮調左手陽明上
右角與大角調右足少陽下
大徵與少徵調左手太陽上
衆羽與少羽調右足太陽下

少商與右商調右手太陽下
桎羽與衆羽調右足太陽下
少宮與大宮調右足陽明下
判角與少角調右足少陽下
釱商與上商調右足陽明下
釱商與上角調左足太陽下
上徵與右徵同穀麥畜羊果杏
手少陽藏心色赤味苦時夏
上羽與大羽同穀大豆畜彘果栗
足少陰藏腎色黑味鹹時冬

上宮與大宮同穀稷畜牛果棗
足太陰藏脾色黃味甘時季夏
上商與右商同穀黍畜雞果桃
手太陰藏肺色白味辛時秋
上角與大角同穀麻畜犬果李
足厥陰藏肝色青味酸時春
大宮與上角同右足陽明上
左角與大角同左足陽明上
少羽與大羽同右足太陽下
左商與右商同左足陽明上

加宫與大宫同左足少陽上
質判與大宫同左手太陽下
判角與大角同左足少陽下
太羽與大角同右足太陽上
大角與大宫同右足少陽上
右徵少徵質徵上徵判徵
右角釱角上角大角判角
右商少商釱商上商左商
少宫上宫大宫加宫左角宫
衆羽桎羽上羽大羽少羽

黃帝曰婦人無鬚者無血氣乎岐伯曰衝脉任脉皆起於胞中上循背裏爲經絡之海其浮而外者循腹右上行會於咽喉别而絡唇口血氣盛則充膚熱肉血獨盛則澹滲皮膚生毫毛今婦人之生有餘於氣不足於血以其數脱血也衝任之脉不榮口唇故鬚不生焉黃帝曰士人有傷於陰陰氣絶而不起陰不用然其鬚不去其故何也宦者獨去何也願聞其故岐伯曰宦者去其宗筋傷其衝脉血寫不復皮膚内結唇口不榮故鬚不生黃帝曰其有天宦者未嘗被傷不脱於血然其鬚不生其故何也岐伯曰此天之

所不足也其任衝不盛宗筋不成有氣無血唇口不榮故鬚不生黄帝曰善乎哉聖人之通萬物也若日月之光影音聲鼓響聞其聲而知其形其非夫子孰能明萬物之精是故聖人視其顏色黄赤者多熱氣青白者少熱氣黑色者多血少氣美眉者太陽多血通髯極鬚者少陽多血美鬚者陽明多血此其時然也夫人之常數太陽常多血少氣少陽常多氣少血陽明常多血多氣厥陰常多氣少血少陰常多血少氣大陰常多血少氣此天之常數也

百病始生第六十六

黃帝問於岐伯曰夫百病之始生也皆生於風雨寒暑清濕喜怒喜怒不節則傷藏風雨則傷上清濕則傷下三部之氣所傷異類願聞其會岐伯曰三部之氣各不同或起於陰或起於陽請言其方喜怒不節則傷藏藏傷則病起於陰也清濕襲虛則病起於下風雨襲虛則病起於上是謂三部至於其淫泆不可勝數黃帝曰余固不能數故問先師願卒聞其道岐伯曰風雨寒熱不得虛邪不能獨傷人卒然逢疾風暴雨而不病者蓋無虛故邪不能獨傷人此必因虛邪之風與其身形兩虛相得乃客其形兩實相逢衆

人肉堅其中於虛邪也因於天時與其身形參以虛
實大病乃成氣有定舍因處爲名上下中外分爲三
員是故虛邪之中人也始於皮膚皮膚緩則腠理開
開則邪從毛髮入入則抵深深則毛髮立毛髮立則
淅然故皮膚痛留而不去則傳舍於絡脉在絡之時
痛於肌肉其痛之時息大經乃代留而不去傳舍於
經在經之時洒淅喜驚留而不去傳舍於輸在輸之
時六經不通四肢則肢節痛腰脊乃强留而不去傳
舍於伏衝之脉在伏衝之時體重身痛留而不去傳
舍於腸胃在腸胃之時賁響腹脹多寒則腸鳴飱泄

食不化多熱則溏出麋留而不去傳舍於腸胃之外募原之間留着於脉脉稽留而不去息而成積或着孫脉或着絡脉或着經脉或着輸脉或着於伏衝之脉或着於膂筋或著於腸胃之募原上連於緩筋邪氣淫泆不可勝論黃帝曰願盡聞其所由然岐伯曰其著孫絡之脉而成積者其積往來上下臂手孫絡之居也浮而緩不能句積而止之故往來移行腸胃之間水湊滲注灌濯濯有音有寒則䐜䐜滿雷引故時切痛其著於陽明之經則挾臍而居飽食則益大饑則益小其著於緩筋也似陽明之積飽食則痛饑則

安其著於腸胃之募原也痛而外連於緩筋飽食則
安饑則痛其著於伏衝之脈者揣之應手而動發手
則熱氣下於兩股如湯沃之狀其著於膂筋在腸後
者饑則積見飽則積不見按之不得其著於輸之脈
者閉塞不通津液不下孔竅乾壅此邪氣之從外入
內從上下也黃帝曰積之始生至其已成奈何岐伯
曰積之始生得寒乃生厥乃成積也黃帝曰其成積
奈何岐伯曰厥氣生足悗悗生脛寒脛寒則血脈凝
濇血脈凝濇則寒氣上入於腸胃入於腸胃則䐜脹
䐜脹則腸外之汁沫迫聚不得散日以成積卒然多

食飲則腸滿起居不節用力過度則絡脈傷陽絡傷則血外溢血外溢則衄血陰絡傷則血內溢血內溢則後血腸胃之絡傷則血溢於腸外腸外有寒汁沫與血相摶則并合凝聚不得散而積成矣卒然外中於寒若內傷於憂怒則氣上逆氣上逆則六輸不通溫氣不行凝血蘊裹而不散津液濇滲著而不去而積皆成矣黃帝曰其生於陰者奈何岐伯曰憂思傷心重寒傷肺忿怒傷肝醉以入房汗出當風傷脾用力過度若入房汗出浴則傷腎此內外三部之所生病者也黃帝曰善治之奈何岐伯荅曰察其所痛以

知其應有餘不足當補則補當寫則寫毋逆天時是謂至治

行鍼第六十七

黃帝問於岐伯曰余聞九鍼於夫子而行之於百姓百姓之血氣各不同形或神動而氣先鍼行或氣與鍼相逢或鍼以出氣獨行或數刺乃知或發鍼而氣逆或數刺病益劇凡此六者各不同形願聞其方岐伯曰重陽之人其神易動其氣易往也黃帝曰何謂重陽之人岐伯曰重陽之人熇熇高高言語善疾舉足善高 心肺之藏氣有餘陽氣滑盛而揚故神動而

氣先行黃帝曰重陽之人而神不先行者何也岐伯曰此人頗有陰者也黃帝曰何以知其頗有陰也岐伯曰多陽者多喜多陰者多怒數怒者易解故曰頗有陰其陰陽之離合難故其神不能先行也黃帝曰其氣與鍼相逢奈何岐伯曰陰陽和調而血氣淖澤滑利故鍼入而氣出疾而相逢也黃帝曰鍼已出而氣獨行者何氣使然岐伯曰其陰氣多而陽氣少陰氣沉而陽氣浮者內藏故鍼已出氣乃隨其後故獨行也黃帝曰數刺乃知何氣使然岐伯曰此人之多陰而少陽其氣沉而氣往難故數刺乃知也黃帝曰

鍼入而氣逆者何氣使然岐伯曰其氣逆與其數刺病益甚者非陰陽之氣浮沉之勢也此皆粗之所敗上之所失其形氣無過焉

上膈第六十八

黃帝曰氣爲上膈者食飲入而還出余已知之矣蟲爲下膈下膈者食晬時乃出余未得其意願卒聞之岐伯曰喜怒不適食飲不節寒溫不時則寒汁流於腸中流於腸中則蟲寒蟲寒則積聚守於下管則腸胃充郭衛氣不營邪氣居之人食則蟲上食蟲上食則下管虛下管虛則邪氣勝之積聚已留留則癰成

癰成則下管約其癰在管內者即而痛深其癰在外者則癰外而痛浮癰上皮熱黃帝曰刺之奈何岐伯曰微按其癰視氣所行先淺刺其傍稍內益深還而刺之無過三行察其沉浮以為深淺已刺必熨令熱入中日使熱內邪氣益衰大癰乃潰伍以參禁以除其內恬憺無為乃能行氣後以鹹苦化穀乃下矣

憂恚無言第六十九

黃帝問於少師曰人之卒然憂恚而言無音者何道之塞何氣出行使音不彰願聞其方少師答曰咽喉者水穀之道也喉嚨者氣之所以上下者也會厭平聲

者音聲之戸也口脣者音聲之扇也舌者音聲之機也懸雍垂者音聲之關也頏顙者分氣之所泄也横骨者神氣所使主發舌者也故人之鼻洞涕出不收者頏顙不開分氣失也是故厭小而疾薄則發氣疾其開闔利其出氣易其厭大而厚則開闔難其氣出遲故重言也人卒然無音者寒氣客于厭則厭不能發發不能下至其開闔不致故無音黄帝曰刺之柰何岐伯曰足之少陰上繫於舌絡於横骨終於會厭兩寫其血脉濁氣乃辟會厭之脉上絡任脉取之天突其厭乃發也

寒熱第七十

黄帝問于岐伯曰寒熱瘰癧在于頸腋者皆何氣使生岐伯曰此皆鼠瘻寒熱之毒氣也留於脉而不去者也黄帝曰去之奈何岐伯曰鼠瘻之本皆在於藏其末上出於頸腋之間其浮於脉中而未内著於肌肉而外爲膿血者易去也黄帝曰去之奈何岐伯曰請從其本引其末可使衰去而絶其寒熱審按其道以予之徐往徐來以去之其小如麥者一刺知三刺而已黄帝曰决其生死奈何岐伯曰反其目視之其中有赤脉上下貫瞳子見一脉一歲死見一脉半一

歲半死見二脉二歲死見三脉半二歲半死見三脉
三歲而死見赤脉不下貫瞳子可治也

邪客第七十一

黄帝問於伯高曰夫邪氣之客人也或令人目不瞑
不卧出者何氣使然伯高曰五穀入于胃也其糟粕
津液宗氣分爲三隧故宗氣積于胷中出于喉嚨以
貫心脉而行呼吸焉營氣者泌其津液注之于脉化
以爲血以榮四末内注五藏六府以應刻數焉衛氣
者出其悍氣之慓疾而先行於四末分肉皮膚之間
而不休者也晝日行於陽夜行於陰常從足少陰之

分間行於五藏六府今厥氣客于五藏六府則衛氣獨衛其外行於陽不得入於陰行於陽則陽氣盛陽氣盛則陽蹻陷不得入於陰陰虛故目不瞑黄帝曰善治之奈何伯高曰補其不足寫其有餘調其虛實以通其道而去其邪飲以半夏湯一劑陰陽已通其臥立至黄帝曰善此所謂決瀆壅塞經絡大通陰陽和得者也願聞其方伯高曰其湯方以流水千里以外者八升揚之萬遍取其清五升煑之炊以葦薪火沸置秫米一升治半夏五合徐炊令竭爲一升半去其滓飲汁一小杯日三稍益以知爲度故其病新發

者覆杯則臥汗出則已矣久者三飲而已也黄帝問
於伯高曰願聞人之肢節以應天地奈何伯高荅曰
天圓地方人頭圓足方以應之天有日月人有兩目
地有九州人有九竅天有風雨人有喜怒天有雷電
人有音聲天有四時人有四肢天有五音人有五藏
天有六律人有六府天有冬夏人有寒熱天有十日
人有手十指辰有十二人有足十指莖垂以應之女
子不足二節以抱人形天有陰陽人有夫妻歲有三
百六十五日人有三百六十節地有高山人有肩膝
地有深谷人有腋膕地有十二經水人有十二經脉

地有泉脉人有衛氣地有草蓂人有毫毛天有晝夜人有卧起天有列星人有牙齒地有小山人有小節地有山石人有高骨地有林木人有募筋地有聚邑人有䐃肉歲有十二月人有十二節地有四時不生草人有無子此人與天地相應者也黄帝問于岐伯曰余願聞持針之數内針之理縱舍之意扞皮開腠理奈何脉之屈折出入之處焉至而出焉至而止焉至而徐焉至而疾焉至而入六府之輸於身者余願盡聞少序别離之處離而入陰别而入陽此何道而從行願盡聞其方岐伯曰帝之所問針道畢矣黄帝

曰願卒聞之岐伯曰手太陰之脉出於大指之端內屈循白肉際至本節之後大淵留以澹外屈上於本節下內屈與陰諸絡會於魚際數脉并注其氣滑利伏行壅骨之下外屈出於寸口而行上至於肘內廉入於大筋之下內屈上行臑音儒臂節也陰入腋下內屈走肺此順行逆數之屈折也心主之脉出於中指之端內屈循中指內廉以上留於掌中伏行兩骨之間外屈出兩筋之間骨肉之際其氣滑利上二寸外屈出行兩筋之之上至肘內廉入於小筋之下留兩骨之會上入於胷中內絡於心脉黄帝曰手少陰之脉

獨無腧〈音戍〉何也岐伯曰少陰心脉也心者五藏六府之大主也精神之所舍也其藏堅固邪弗能容也容之則心傷心傷則神去神去則死矣故諸邪之在於心者皆在於心之包絡包絡者心主之脉也故獨無腧焉黄帝曰少陰獨無腧者不病乎岐伯曰其外經病而藏不病故獨取其經於掌後鋭骨之端其餘脉出入屈折其行之徐疾皆如手少陰心主之脉行也故本腧者皆因其氣之虚實疾徐以取之是謂因衝而寫因衰而補如是者邪氣得去真氣堅固是謂因天之序黄帝曰持針縱舍奈何岐伯曰必先明知十

二經脉之本末皮膚之寒熱脉之盛衰滑濇其脉滑而盛者病日進虚而細者久以持大以濇者爲痛痺陰陽如一者病難治其本末尚熱者病尚在其熱以衰者其病亦去矣持其尺察其肉之堅脆小大滑濇寒溫燥濕因視目之五色以知五藏而決死生視其血脉察其色以知其寒熱痛痺黄帝曰持針縱舍余未得其意也岐伯曰持針之道欲端以正安以静先知虚實而行疾徐左手執骨右手循之無與肉果寫欲端以正補必閉膚輔針導氣邪得淫泆真氣得居黄帝曰扦皮開腠理奈何岐伯曰因其分肉左别其

膚微內而徐端之適神不散邪氣得去黄帝問於岐伯曰人有八虚各何以候岐伯荅曰以候五藏黄帝曰候之奈何岐伯曰肺心有邪其氣留於兩肘肝有邪其氣留于兩腋脾有邪其氣留于兩髀腎有邪其氣留于兩膕凡此八虛者皆機關之室眞氣之所過血絡之所遊邪氣惡血固不得住留住留則傷筋絡骨節機關不得屈伸故病攣也

通天第七十二

黄帝問于少師曰余嘗聞人有陰陽何謂陰人何謂陽人少師曰天地之間六合之內不離於五人亦應

之非徒一陰一陽而已也而略言耳口弗能徧明也
黄帝曰願略聞其意有賢人聖人心能備而行之乎
少師曰蓋有大陰之人少陰之人太陽之人少陽之
人陰陽和平之人凡五人者其態不同其筋骨氣血
各不等黄帝曰其不等者可得聞乎少師曰太陰之
人貪而不仁下齊湛湛好内而惡出心和而不發不
務於時動而後之此太陰之人也　少陰之人小貪
而賊心見人有亡常若有得好傷好害見人有榮乃
反慍怒心疾而無恩此少陰之人也　太陽之人居
處于于好言大事無能而虚説志發于四野舉措不

鎮是非爲事如常自用事雖敗而常無悔此太陽之人也　少陽之人諟諦好自貴有小小官則高自宜好爲外交而不内附此少陽之人也　陰陽和平之人居處安靜無爲懼懼無爲欣欣婉然從物或與不爭與時變化尊則謙謙譚而不治是謂至治古之善用鍼艾者視人五態乃治之盛者寫之虚者補之黄帝曰治人之五態奈何少師曰太陰之人多陰而無陽其陰血濁其衛氣濇陰陽不和緩筋而厚皮不之疾寫不能移之　少陰之人多陰少陽小胃而大腸六府不調其陽明脉小而太陽脉大必審調之其血

易脱其氣易敗也　太陽之人多陽而少陰必謹調之無脱其陰而寫其陽陽重脱者易狂陰陽皆脱者暴死不知人也　少陽之人多陽少陰經小而絡大血在中而氣外實陰而虚陽獨寫其絡脉則强氣脱而疾中氣不足病不起也　陰陽和平之人其陰陽之氣和血脉調謹診其陰陽視其邪正安容儀審有餘不足盛則寫之虚則補之不盛不虚以經取之此所以調陰陽別五態之人者也黄帝曰夫五態之人者相與無故卒然新會未知其行也何以別之少師荅曰衆人之屬不如五態之人者故五五二十五人

黃帝素問靈樞經卷十一

新安吳勉學師古 校
明 應天徐 鎔春沂 閱

官能第七十三

黃帝問于岐伯曰余聞九針於夫子衆多矣不可勝數余推而論之以爲一紀余司誦之子聽其理非則語余請正其道令可久傳後世無患得其人乃傳非其人勿言岐伯稽首再拜曰請聽聖王之道黃帝曰用針之理必知形氣之所在左右上下陰陽表裏血氣多少行之逆順出入之合（一作會）謀伐有過知解結

知補虛寫實上下氣門明通於四海審其所在寒熱淋露以輸異處審於調氣明於經隧左右肢絡盡知其會寒與熱爭能合而調之虛與實鄰知決而通之左右不調把一作犯而行之明於逆順乃知可治陰陽不奇故知起時審於本末察其寒熱得邪所在萬刺不殆知官九針刺道畢矣明於五輸徐疾所在屈伸出入皆有條理言陰與陽合於五行五藏六府亦有所藏四時八風盡有陰陽各得其位合於明堂各處色部五藏六府察其所痛左右上下知其寒溫何經所在審皮膚之寒溫滑濇知其所苦膈有上下知其

氣所在先得其道稀而疎之稍深以留故能徐入之大熱在上推而下之從下上者引而去之視前痛者常先取之大寒在外留而補之入於中者從合寫之針所不為灸之所宜上氣不足推而揚之下氣不足積而從之陰陽皆虛火自當之厥而寒甚骨廉陷下寒過於膝下陵三里陰絡所過得之留止寒入於中推而行之經陷下者火則當之結絡堅緊火所治之不知所苦兩蹻之下男陰女陽良工所禁針論畢矣用針之服必有法則上視天光下司八正以辟奇邪而觀百姓審於虛實無犯其邪是得天之露遇歲之

虛救而不勝反受其殃故曰必知天忌乃言針意法於往古驗於來今觀於窈冥窈冥一本作冥冥通於無窮粗之所不見良工之所貴莫知其形若神髣髴邪氣之中人也洒淅動形正邪之中人也微先見於色不知於其身若在若無若亡若存有形無形莫知其情是故上工之取氣乃救其萌芽下工守其已成因敗其形是故工之用針也知氣之所在而守其門戶明於調氣補寫所在徐疾之意所取之處寫必用員切而轉之其氣乃行疾而徐出邪氣乃出伸而迎之遥大其穴氣出乃疾補必用方外引其皮令當其門左引

其樞右推其膚微旋而徐推之必端以正安以靜堅
心無解欲微以留氣下而疾出之推其皮蓋其外門
真氣乃存用針之要無忘其神雷公問於黃帝曰針
論曰得其人乃傳非其人勿言何以知其可傳黃帝
曰各得其人任之其能故能明其事雷公曰願聞官
能奈何黃帝曰明目者可使視色聰耳者可使聽音
捷疾辭語者可使傳論語徐而安靜手巧而心審諦
者可使行針艾理血氣而調諸逆順察陰陽而兼諸
方緩節柔筋而心和調者可使導引行氣疾毒言語
輕人者可使唾癰呪病爪苦手毒為事善傷者可使

按積抑痺各得其能方乃可行其名乃彰不得其人其功不成其師無名故曰得其人乃言非其人勿傳此之謂也手毒者可使試按龜置龜於器下而按其上五十日而死矣手甘者復生如故也

論疾診尺第七十四

黄帝問于岐伯曰余欲無視色持脉獨調其尺以言其病從外知内爲之奈何岐伯曰審其尺之緩急小大滑濇肉之堅脆而病形定矣視人之目窠上微癰如新臥起狀其頸脉動時欬按其手足上窅而不起者風水膚脹也尺膚滑其淖澤者風也尺肉弱者解

㑊安臥脫肉者寒熱不治尺膚滑而澤脂者風也尺膚濇者風痹也尺膚麄如枯魚之鱗者水泆飲也尺膚熱甚脉盛躁者病溫也其脉盛而滑者病且出也尺膚寒其脉小者泄少氣尺膚炬然先熱後寒者寒熱也尺膚先寒久大之而熱者亦寒熱也肘所獨熱者腰以上熱手所獨熱者腰以下熱肘前獨熱者膺前熱肘後獨熱者肩背熱臂中獨熱者腰腹熱肘後麄以下三四寸熱者腸中有虫掌中熱者腹中熱掌中寒者腹中寒魚上白肉有青血脉者胃中有寒尺炬然熱人迎大者當奪血尺堅大脉小甚少氣悗有

加立死目赤色者病在心白在肺青在肝黃在脾黑在腎黃色不可名者病在胷中診目痛赤脉從上下者太陽病從下上者陽明病從外走内者少陽病診寒熱赤脉上下至瞳子見一脉一歲死見一脉半一歲半死見二脉二歲死見二脉半二歲半死見三脉三歲死診齲齒痛按其陽之來有過者獨熱在左右熱在右右熱在上上熱在下下熱診血脉者多赤多熱多青多痛多黑爲久痺多赤多黑多青皆見者寒熱身痛而色微黃齒垢黃爪甲上黃黃疸也安卧小便黃赤脉小而澁者不嗜食人病其寸口之脉與人

逆之脈小大等及其浮沉等者病難已也女子手少陰脈動甚者姙子嬰兒病其頭毛皆逆上者必死耳間青脈起者掣痛大便赤瓣飧泄脈小者手足寒難已飧泄脈小手足溫泄易已四時之變寒暑之勝重陰必陽重陽必陰故陰生寒陽主熱故寒甚則熱熱甚則寒故曰寒生熱熱生寒此陰陽之變也故曰冬傷於寒春生癉熱春傷於風夏生後泄腸澼夏傷於暑秋生痎瘧秋傷於濕冬生咳嗽是謂四時之序也

刺節真邪第七十五

黄帝問于歧伯曰余聞刺有五節奈何歧伯曰固有五節一曰振埃二曰發矇三曰去爪四曰徹衣五曰解惑黄帝曰夫子言五節余未知其意歧伯曰振埃者刺外去陽病也發矇者刺府輸去府病也去爪者刺關節肢絡也徹衣者盡刺諸陽之奇輸也解惑者盡知調陰陽補寫有餘不足相傾移也黄帝曰刺節言振埃夫子乃言刺外經去陽病余不知其所謂也願卒聞之歧伯曰振埃者陽氣大逆上滿於胷中憤䐜肩息大氣逆上喘喝坐伏病惡埃煙餉噎不得息請言振埃尚疾於振埃黄帝曰善取之何如歧伯曰

取之天容黄帝曰其欬上氣窮詘胷痛者取之柰何岐伯曰取之廉泉黄帝曰取之有數乎岐伯曰取天容者無過一里取廉泉者血變而止帝曰善哉黄帝曰刺節言發矇余不得其意夫發矇者耳無所聞目無所見夫子乃言刺府輸去府病何輸使然願聞其故岐伯曰妙乎哉問也此刺之大約針之極也神明之類也口說書卷猶不能及也請言發矇耳尚疾於發矇也黄帝曰善願卒聞之岐伯曰刺此者必於日中刺其聽宮中其眸子聲聞於耳此其輸也黄帝曰善何謂聲聞於耳岐伯曰刺邪以手堅按其兩鼻竅

而疾偃其聲必應於針也黃帝曰善此所謂弗見爲
之而無目視見而取之神明相得者也黃帝曰刺節
善去爪夫子乃言刺關節肢絡願卒聞之岐伯曰腰
脊者身之大關節也肢脛者人之管以趨翔也莖垂
者身中之機陰精之候津液之道也故飲食不節喜
怒不時津液内溢乃下留於睾血道不通日大不休
俛仰不便趨翔不能此病滎然有水不上不下鈹石
所取形不可匿常不得蔽故命曰去爪帝曰善黃帝
曰刺節言徹衣夫子乃言盡刺諸陽之奇輸未有常
處也願卒聞之岐伯曰是陽氣有餘而陰氣不足陰

氣不足則內熱陽氣有餘則外熱內熱相搏熱於懷
炭外畏綿帛近不可近身又不可近席腠理閉塞則
汗不出舌焦脣槁腊乾嗌燥飲食不讓美惡黃帝曰
善取之奈何岐伯曰或之於其天府大杼三痏又刺
中膂以去其熱補足手太陰以去其汗熱去汗稀疾
於徹衣黃帝曰善黃帝曰刺節言解惑夫子乃言盡
知調陰陽補寫有餘不足相傾移也惑何以解之岐
伯曰大風在身血脈偏虛虛者不足實者有餘輕重
不得傾側宛伏不知東西不知南北乍上乍下乍反
乍覆顛倒無常甚於迷惑黃帝曰善取之奈何岐伯

曰寫其有餘補其不足陰陽平復用針若此疾於解惑黃帝曰善請藏之靈蘭之室不敢妄出也黃帝曰余聞刺有五邪何謂五邪岐伯曰病有持癰者有容大者有狹小者有熱者有寒者是謂五邪黃帝曰刺五邪奈何岐伯曰凡刺五邪之方不過五章痺熱消滅腫聚散亡寒痺益溫小者益陽大者必去請道其方凡刺癰邪無迎隴易俗移性不得膿脆道更行去其鄉不安處所乃散亡諸陰陽過癰者取之其輸寫之凡刺大邪曰以小泄奪其有餘乃益虛剽其通針其邪肌肉親視之毋有反其真刺諸陽分肉間凡刺

小邪日以大補其不足乃無害視其所在迎之界遠近盡至其不得外侵而行之乃自費刺分肉間凡刺熱邪越而蒼出遊不歸乃無病爲開道辟門戶使邪得出病乃已凡刺寒邪日以溫徐往徐來致其神門戶已閉氣不分虛實得調其氣存也黃帝曰官針奈何岐伯曰刺癰者用鈹針刺大者用鋒針刺小者用員利針刺熱者用鑱針刺寒者用毫針也請言解論與天地相應與四時相副人參天地故可爲解下有漸洳上生葦蒲此所以知形氣之多少也陰陽者寒暑也熱則滋雨而在上根荄少汁人氣在外皮膚緩

腠理開血氣減汗大泄皮淖澤寒則地凍水冰人氣在中皮膚緻腠理閉汗不出血氣強肉堅濇當是之時善行水者不能往冰善穿地者不能鑿凍善用針者亦不能取四厥血脉凝結堅搏不往來者亦未可即柔故行水者必待天溫冰釋凍解而水可行地可穿也人脉猶是也治厥者必先熨調和其經掌與腋肘與脚項與脊以調之火氣已通血脉乃行然後視其病脉淖澤者刺而平之堅緊者破而散之氣下乃止此所謂以解結者也用針之類在於調氣氣積於胃以通營衛各行其道宗氣留於海其下者注於氣

街其上者走於息道故厥在於足宗氣不下脉中之血凝而留止弗之火調弗能取之用針者必先察其經絡之實虛切而循之按而彈之視其應動者乃後取之而下之六經調者謂之不病雖病謂之自已也一經上實下虛而不通者此必有橫絡盛加于大經令之不通視而寫之此所謂解結也上寒下熱先刺其項太陽久留之已刺則熨項與肩胛令熱下合乃止此所謂推而上之者也上熱下寒視其虛脉而陷之於經絡者取之氣下乃止此所謂引而下之者也大熱徧身狂而妄見妄聞妄言視足陽明及大絡取

之虛者補之血而實者寫之因其偃臥居其頭前以兩手四指挾按頸動脉久持之卷而切推下至缺盆中而復止如前熱去乃止此所謂推而散之者也黃帝曰有一脉生數十病者或痛或癰或熱或寒或痒或痺或不仁變化無窮其故何也岐伯曰此皆邪氣之所生也黃帝曰余聞氣者有真氣有正氣有邪氣何謂真氣岐伯曰真氣者所受於天與穀氣幷而充身也正氣者正風也從一方來非實風又非虛風也邪氣者虛風之賊傷人也其中人也深不能自去正風者其中人也淺合而自去其氣來柔弱不能勝真

氣故自去虛邪之中人也洒淅動形起毫毛而發腠理其入深內搏於骨則爲骨痺搏於筋則爲筋攣搏於脉中則爲血閉不通則爲癰搏於肉與衛氣相搏陽勝者則爲熱陰勝者則爲寒寒則眞氣去去則虛虛則寒搏於皮膚之間其氣外發腠理開毫毛搖氣往來行則爲痒留而不去則痺衛氣不行則爲不仁虛邪徧容於身半其入深內居營衛營衛稍衰則眞氣去邪氣獨留發爲偏枯其邪氣淺者脉偏痛虛邪之入於身也深寒與熱相搏久留而內著寒勝其熱則骨疼肉枯熱勝其寒則爛肉腐肌爲膿內傷骨內

傷骨爲骨蝕有所疾前筋筋屈不得伸邪氣居其間而不反發於筋溜有所結氣歸之衛氣留之不得反津液久留合而爲腸溜久者數歲乃成以手按之柔已有所結氣歸之津液留之邪氣中之凝結日以易甚連以聚居爲昔瘤以手按之堅有所結深中骨氣因於骨骨與氣幷日以益大則爲骨疽有所結中於肉宗氣歸之邪留而不去有熱則化而爲膿無熱則爲肉疽凡此數氣者其發無常處而有常名也

衛氣行第七十六

黃帝問於岐伯曰願聞衛氣之行出入之合何如伯

高曰歲有十二月日有十二辰子午為經卯酉為
天周二十八宿而一面七星四七二十八星房昴為
緯虛張為經是故房至畢為陽昴至心為陰陽主晝
陰主夜故衛氣之行一日一夜五十周於身晝日行
於陽二十五周夜行於陰二十五周周於五歲是故
平旦陰盡陽氣出於目目張則氣上行於頭循項下
足太陽循背下至小指之端其散者別於目銳眥下
手太陽下至手小指之間外側其散者別於目銳眥
下足少陽注小指次指之間以上循手少陽之分側
下至小指之間別者以上至耳前合於頷脉注足陽

明以下行至跗上入五指之間其散者從耳下下手陽明入大指之間入掌中其至於足也入足心出内踝下行陰分復合於目故爲一周是故日行一舍人氣行一周與十分身之八日行二舍人氣行二周於身與十分身之六日行三舍人氣行於身五周與十分身之四日行四舍人氣行於身七周與十分身之二日行五舍人氣行於身九周日行六舍人氣行於身十周與十分身之八日行七舍人氣行於身十二周在身與十分身之六日行十四舍人氣二十五周於身有奇分與十分身之四陽盡於陰陰受氣矣

始入於陰當從足少陰注於腎腎注於心心注於
肺注於肝肝注於脾脾復注于腎爲周是故夜行一
舍人氣行於陰藏一周與十分藏之八亦如陽行之
二十五周而復合於目陰陽一日一夜合有奇分十
分身之四與十分藏之二是故人之所以臥起之時
有早晏者奇分不盡故也黃帝曰衛氣之在於身也
上下往來不以期候氣而刺之奈何伯高曰分有多
少日有長短春秋冬夏各有分理然後常以平旦爲
紀以夜盡爲始是故一日一夜水下百刻二十五刻
者半日之度也常如是毋已日入而止隨日之長短

各以爲紀而刺之謹候其時病可與期失時反候者百病不治故曰刺實者刺其來也刺虚者刺其去也此言氣存亡之時以候虚實而刺之是故謹候氣之所在而刺之是謂逢時在於三陽必候其氣在於陽而刺之病在於三陰必候其氣在陰分而刺之水下一刻人氣在太陽水下二刻人氣在少陽水下三刻人氣在陽明水下四刻人氣在陰分水下五刻人氣在太陽水下六刻人氣在少陽水下七刻人氣在陽明水下八刻人氣在陰分水下九刻人氣在太陽水下十刻人氣在少陽水下十一刻人氣在陽明水下

十二刻人氣在陰分水下十三刻人氣在太陽水下十四刻人氣在少陽水下十五刻人氣在陽明水下十六刻人氣在陰分水下十七刻人氣在太陽水下十八刻人氣在少陽水下十九刻人氣在陽明水下二十刻人氣在陰分水下二十一刻人氣在太陽水下二十二刻人氣在少陽水下二十三刻人氣在陽明水下二十四刻人氣在陰分水下二十五刻人氣在太陽此半月之度也從房至畢一十四舍水下五十刻日行半度迴行一舍水下三刻與七分刻之四大要曰常以日之加於宿上也人氣在太陽是故日行一

舍人氣行三陽行與陰分常如是無已天與地同紀紛紛盼盼終而復始一日一夜水下百刻而盡矣

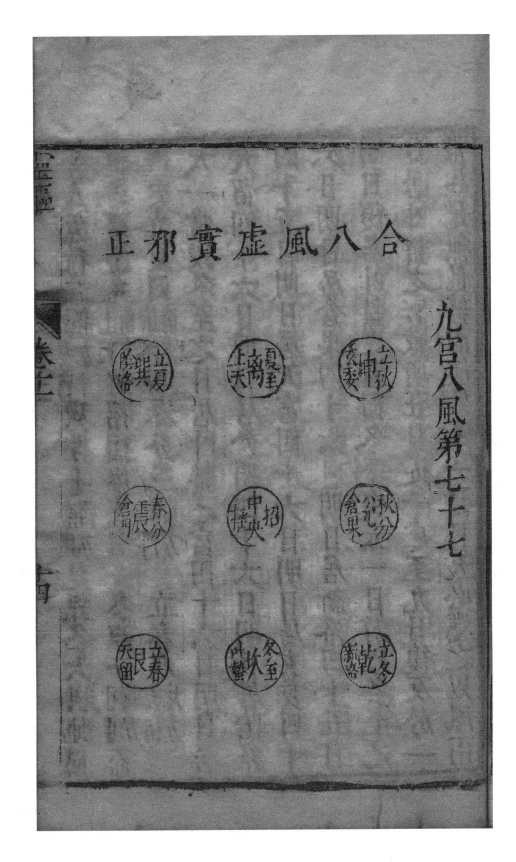

九宮八風第七十七

合八風虛實邪正

立秋二 玄委 西南方　秋分七 倉果 西方　立冬六 新洛 西北方

夏至九 上天 南方　招搖中央　冬至一 叶蟄 北方

立夏四 陰洛 東南方　春分三 倉門 東方　立春八 天留 東北方

大一常以冬至之日居叶蟄之宫四十六日明日居天留四十六日明日居倉門四十六日明日居陰洛四十五日明日居天宫四十六日明日居玄委四十六日明日居倉果四十六日明日居新洛四十五日明日復居叶蟄之宫曰冬至矣太一日游以冬至之日居叶蟄之宫數所在日從一處至九日復反於一常如是無已終而後始太一移日天必應之以風雨

以其日風雨則吉歲美民安少病矣先之則多雨後之則多汗太一在冬至之日有變占在君太一在春分之日有變占在相太一在中宮之日有變占在吏太一在秋分之日有變占在將太一在夏至之日有變占在百姓所謂有變者太一居五宮之日病風折樹木揚沙石各以其所主占貴賤因視風所來而占之風從其所居之鄉來爲實風主生長養萬物從其衝後來爲虛風傷人者也主殺主害者謹候虛風而避之故聖人日避虛邪之道如避矢石然邪弗能害此之謂也是故太一入徙立於中宮乃朝八風以占

吉凶也風從南方來名曰大弱風其傷人也內舍於心外在於脉脉氣主熱風從西南方來名曰謀風其傷人也內舍於脾外在於肌其氣主爲弱風從西方來名曰剛風其傷人也內舍於肺外在於皮膚其氣主爲燥風從西北方來名曰折風其傷人也內舍於小腸外在於手太陽脉脉絕則溢脉閉則結不通善暴死風從北方來名曰大剛風其傷人也內舍於腎外在於骨與肩背之膂筋其氣主爲寒也風從東北方來名曰凶風其傷人也內舍於大腸外在於兩脇腋骨下及肢節風從東方來名曰嬰兒風其傷人也內

舍於肝外在於筋紐其氣主爲身濕風從東南方來
名曰弱風其傷人也内舍於胃外在肌肉其氣主體
重此八風皆從其虚之鄉來乃能病人三虚相搏則
爲暴病卒死兩實一虚病則爲淋露寒熱犯其雨濕
之地則爲痿故聖人避風如避矢石焉其有三虚而
偏中於邪風則爲擊仆偏枯矣

黄帝素問靈樞經卷十一

[illegible]

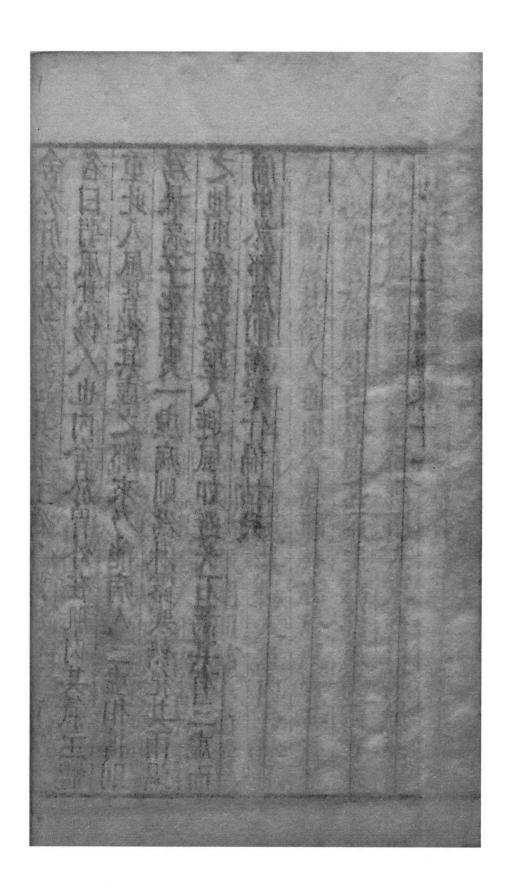

黄帝素問靈樞經卷十二

新安吴勉學師古　校
明　應天徐　鎔春沂　閱

九鍼論第七十八

黄帝曰余聞九鍼於夫子衆多博大矣余猶不能寤敢問九鍼焉生何因而有名岐伯曰九鍼者天地之大數也始於一而終於九故曰一以法天二以法地三以法人四以法時五以法音六以法律七以法星八以法風九以法野黄帝曰以鍼應九之數奈何岐伯曰夫聖人之起天地之數也一而九之故以立九

野九而九之九九八十一以起黃鍾數焉以針應數也一者天也天者陽也五藏之應天者肺肺者五藏六府之蓋也皮者肺之合也人之陽也故爲之治針必以大其頭而鋭其末令無得深入而陽氣出二者地也人之所以應土者肉也故爲之治針必筩音同其身而員其末令無得傷肉分傷則氣得竭三者人也人之所以成生者血脉也故爲之治針必大其身而員其末令可以按脉勿陷以致其氣令邪氣獨出四者時也時者四時八風之客于經絡之中爲瘤病者也故爲之治針必筩其身而鋒其末令可以寫熱出

血而癰病竭五者音也音者冬夏之分分於子午陰與陽別寒與熱爭兩氣相搏合爲癰膿者也故爲之治鍼必令其末如劒鋒可以取大膿六者律也律者調陰陽四時而合十二經脉虛邪客於經絡而爲暴痺者也故爲之治鍼必令尖如氂且員且鋭中身微大以取暴氣七者星也星者人之七竅邪之所客於經而爲痛痺舍於經絡者也故爲之治鍼令尖如蚊虻喙静以徐往微以久留正氣因之真邪俱往出鍼而養者也八者風也風者人之股肱八節也八正之虛風八風傷人内舍於骨解腰脊節腠理之間爲深

痺也故爲之治針必長其身鋒其末可以取深邪遠痺九者野也野者人之節解皮膚之間也淫邪流溢於身如風水之狀而溜不能過於機關大節者也其爲治之針　令小大如挺其鋒微員以取大氣之不能過於關節者也黃帝曰針之長短有數乎岐伯曰一曰鑱針者取法於巾巾一作布針去末寸半卒鋭之長一寸六分主熱在頭身也二曰員針取法於絮針筩其身而卵其鋒長一寸六分主治分間氣三曰鍉音低針取法於黍粟之鋭長三寸半主按脉取氣令邪出四曰鋒針取法於絮針筩其身鋒其末長一寸六分

主癰熱出血五曰鈹針取法於劍鋒廣二分半長四寸主大癰膿兩熱爭者也六曰員利針取法於氂針微大其末反小其身令可深内也長一寸六分主取癰痺者也七曰毫針取法於毫毛長一寸六分主寒熱痛痺在絡者也八曰長針取法於綦針長七寸主取深邪遠痺者也九曰大針取法於鋒針其鋒微員長四寸主取大氣不出關節者也針形畢矣此九針大小長短法也黄帝曰願聞身形應九野奈何岐伯曰請言身形之應九野也左足應立春其日戊寅己丑左脇應春分其日乙卯左手應立夏其日戊辰己

巳膺喉首頭應夏至其日丙午右手應立秋其日戊申己未右脇應秋分其日辛酉右足應立冬其日戊戌己亥腰尻下竅應冬至其日壬子六府膈下三藏應中州其大禁大禁 太乙所在之日及諸戊己凡此九者善候八正所在之處所主左右上下身體有癰腫者欲治之無以其所直之日潰治之是謂天忌日也形樂志苦病生於脉治之以灸刺形苦志樂病生於筋治之以熨引形樂志樂病生於肉治之以鍼石形苦志苦病生於咽喝治之以甘藥形數驚恐筋脉不通病生於不仁治之以按摩醪藥是謂形五

五氣心主噫肺主欬肝主語脾主吞腎主欠六府氣膽爲怒胃爲氣逆噦大腸小腸爲泄膀胱不約爲遺溺下焦溢爲水五味酸入肝辛入肺苦入心甘入脾鹹入腎淡入胃是謂五味五并精氣并肝則憂并心則喜并肺則悲并腎則恐并脾則畏是謂五精之氣并於藏也五惡肝惡風心惡熱肺惡寒腎惡燥脾惡濕此五藏氣所惡也五液心主汗肝主泣肺主涕腎主唾脾主涎此五液所出也五勞久視傷血久臥傷氣久坐傷肉久立傷骨久行傷筋此五久勞所病也五走（音走）酸走筋辛走氣苦走血鹹走骨甘走肉是謂

五走也五裁一本作五禁病在筋無食酸病在氣無食辛
病在骨無食鹹病在血無食苦病在肉無食甘口嗜
而欲食之不可多矣必自裁也命曰五裁五發陰病
發於骨陽病發於血以味發於氣陽病發於冬陰病
發於夏五邪邪入于陽則爲狂邪入于陰則爲血痺
邪入于陽轉則爲癲疾邪入于陰轉則爲瘖陽入之
于陰病静陰出之于陽病喜怒五藏心藏神肺藏魄
肝藏魂脾藏意腎藏精志也五主心主脉肺主皮肝
主筋脾主肌腎主骨陽明多血多氣太陽多血少氣
少陽多氣少血太陰多血少氣厥陰多血少氣少陰

多氣少血故曰刺陽明出血氣刺太陽出血惡氣刺少陽出氣惡血刺太陰出血惡氣刺厥陰出血惡氣刺少陰出氣惡血也足陽明太陰爲表裏少陽厥陰爲表裏太陽少陰爲表裏是謂足之陰陽也手陽明太陰爲表裏少陽心主爲表裏太陽少陰爲表裏是謂手之陰陽也

歲露論第七十九

黄帝問于岐伯曰經言夏日傷暑秋病瘧瘧之發以時其故何也岐伯對曰邪客于風府病循膂而下衛氣一日一夜常大會于風府其明日日下一節故其

日作晏此其先客于脊背也故每至於風府則腠理
開腠理開則邪氣入邪氣入則病作此所以日作尚
晏也衛氣之行風府日下一節二十一日下至尾底
二十二日入脊内注于伏衝之脉其行九日出于缺
盆之中其氣上行故其病稍益至其内摶於五藏横
連募原其道遠其氣深其行遲不能日作故次日乃
畜積而作焉黄帝曰衛氣每至於風府腠理乃發發
則邪入焉其衛氣日下一節則不當風府奈何岐伯
曰風府無常衛氣之所應必開其腠理氣之所舍節
則其府也黄帝曰善夫風之與瘧也相與同類而風

常在而瘧特以時休何也岐伯曰風氣留其處瘧氣隨經絡沉以内搏故衛氣應乃作也帝曰善黄帝問於少師曰余聞四時八風之中人也故有寒暑寒則皮膚急而腠理閉暑則皮膚緩而腠理開賊風邪氣因得以入乎將必須八正虚邪乃能傷人乎少師荅曰不然賊風邪氣之中人也不得以時然必因其開也其入深其内極病其病人也卒暴因其閉也其入淺以留其病也徐以遲黄帝曰有寒溫和適腠理不開然有卒病者其故何也少師荅曰帝弗知邪入乎雖平居其腠理開閉緩急其故常有時也黄帝曰可

得聞乎少師曰人與天地相參也與日月相應也故月滿則海水西盛人血氣積肌肉充皮膚緻毛髮堅腠理郄煙垢著當是之時雖遇賊風其入淺不深至其月郭空則海水東盛人氣血虛其衛氣去形獨居肌肉減皮膚縱腠理開毛髮殘膲理薄煙垢落當是之時遇賊風則其入深其病人也卒暴黃帝曰其有卒然暴死暴病者何也少師荅曰三虛者其死暴疾也得三實者邪不能傷人也黃帝曰願聞三虛少師曰乘年之衰逢月之空失時之和因爲賊風所傷是謂三虛故論不知三虛工反爲粗帝曰願聞三實少

師曰逢年之盛遇月之滿得時之和雖有賊風邪氣
不能危之也黃帝曰善乎哉論明乎哉道請藏之金
匱命曰三實然此一夫之論也黃帝曰願聞歲之所
以皆同病者何因而然少師曰此八正之候也黃帝
曰候之奈何少師曰候此者常以冬至之日太一立
於叶蟄之宮其至也天必應之以風雨者矣風雨從
南方來者爲虛風賊傷人者也其以夜半至也萬民
皆臥而弗犯也故其歲民小病其以晝至者萬民懈
惰而皆中於虛風故萬民多病虛邪入客於骨而不
發於外至其立春陽氣大發腠理開因立春之日風

從西方來萬民又皆中於虛風此兩邪相搏經氣結
代者矣故諸逢其風而遇其雨者命曰遇歲露焉因
歲之和而少賊風者民少病而少死歲多賊風邪氣
寒溫不和則民多病而死矣黃帝曰虛邪之風其所
傷貴賤何如候之奈何少師荅曰正月朔日太一居
天留之宮其日西北風不雨人多死矣正月朔日平
旦北風春民多死正月朔日平旦北風行民病多者
十有三也正月朔日日中北風夏民多死正月朔日
夕時北風秋民多死終日北風大病死者十有六正
月朔日風從南方來命曰旱鄉從西方來命曰白骨

將國有殃人多死亡正月朔日風從東方來發屋揚沙石國有大災也正月朔日風從東南方行春有死亡正月朔天利溫不風糴賤民不病天寒而風糴貴民多病此所謂候歲之風賊傷人者也二月丑不風民多心腹病三月戌不溫民多寒熱四月巳不暑民多癉病十月申不寒民多暴死諸所謂風者皆發屋折樹木揚沙石起毫毛發腠理者也

大惑論第八十

黃帝問于岐伯曰余嘗上於清冷之臺中階而顧匍匐而前則惑余私異之竊內怪之獨瞑獨視安心定

氣久而不解獨博獨眩被髮長跪俛而視之後久之不已也卒然自上何氣使然岐伯對曰五藏六府之精氣皆上注於目而爲之精精之窠爲眼骨之精爲瞳子筋之精爲黑眼血之精爲絡其窠氣之精爲白眼肌肉之精爲約束裹擷筋骨血氣之精而與脉并爲系上屬於腦後出於項中故邪中於項因逢其身之虚其入深則隨眼系以入於腦入於腦則腦轉腦轉則引目系急目系急則目眩以轉矣邪其精其精所中不相比也則精散精散則視歧視歧見兩物目者五藏六府之精也營衛魂魄之所常營也神氣之

所生也故神勞則魂魄散志意亂是故瞳子黑眼法
於陰白眼赤脉法於陽也故陰陽合傳而精明也目
者心使也心者神之舍也故神精亂而不轉卒然見
非常處精神魂魄散不相得故曰惑也黃帝曰余疑
其然余每之東苑未曾不惑去之則復余唯獨爲東
苑勞神乎何其異也岐伯曰不然也心有所喜神有
所惡卒然相感則精氣亂視誤故惑神移乃復是故
間者爲迷甚者爲惑黃帝曰人之善忘者何氣使然
岐伯曰上氣不足下氣有餘腸胃實而心肺虛虛則
營衛留於下久之不以時上故善忘也黃帝曰人之

善饑而不嗜食者何氣使然岐伯曰精氣并於脾熱氣留於胃胃熱則消穀穀消故善饑胃氣逆上則胃脘寒故不嗜食也黃帝曰病而不得臥者何氣使然岐伯曰衛氣不得入於陰常留於陽留於陽則陽氣滿陽氣滿則陽蹻盛不得入於陰則陰氣虚故目不瞑矣黃帝曰病目而不得視者何氣使然岐伯曰衛氣留於陰不得行於陽留於陰則陰氣盛陰氣盛則陰蹻滿不得入於陽則陽氣虚故目閉也黃帝曰人之多臥者何氣使然岐伯曰此人腸胃大而皮膚濕而分肉不解焉腸胃大則衛氣留久皮膚濕則分肉

不解其行遲夫衛氣者晝日常行於陽夜行於陰陽氣盡則臥陰氣盡則寤故腸胃大則衛氣行留久皮膚濕分肉不解則行遲留於陰也久其氣不清則欲瞑故多臥矣其腸胃小皮膚滑以緩分肉解利衛氣之留於陽也久故少瞑焉黃帝曰其非常經也卒然多臥者何氣使然歧伯曰邪氣留於上焦上焦閉而不通已食若飲湯衛氣留久於陰而不行故卒然多臥焉黃帝曰善治此諸邪奈何歧伯曰先其藏府誅其小過後調其氣盛者寫之虛者補之必先明知其形志之苦樂定乃取之

癰疽第八十一

黃帝曰余聞腸胃受穀上焦出氣以溫分肉而養骨節通腠理中焦出氣如露上注谿谷而滲孫脈津液和調變化而赤爲血血和則孫脈先滿溢乃注於絡脈皆盈乃注於經脈陰陽已張因息乃行行有經紀周有道理與天合同不得休止切而調之從虛去實寫則不足疾則氣減留則先後後虛去虛補則有餘血氣已調形氣乃持余已知血氣之平與不平未知癰疽之所從生成敗之時死生之期有遠近何以度之可得聞乎岐伯曰經脈留行不止與天同度與地

合紀故天宿失度日月薄蝕地經失紀水道流溢草萓（魚饑切）不成五穀不殖徑路不通民不往來巷聚邑居則別離異處血氣猶然請言其故夫血脈營衛周流不休上應星宿下應經數寒邪客於經絡之中則血泣（音澁下同）血泣則不通不通則衛氣歸之不得復反故癰腫寒氣化爲熱熱勝則腐肉肉腐則爲膿膿不寫則爛筋筋爛則傷骨骨傷則髓消不當骨空不得泄寫血枯空虛則筋骨肌肉不相榮經脈敗漏薰於五藏藏傷故死矣黃帝曰願盡聞癰疽之形與忌曰名岐伯曰癰發於嗌中名曰猛疽猛疽不治化爲膿

膿不寫塞咽半日死其化爲膿者寫則合豕膏冷食三日而已發於頸名曰天疽其癰大以赤黑不急治則熱氣下入淵腋前傷任脉内薫肝肺薫肝肺十餘日而死矣陽留大發消腦留項名曰腦爍其色不樂項痛而如刺以針煩心者死不可治發於肩及臑名曰疵癰其狀赤黑急治之此令人汗出至足不害五藏癰發四五日逞焫之發於腋下赤堅者名曰米疽治之以砭石欲細而長疎砭之塗已（已疑作以）豕膏六日已勿裹之其癰堅而不潰者爲馬刀挾纓急治之發於胷名曰井疽其狀如大豆三四日起不早治下入

腹不治七日死矣發於膺名曰甘疽色青其狀如穀實菰𧄍常苦寒熱急治之去其寒熱十歲死死後出膿發於脇名曰敗疵敗疵者女子之病也灸之其病大癰膿治之其中乃有生肉大如赤小豆剉陵翹草根各一升以水一斗六升煑之竭爲取三升則強飲厚衣坐於釜上令汗出至足已發於股脛名曰股脛疽其狀不甚變而癰膿搏骨不急治三十日死矣發於尻名曰銳疽其狀赤堅大急治之不治三十日死矣發於股陰名曰赤施不急治六十日死在兩股之內不治十日而當死發於膝名曰疵癰其狀大癰色

不變寒熱如堅石勿石石之者死須其柔乃石之者
生諸癰疽之發於節而相應者不可治也發於陽者
百日死發於陰者三十日死發於脛名曰兎齧其狀
赤至骨急治之不治害人也發於內踝名曰走緩其
狀癰也色不變數石其輸而止其寒熱不死發於足
上下名曰四淫其狀大癰急治之百日死發於足傍
名曰厲癰其狀不大初如小指發急治之去其黑者
不消輙益不治百日死發於足指名脫癰其狀赤黑
死不治不赤黑不死不衰急斬之不(否同)則死矣黃帝
曰夫子言癰疽何以別之岐伯曰營衛稽留於經脈

之中則血泣而不行不行則衛氣從之而不通壅遏而不得行故熱大熱不止熱勝則肉腐肉腐則爲膿然不能陷骨髓不爲燋枯五藏不爲傷故命曰癰黃帝曰何謂疽岐伯曰熱氣淳盛下陷肌膚筋髓枯內連五藏血氣竭當其癰下筋骨良肉皆無餘故命曰疽疽者上之皮夭以堅上如牛領之皮癰者其皮上薄以澤此其候也

《黄帝内經》版本通鑒·第二輯

明熊宗立本《靈樞》

解題　劉　陽

解題

北宋嘉祐年間（一〇五六至一〇六三），校正醫書局校正諸種重要醫書，校正計劃中包括《靈樞經》，但終未實施，其原因可能是當時未得善本。《素問·調經論》『無中其大經，神氣乃平』注内《新校正》云：『《靈樞》今不全。』迄元祐七年（一〇九二），高麗進獻《黄帝鍼經》九卷、《九墟經》九卷，中國始復得全本。元祐八年（一〇九三）正月，詔頒高麗所獻《黄帝鍼經》於天下，這是後世流傳的《靈樞》所有版本的源頭，此本今已不存。南宋紹興年間，史崧參對諸書，校勘家藏舊本《靈樞》九卷，並增修音釋，改版爲二十四卷，呈獻南宋政府，經秘書省審核，於紹興二十五年（一一五五）由國子監刊行（下稱『紹興本』），此本今亦亡。今存《靈樞經》最早版本爲元代古林書堂本，刊行於元後至元六年（一三四〇），將紹興本合併爲十二卷，它幾乎成爲明代《靈樞經》所有版本的祖本。

明成化八年（一四七二），建陽熊宗立開始翻刻家藏古林書堂本《黄帝内經》，至成化十年（一四七四）刻竣印行，内含《補注釋文黄帝内經素問》十二卷（附《素問遺篇》一卷）、《新刊黄帝内經靈樞》十二卷、《新刊素問入式運氣論奥》三卷（宋·劉温舒撰）。此三種爲仿元重刻，版式與古林書堂本基本一致。此外，熊宗立又新附兩種自著著作，即《新增素問運氣圖括定局立成》一卷、《黄帝内經素問靈樞運氣音釋補遺》一卷。以上統共五種，即熊宗立刻《黄帝内經》所轄，今尚有多部全套或零本存世。

熊宗立（一四〇九至一四八二），字道軒，别號勿聽子，建陽崇泰里（今建陽區莒口）人，出生於醫學世家，自幼習醫，又從劉剡習校書、刻書及陰陽占卜之術。及長，有醫名，並從事刻書之業，坊名「種德堂」「中和堂」，自正統二年（一四三七）至成化十年（一四七四），先後刊刻過二十餘種醫書。

熊宗立本《靈樞》係仿元古林書堂本而刻，與古林書堂本版式、行款、字體基本一致。四周雙邊，半葉十四行，行二十四字，細黑口，雙順黑魚尾，上魚尾下刻「素問靈樞」四字。與同刻《素問》一致，在當句讀字右側下角加刻符號「。」，惟不窮細，多篇有大段疏漏未點者。題名爲「新刊黄帝内經靈樞」（卷一），或「黄帝内經素問靈樞集注」（卷十二），或「黄帝素問靈樞（經）集注」（餘卷及目録）。接目録大題，次行列刊刻人信息，作「鰲峰熊宗立點校重刊」。元古林書堂本在目録及卷一末葉均鍥有牌記，各記刊、印時間，熊宗立仿刻時亦保留，改其内文而已。所見日本静嘉堂藏本，兩葉均殘，牌記缺失；日本内閣文庫藏未知明刻仿熊宗之本，目録末葉牌記亦缺，卷一末葉牌記完好，文作「嘉靖癸丑仲秋種德堂印行」，此本是嘉靖三十二年（一五五三）的熊宗立本後印本。若爲初印本，目録末葉牌記當記起刊時間，據《中國中醫古籍總目》載，起刊時間爲明成化八年壬辰（一四七二）；卷一末葉牌記當記刊竣印行時間，森立之《經籍訪古志補遺》載：「末記成化甲午年熊氏種德堂。」甲午年即成化十年（一四七四）。未知確否，國内上海圖書館有藏，可待查核。

相對來説，熊宗立本《靈樞》的校勘與仿刻，大不如《素問》精細。熊宗立本《素問》對古林書堂本的版式、字體摹刻得惟妙惟肖，异文極爲罕見，以至於有書商挖去其牌記，冒充元本邀利。而熊宗立本《靈樞》的字體雖與古林書堂本大致相似，細審之下則很容易看出結體、點畫與古林書堂本有差異，且校審欠精，誤字不少，如『九鍼十二原第一』篇末音釋，古林書堂本『取三脉者恇（曲王切。謹按恇謂不足也）』，熊宗立本作『取三脉者恇（曲用切。謹按惟謂不足也）』。

在今天看來，熊宗立翻刻古林書堂本《靈樞》，起到了極爲重要的傳承作用。在《黃帝内經》系統内，《靈樞》一直不如《素問》受重視，歷來翻刻不多。自紹興本刊布以來，仍未改變其若存若亡的流傳狀態。元古林書堂本《靈樞》今海内所存，僅查見中國國家圖書館與日本宫内廳書陵部各藏一部，流傳稀少。即使在相距不久的明代，此本似也不多見。筆者深入比勘諸本，發現明代成化以後所刻的《靈樞》十二卷本，包括田經本、吴悌本、趙府居敬堂本，幾乎全部以熊宗立本爲底本，而無直接用古林书堂本翻刻者。其他如詹林所刻二卷本亦同。吴勉學刻十二卷本，乃以吴悌本爲底本；朝鲜乙亥銅活字本，以田經本爲底本。比較特殊的是無名氏二十四卷本，筆者發現其多處訛誤，與熊宗立本的獨特訛誤相同，懷疑其係以熊宗立本爲底本改版而成。

綜上，熊宗立本《靈樞》，是明代建陽名醫、名刻書家熊宗立據古林書堂本校勘仿刻而成，故版式、行款、字體與之基本一致。熊宗立本《靈樞》刻於明代前期，上承元刊，下啓明中後期多種十二卷本，是《靈樞》流傳史上相當重要的一個版本。

黄帝素問靈樞集註目録

鼇峯熊宗立點校重刊

卷之一
九針十二原第一 法天 本輸第二 法地
小針解第三 法人 邪氣臟腑病形第四 法時
卷之二
根結第五 法音 壽夭剛柔第六 法律
官針第七 法星 本神第八 法風
終始第九 法野
卷之三
經脉第十 經別第十一

經水第十二
卷之四
經筋第十三　骨度第十四
五十營第十五　營氣第十六
脉度第十七　營衛生會第十八
四時氣第十九
卷之五
五邪第二十　寒熱病第二十一
癲狂病第二十二　熱病第二十三
厥病第二十四　病本第二十五
雜病第二十六　周痺第二十七
口問第二十八

卷之六

師傳第二十九　決氣第三十
腸胃第三十一　平人絶穀第三十二
海論第三十三　五亂第三十四
脹論第三十五　五癃津液别第三十六
五閲五使第三十七　逆順肥瘦第三十八
血絡論第三十九　陰陽清濁第四十

卷之七

陰陽繫日月第四十
病傳第四十二　淫邪發夢第四十三
順氣一日分爲四時第四十四
外揣第四十五　五變第四十六

本藏第四十七
卷之八
禁服第四十八　五色第四十九
論勇第五十　背腧第五十一
衛氣第五十二　論痛第五十三
天年第五十四　逆順第五十五
五味第五十六
卷之九
水脹第五十七　賊風第五十八
衛氣失常第五十九　玉版第六十
五禁第六十一　動輸第六十二
五味論第六十三　陰陽二十五人第六十四

原本欠葉

· 白 頁 ·

新刊黃帝內經靈樞卷第一

九針十二原第一　法天

黃帝問於岐伯曰余子萬民養百姓而收其租稅余哀其不給而屬有疾病余欲勿使被毒藥無用砭石欲以微針通其經脈調其血氣營其逆順出入之會令可傳於後世必明為之法令終而不滅久而不絕易用難忘為之經紀異其章別其表裏為之終始令各有形先立針經願聞其情岐伯答曰臣請推而次之令有綱紀始於一終於九焉請言其道小針之要易陳而難入粗守形上守神神乎神客在門未覩其疾惡知其原刺之微在速遲粗守關上守機機之動不離其空空中之機清靜而微其來不可逢其往不可追知機之道者不可掛以髮不知機道叩之不發知其往來要與之期粗之闇乎妙哉工獨有之往者為逆來者為順明知逆順正行無問逆而奪之惡得無虛追而

瀉之惡得無實迎之隨之以意和之針道畢矣凡用針者虛則實之滿則泄之宛陳則除之邪勝則虛之大要曰徐而疾則實疾而徐則虛言實與虛若有若無察後與先若存若亡為虛與實若得若失虛實之要九針最妙補瀉之時以針為之寫曰必持內之放而出之排陽得針邪氣得泄按而引針是謂內溫血不得散氣不得出也補曰隨之隨之意若妄之若行若按如蚊虻止如留如還去如絃絶令左屬右其氣故止外門已閉中氣乃實必無留血急取誅之持針之道堅者為寶正指直刺無針左右神在秋毫屬意病者審視血脈者刺之無殆方刺之時必在懸陽及與兩衛神屬勿去知病存亡血脈者在腧橫居視之獨澄切之獨堅九針之名各不同形一曰鑱針長一寸六分二曰員針長一寸六分三曰鍉針長三寸半四曰鋒針長一寸六分五曰鈹針長四寸廣二分半六曰員利針長一寸六分七曰毫針長三寸六分八曰長針長七寸九曰大針長四寸鑱針者

頭大末銳去寫陽氣員針者針如卵形揩摩分間不得傷肌肉
以寫分氣鍉針者鋒如黍粟之銳主按脈勿陷以致其氣鋒針
者刃三隅以發痼疾鈹針者末如劍鋒以取大膿員利針者大
如氂且員且銳中身微大以取暴氣毫針者尖如蚊虻喙靜以
徐往微以久留之而養以取痛痺長針者鋒利身薄可以取遠
痺大針者尖如挺其鋒微員以寫機關之水也九針畢矣夫氣
之在脈也邪氣在上濁氣在中清氣在下故針陷脈則邪氣出
針中脈則濁氣出針大深則邪氣反沉病益故曰皮肉筋脈各
有所處病各有所宜各不同形各以任其所宜無實無虛損不
足而益有餘是謂甚病病益甚取五脈者死取三脈者恇奪陰
者死奪陽者狂針害畢矣刺之而氣不至無問其數刺之而氣
至乃去之勿復針針各有所宜各不同形各任其所為刺之要
氣至而有効効之信若風之吹雲明乎若見蒼天刺之道畢矣
黃帝曰願聞五藏六府所出之處岐伯曰五藏五腧五五二十

五腧六府六腧六六三十六腧經脉十二絡脉十五凡二十七
氣以上下所出為井所溜為滎所注為腧所行為經所以為合
二十七氣所行皆在五腧也節之交三百六十五會知其要者
一言而終不知其要流散無窮所言節者神氣之所遊行出入
也非皮肉筋骨也覩其色察其目知其散復一其形聽其動靜
知其邪正右主推之左持而禦之氣至而去之凡將用針必先
診脉視氣之劇易乃可以治也五藏之氣已絶於内而用針者
皮實其外是謂重竭重竭必死其死也靜治之者輒反其氣取
腋與膺五藏之氣已絶於外而用針者反實其内是謂逆厥逆
厥則必死其死也躁治之者反取四末刺之害中而不去則精
泄害中而去則致氣精泄則病益甚而恇致氣則生為癰瘍五
藏有六府六府有十二原十二原出於四關四關主治五藏五
藏有疾當取之十二原十二原者五藏之所以稟三百六十五
節氣味也五藏有疾也應出十二原十二原各有所出明知其原

覩其應而知五藏之害矣陽中之少陰肺也其原出於大淵大淵二陽中之太陽心也其原出於大陵大陵二陰中之少陽肝也其原出於太衝太衝二陰中之至陰脾也其原出於太白太白二陰中之太陰腎也其原出於太谿太谿二膏之原出於鳩尾鳩尾一肓之原出於脖胦脖胦一凡此十二原者主治五藏六府之有疾者也脹取三陽飧泄取三陰今夫五藏之有疾也譬猶刺也猶汙也猶結也猶閉也刺雖久猶可拔也汙雖久猶可雪也結雖久猶可解也閉雖久猶可決也或言久疾之不可取者非其說也夫善用鍼者取其疾也猶拔刺也猶雪汙也猶解結也猶決閉也疾雖久猶可畢也言不可治者未得其術也刺諸熱者如以手探湯刺寒清者如人不欲行陰有陽疾者取之下陵三里正往無殆氣下乃止不下復始也疾高而內者取之陰之陵泉疾高而外者取之陽之陵泉也

究[illegible]上音[illegible]下音[illegible]在[illegible]鍉音[illegible]鈹音皮

宜人切 取三脉者 ……不足也 腨 …… 又 ……

膕 古……切 ……

本輸第二

黃帝問於岐伯曰凡刺之道必通十二經絡之所終始絡脉之所別處五輸之所留六府之所與合四時之所出入五藏之所溜處闊數之度淺深之狀高下所至願聞其解岐伯曰請言其次也肺出於少商少商者手大指端內側也為井木溜于魚際魚際者手魚也為榮注于大淵大淵魚後一寸陷者中也為腧行于經渠經渠寸口中也動而不居為經入于尺澤尺澤肘中之動脉也為合手太陰經也心出於中衝中衝手中指之端也為井木溜於勞宮勞宮掌中中指本節之內間也為榮注于大陵大陵掌後兩骨之間方下者也為腧行於間使間使之道兩筋之間三寸之中也有過則至無過則止為經入于曲澤曲澤肘內廉下陷者之中也屈而得之為合手少陰也肝出于大敦

足大指之端及三毛之中也為井木溜于行間行間足大指間也為滎注于大衝大衝行間上二寸陷者之中也為腧行于中封中封内踝之前一寸半陷者之中使逆則宛使和則通搖足而得之為經入于曲泉曲泉輔骨之下大筋之上也屈膝而得之為合足厥陰也脾出于隱白隱白者足大指之端内側也為井木溜于大都大都本節之後下陷者之中也為滎注于太白太白腕骨之下也為腧行于商丘商丘内踝之下陷者之中也為經入于陰之陵泉陰之陵泉輔骨之下陷者之中也伸而得之為合足太陰也腎出于湧泉湧泉者足心也為井木溜于然谷然谷然骨之下者也為滎注于大谿大谿内踝之後跟骨之上陷中者也為腧行于復留復留上内踝二寸動而不休為經入于陰谷陰谷輔骨之後大筋之下小筋之上也按之應手屈膝而得之為合足少陰經也膀胱出於至陰至陰者足小指之端也為井金溜于通谷通谷本節之前外側也為滎注

于束骨束骨本節之後陷者中也為腧過于京骨京骨足外側
大骨之下為原行于崑崙崑崙在外踝之後跟骨之上為經入
于委中委中膕中央為合委而取之足太陽也膀胱出于竅陰竅
陰者足小指次指之端也為井金溜于俠谿俠谿足小指次指
之間也為滎注于臨泣臨泣上行一寸半陷者中也為腧過于
丘墟丘墟外踝之前下陷者中也為原行于陽輔陽輔外踝之
上輔骨之前及絕骨之端也為經入于陽之陵泉陽之陵泉在
膝外陷者中也為合伸而得之足少陽也胃出于厲兌厲兌者
足大指內次指之端也為井金溜于內庭內庭次指外間也為
滎注于陷谷陷谷者上中指內間上行二寸陷者中也為腧過
于衝陽衝陽足跗上五寸陷者中也為原搖足而得之行于解
谿解谿上衝陽一寸半陷者中也為經入于下陵下陵膝下三
寸胻骨外三里也為合復下三里三寸為巨虛上廉復下上廉
三寸為巨虛下廉也大腸屬上小腸屬下足陽明胃脈也大腸

小腸皆屬于胃是足陽明也三焦者上合手少陽出于關衝關衝者手小指次指之端也為井金溜于液門液門小指次指之間也為滎注于中渚中渚本節之後陷中者也為腧過于陽池陽池在腕上陷者之中也為原行于支溝支溝上腕三寸兩骨之間陷者中也為經入于天井天井在肘外大骨之上陷者中也為合屈肘乃得之三焦下腧在于足大指之前少陽之後出于膕中外廉名曰委陽是太陽絡也手少陽經也三焦者足少陽太陰之所將太陽之別也上踝五寸別入貫腨腸出于委陽並太陽之正入絡膀胱約下焦實則閉癃虛則遺溺遺溺則補之閉癃則寫之手太陽小腸者上合于太陽出于少澤少澤小指之端也為井金溜于前谷前谷在手外廉本節前陷者中也為滎注于後谿後谿者在手外側本節之後也為腧過于腕骨腕骨在手外側腕骨之前為原行于陽谷陽谷在銳骨之下陷者中也為經入于小海小海在肘內大骨之外去端半寸

陷者中也伸臂而得之為合手太陽經也大腸上合手陽明出
于商陽商陽大指次指之端也為井金溜于本節之前二間為
滎注于本節之後三間為腧過于合谷合谷在大指岐骨之間
為原行于陽谿陽谿在兩筋間陷者中也為經入于曲池在肘
外輔骨陷者中屈臂而得之為合手陽明也是謂五藏六府之
腧五五二十五腧六六三十六腧也六府皆出足之三陽上合
于手者也缺盆之中任脈也名曰天突一次任脈側之動脈足
陽明也名曰人迎二次脈手陽明也名曰扶突三次脈手太陽
也名曰天窗四次脈足少陽也名曰天容五次脈手少陽也名
曰天牖六次脈足太陽也名曰天柱七次脈頸中央之脈督脈
也名曰風府腋內動脈手太陰也名曰天府腋下三寸手心主
也名曰天池刺上關者呿不能欠刺下關者欠不能呿刺犢鼻
者屈不能伸刺兩關者伸不能屈足陽明挾喉之動脈也其腧
在膺中手陽明次在其腧外不至曲頰一寸手太陽當曲頰足

少陽在耳下曲頰之後，手少陽出耳後，上加完骨之上。足太陽
挾項大筋之中髮際。陰尺動脉在五里，五腧之禁也。肺合大腸，
大腸者，傳道之府。心合小腸，小腸者，受盛之府。肝合膽，膽者，中
精之府。脾合胃，胃者，五穀之府。腎合膀胱，膀胱者，津液之府也。
少陽屬腎，腎上連肺，故將兩藏。三焦者，中瀆之府也，水道出焉，
屬膀胱，是孤之府也。是六府之所與合者。春取絡脉諸滎大經
分肉之間，甚者深取之，間者淺取之。夏取諸腧孫絡肌肉皮膚
之上。秋取諸合，餘如春法。冬取諸井諸腧之分，欲深而留之。此
四時之序，氣之所處，病之所舍，藏之所宜。轉筋者，立而取之，可
令遂已。痿厥者，張而刺之，可令立快也。

闕數[illegible] 足跗音夫 下 音 [illegible]

小針解第三　法人

所謂易陳者，易言也。難入者，難著於人也。粗守形者，守刺法也。
上守神者，守人之血氣有餘不足，可補寫也。神客者，正邪共會

神者正氣也客者邪氣也在門者邪循正氣之所出入也未
覩其疾者先知邪正何經之疾也惡知其原者先知何經之病
所取之處也刺之微者數遲者徐疾之意也粗守關者守四肢
而不知血氣正邪之往來也上守機者知守氣也機之動不離
其空中者知氣之虛實用針之徐疾也空中之機清淨以微者
針以得氣密意守氣勿失也其來不可逢者氣盛不可補也其
往不可追者氣虛不可寫也不可掛以髮者言氣易失也扣之
不發者言不知補寫之意也血氣已盡而氣不下也知其往來
者知氣之逆順盛虛也要與之期者知氣之可取之時也粗之
闇者冥冥不知氣之微密也妙哉上獨有之者盡知針意也往
者為逆者言氣之虛而小小者逆也來者為順者言形氣之平
平者順也明知逆順正行無問者言知所取之處也迎而奪之
者寫也追而濟之者補也所謂虛則實之者氣口虛而當補之
也滿則泄之者氣口盛而當寫之也宛陳則除之者去血脈也

邪勝則虚之者。言諸經有盛者。皆寫其邪也。徐而疾則實者。言徐内而疾出也。疾而徐則虚者。言疾内而徐出也。言实與虚若有若无者。言实者有氣。虚者无氣也。察後与先若亡若存者。言氣之虚实。補寫之先後也。察其氣之巳下与常存也。爲虚与实若得若失者。言補者佖然若有得也。寫則怳然若有失也。夫氣之在脉也。邪氣在上者。言邪氣之中人也高。故邪氣在上也。濁氣在中者。言水穀皆入于胃。其精氣上注於肺。濁溜于腸胃。言寒温不適。飲食不節。而病生于腸胃。故命曰濁氣在中也。清氣在下者。言清濕地氣之中人也。必從足始。故曰清氣在下也。鍼陷脉則邪氣出者。取之上。鍼中脉則邪氣出者。取之陽明合也。鍼大深則邪氣反沉者。言淺浮之病。不欲深刺也。深則邪氣從之入。故曰反沉也。皮肉筋脉各有所處者。言經絡各有所主也。取五脉者死。言病在中。氣不足。但用鍼盡大寫其諸陰之脉也。取三陽之脉者。唯言盡寫三陽之氣。令病人恇然不復也。奪陰者死言取尺之〔…〕也五往者〔…〕陽者狂正言也辯其色察其目知其散復一〔…〕其動靜者言上工知相五色于目有知調尺寸小大緩急滑濇以言所病也知其邪正者知論虛邪與正邪之風也右主推之左持而御之者言持針而出入也氣至而去之者言補寫氣調而去之也調氣在于終始一者持心也節之交三百六十五會者絡脉之滲灌諸節者也所謂五藏之氣已絕于内者脉口氣内絕不至反取其外之病處與陽經之合有留針以致陽氣陽氣至則内重竭重竭則死矣其死也无氣以動故靜所謂五藏之氣已絕于外者脉口氣外絕不至反取其四末之輸有留針以致其陰氣陰氣至則陽氣反入入則逆二則死矣其死也陰氣有餘故躁所以察其目者五藏使五色循明循明則聲章聲章者則言聲與平生異也

俊然上一皮筆切又音必蕭皃悅然如上呼括切狂皃深内下音納

○邪氣藏府病形第四法時

黃帝問於岐伯曰邪氣之中人也奈何岐伯答曰邪氣之中人高也黃帝曰高下有度乎岐伯曰身半已上者邪中之也身半以下者濕中之也故曰邪之中人也无有常中于陰則溜于府中于陽則溜于經黃帝曰陰之與陽也異名同類上下相會經絡之相貫如環无端邪之中人或中于陰或中于陽上下左右无有恒常其故何也岐伯曰諸陽之會皆在于面中人也方乘虛時及新用力若飲食汗出腠理開而中于邪中于面則下陽明中于項則下太陽中于頰則下少陽其中于膺背兩脇亦中其經黃帝曰其中于陰奈何岐伯答曰中于陰者常從臂胻始夫臂與胻其陰皮薄其肉淖澤故俱受于風獨傷其陰黃帝曰此故傷其藏乎岐伯答曰身之中于風也不必動藏故邪入于陰經則其藏氣實邪氣入而不能客故還之於府故中陽則溜于經中陰則溜于府黃帝曰邪之中人藏奈何岐伯曰愁憂恐懼則傷心形寒寒飲則傷肺以其兩寒相感中外皆傷故氣逆

而有所墮墜 有所大怒氣上而不下積于脇
下則傷肝。有所 若醉入房汗出當風則傷脾。有所用力舉
重若入房過度汗出浴水則傷腎。黄帝曰。五藏之中風奈何。岐
伯曰。陰陽俱感。邪乃得往。黄帝曰。善哉。黄帝問於岐伯曰。首面
与身形也。屬骨連筋。同血合於氣耳。天寒則裂地凌冰。其卒寒
或手足懈惰。然而其面不衣。何也。岐伯答曰。十二經脈。三百六
十五絡。其血氣皆上于面。而走空竅。其精陽氣上走於目。而為
睛。其別氣走於耳而為聽。其宗氣上出於鼻而為臭。其濁氣出
於胃。走唇舌而為味。其氣之津液皆上燻于面。而皮又厚。其肉
堅。故天熱甚寒。不能勝之也。黄帝曰。邪之中人。其病形何如。岐
伯曰。虛邪之中身也。洒淅動形。正邪之中人也微。先見于色。不
知于身。若有若无。若亡若存。有形无形。莫知其情。黄帝曰。善哉。
黄帝問於岐伯曰。余聞之。見其色。知其病。命曰明。按其脈。知其
病。命曰神。問其病。知其處。命曰工。余願聞見而知之。按而得之。

問主之爲之奈何岐伯答曰夫色脈與尺之相應也如桴鼓
影響之相應也不得相失也此亦本末根葉之出候也故根死
則葉枯矣色脈形肉不得相失也故知一則爲工知二則爲神
知三則神且明矣黃帝曰願卒聞之岐伯答曰色青者其脈絃
也赤者其脈鉤也黃者其脈代也白者其脈毛黑者其脈石見
其色而不得其脈反得其相勝之脈則死矣得其相生之脈則
病已矣黃帝問於岐伯曰五藏之所生變化之病形何如岐伯
答曰先定其五色五脈之應其病乃可別也黃帝曰色脈已定
別之奈何岐伯曰調其脈之緩急小大滑濇而病變定矣黃帝
曰調之奈何岐伯答曰脈急者尺之皮膚亦急脈緩者尺之皮
膚亦緩脈小者尺之皮膚亦減而少氣脈大者尺之皮膚亦賁
而起脈滑者尺之皮膚亦滑脈濇者尺之皮膚亦濇凡此變者
有微有甚故善調尺者不待於寸善調脈者不待於色能參合
而行之者可以爲上工上工十全九行二者爲中工中工十全

心之六脈為病　肺之六脈為病　肝之六脈為病　脾之六脈為病

七行一者為下工下工十全六　黃帝曰請問脈之緩急小大滑澀之病形何如岐伯曰臣請言五藏之病變也心脈急甚者為瘛瘲微急為心痛引背食不下緩甚為狂笑微緩為伏梁在心下上下行時唾血大甚為喉吤微大為心痺引背善淚出小甚為善噦微小為消癉滑甚為善渴微滑為心疝引臍小腹鳴澀甚為瘖微澀為血溢維厥耳鳴顛疾　肺脈急甚為癲疾微急為肺寒熱怠惰欬唾血引腰背胸若鼻息肉不通緩甚為多汗微緩為痿瘻偏風頭以下汗出不可止大甚為脛腫微大為肺痺引胸背起惡日光小甚為泄微小為消癉滑甚為息賁上氣微滑為上下出血澀甚為嘔血微澀為鼠瘻在頸支腋之間下不勝其上其應善痠矣　肝脈急甚為惡言微急為肥氣在脅下若覆杯緩甚為善嘔微緩為水瘕痺也大甚為內癰善嘔衄微大為肝痺陰縮欬引小腹小甚為多飲微小為消癉滑甚為㿉疝微滑為遺溺澀甚為溢飲微澀為瘛攣筋痺　脾脈急

甚為瘈瘲微急為膈中食飲入而還出後沃沫緩甚為痿厥微
緩為風痿四肢不用心慧然若無病大甚為擊仆微大為疝氣
腹裏大膿血在腸胃之外小甚為寒熱微小為消癉滑甚為㿉
癃微滑為蟲毒蛕蝎腹熱澀甚為腸㿉微澀為內㿉多下膿血
腎脈急甚為骨癲疾微急為沉厥奔豚足不收不得前後緩甚
為折脊微緩為洞洞者食不化下嗌還出大甚為陰痿微大為
石水起臍已下至小腹腄腄然上至胃脘死不治小甚為洞泄
微小為消癉滑甚為癃㿉微滑為骨痿坐不能起起則目無所
見澀甚為大癰微澀為不月沉痔黃帝曰病之六變者刺之柰
何岐伯答曰諸急者多寒緩者多熱大者多氣少血小者血氣
皆少滑者陽氣盛微有熱澀者多血少氣微有寒是故刺急者
深內而久留之刺緩者淺內而疾發針以去其熱刺大者微寫
其氣無出其血刺滑者疾發針而淺內之以寫其陽氣而去其
熱刺澀者必中其脈隨其逆順而久留之必先按而循之已發

鍼疾按其痏無令其血出以和其脉諸小者陰陽形氣俱不足勿取以鍼而調以甘藥也黃帝曰余聞五藏六府之氣滎輸所入為合令何道從入入安連過願聞其故岐伯答曰此陽脉之別入于內屬於府者也黃帝曰滎輸與合各有名乎岐伯答曰滎輸治外經合治內府黃帝曰治內府奈何岐伯曰取之於合黃帝曰合各有名乎岐伯答曰胃合於三里大腸合入于巨虛上廉小腸合入于巨虛下廉三焦合入於委陽膀胱合入于委中央膽合入于陽陵泉黃帝曰取之奈何岐伯答曰取之三里者低跗取之巨虛者舉足取之委陽者屈伸而索之委中者屈而取之陽陵泉者正竪膝予之齊下至委陽之陽取之取諸外經者揄申而從之黃帝曰願聞六府之病岐伯答曰面熱者足陽明病魚絡血者手陽明病兩跗之上脉竪陷者足陽明病此胃脉也大腸病者腸中切痛而鳴濯濯冬日重感于寒即泄當臍而痛不能久立與胃同候取巨虛上廉胃病者腹䐜脹胃脘

脘當心而痛上支兩脇膈咽不通食飲不下取之三里也小腸
病者小腹痛腰脊控睾而痛時窘之後當耳前熱若寒甚若獨
肩上熱甚及手小指次指之間熱若脈陷者此其候也手太陽
病也取之巨虛下廉三焦病者腹氣滿小腹尤堅不得小便
窘急溢則水留即為脹候在足太陽之外大絡大絡在太陽少
陽之間亦見于脈取委陽膀胱病者小腹偏腫而痛以手按
之即欲小便而不得肩上熱若脈陷及足小指外廉及脛踝後
皆熱若脈陷取委中央膽病者善太息口苦嘔宿汁心下澹
澹恐人將捕之嗌中吤吤然數唾在足少陽之本末亦視其脈
之陷下者灸之其寒熱者取陽陵泉黃帝曰刺之有道乎岐伯
答曰刺此者必中氣穴無中肉節中氣穴則鍼染一作于巷中
肉節即皮膚痛補寫反則病益篤中筋則筋緩邪氣不出與其
真相搏亂而不去反還內著用鍼不審以順為逆也
中[illegible]膂背[illegible]經下[illegible]

上音[illegible]下[illegible]　不嗒作喀[illegible]上[illegible]下[illegible]音[illegible]切[illegible]
詳[illegible]也澤[illegible]　[illegible]徒回切[illegible]上[illegible]下[illegible]切[illegible]中[illegible]
息貢[illegible]下音交[illegible]音交　音齊[illegible]切　行[illegible]音蝤蠐上[illegible]下[illegible]切[illegible]虫[illegible]
[illegible]　[illegible]朱睪音高[illegible]維[illegible]詳[illegible]
[illegible]

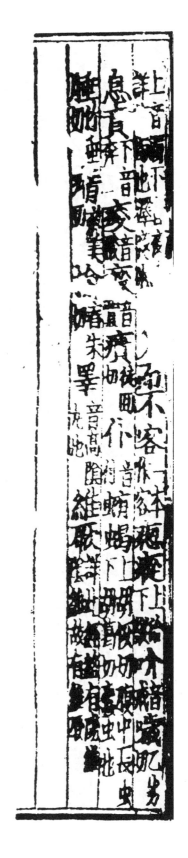

黄帝素問靈樞經集註卷之二

○根結第五篇首

岐伯曰天地相感寒煖相移陰陽之道孰少孰多陰道偶陽道奇發于春夏陰氣少陽氣多陰陽不調何補何寫發于秋冬陽氣少陰氣多陰氣盛而陽氣衰故莖葉枯槁濕雨下歸陰陽相移何寫何補奇邪離經不可勝數不知根結五藏六府折關敗樞開闔而走陰陽大失不可復取九鍼之玄要在終始故能知終始一言而畢不知終始鍼道咸絕太陽根于至陰結于命門命門者目也陽明根于厲兌結于顙大顙大者鉗耳也少陽根于竅陰結于窗籠窗籠者耳中也太陽為開陽明為闔少陽為樞故開折則肉節瀆而暴病起矣故暴病者取之太陽視有餘不足瀆者皮肉宛膲而弱也闔折則氣無所止息而痿疾起矣故痿疾者取之陽明視有餘不足無所止息者真氣稽留邪氣

居之也。樞折即骨繇而不安於地，故骨繇者取之少陽，視有餘不足。骨繇者節緩而不收也。所謂骨繇者搖故也，當窮其本也。太陰根于隱白，結于大倉。少陰根于湧泉，結于廉泉。厥陰根于大敦，結于玉英，絡于膻中。太陰為開，厥陰為闔，少陰為樞。故開折則倉廩無所輸膈洞，膈洞者取之太陰，視有餘不足，故開折者氣不足而生病也。闔折即氣絕而喜悲，悲者取之厥陰，視有餘不足。樞折則脈有所結而不通，不通者取之少陰，視有餘不足，有結者皆取之不足。足太陽根于至陰，溜于京骨，注于崑崙，入于天柱、飛揚也。足少陽根于竅陰，溜于丘墟，注于陽輔，入于天容、光明也。足陽明根于厲兌，溜于衝陽，注于下陵，入于人迎、豐隆也。手太陽根于少澤，溜于陽谷，注于少海，入于天窗、支正也。手少陽根于關衝，溜于陽池，注于支溝，入于天牖、外關。手陽明根于商陽，溜于合谷，注于陽谿，入于扶突、偏歷也。此所謂十二經者，盛絡皆當取之。一日一夜五十營，以營五藏之精，不

應數者名曰狂生所謂五十營者五藏皆受氣持其脈口數其
至也五十動而不一代者五藏皆受氣四十動一代者一藏無
氣三十動一代者二藏無氣二十動一代者三藏無氣十動一
代者四藏無氣不滿十動一代者五藏無氣予之短期要在終
始所謂五十動而不一代者以為常也以知五藏之期予之短
期者乍數乍踈也黃帝曰逆順五體者言人骨節之小大肉之
堅脆皮之厚薄血之清濁氣之滑濇脈之長短血之多少經絡
之數余已知之矣此皆布衣匹夫之士也夫王公大人血食之
君身體柔脆肌肉軟弱血氣慓悍滑利其刺之徐疾淺深多少
可得同之乎岐伯答曰膏粱菽藿之味何可同也氣滑即出疾
其氣濇則出遲氣悍則針小而入淺氣濇則針大而入深深則
欲留淺則欲疾以此觀之刺布衣者深以留之刺大人者微以
徐之此皆因氣慓悍滑利也黃帝曰形氣之逆順奈何岐伯曰
形氣不足病氣有餘是邪勝也急寫之形氣有餘病氣不足急

補之形氣不足病氣不足此陰陽氣俱不足也不可刺之刺之
則重不足重不足則陰陽俱竭血氣皆盡五藏空虛筋骨髓枯
老者絕滅壯者不復矣形氣有餘病氣有餘此謂陰陽俱有餘
也急瀉其邪調其虛實故曰有餘者瀉之不足者補之此之謂
也故曰刺不知逆順真邪相搏滿而補之則陰陽四溢腸胃充
郭肝肺內䐜陰陽相錯虛而瀉之則經脈空虛血氣竭枯腸胃
㒤辟皮膚薄著毛腠夭膲予之死期故曰用針之要在于知調
陰與陽調陰與陽精氣乃光合形與氣使神內藏故曰上工平
氣中工亂脉下工絕氣危生故曰下工不可不慎也必審五藏
變化之病五脉之應經絡之實虛皮之柔麄而後取之也

[illegible]標悍[illegible]比[illegible]切下[illegible]

〇壽夭剛柔第六 [illegible]

黃帝問於少師曰余聞人之生也有剛有柔有弱有強有短有
長有陰有陽願聞其方少師答曰陰中有陰陽中有陽審知陰陽

陽刺之有方得病所始刺之有理謹度病端與時相應內合于
五藏六府外合于筋骨皮膚是故內有陰陽外亦有陰陽在內
者五藏為陰六府為陽在外者筋骨為陰皮膚為陽故曰病在
陰之陰者刺陰之滎輸病在陽之陽者刺陽之合病在陽之陰
者刺陰之經病在陰之陽者刺絡脈故曰病在陽者命曰風病
在陰者命曰痺病陰陽俱病命曰風痺病有形而不痛者陽之類
也無形而痛者陰之類也無形而痛者其陽完而陰傷之也急
治其陰無攻其陽有形而不痛者其陰完而陽傷之也急治其
陽無攻其陰陰陽俱動乍有形乍無形加以煩心命曰陰勝其
陽此謂不表不裏其形不久黃帝問於伯高曰余聞形氣病之
先後外內之應奈何伯高答曰風寒傷形憂恐忿怒傷氣氣傷
藏乃病藏寒傷形乃應形風傷筋脈筋脈乃應此形氣外內之
相應也黃帝曰　奈何伯高答曰病九日者三刺而已病一
月者十刺而已多少遠近以此衰之久痺不去身者視其血絡

盡出其血黃帝曰[illegible]易之治奈何伯高答曰形先病而未入藏者刺[illegible]其日藏先病而形乃應者刺之倍其日此月內難易之應也黃帝問於伯高曰余聞形有緩急氣有盛衰有有大小肉有堅脆皮有厚薄其以立壽夭奈何伯高答曰形夭氣相任則壽不相任則夭皮與肉相果則壽不相果則夭血氣經絡勝形則壽不勝形則夭黃帝曰何謂形之緩急伯高答曰形充而皮膚緩者則壽形充而皮膚急者則夭形充而脈堅大者順也形充而脈小以弱者氣衰衰則危矣若形充而顴不起者骨小骨小而夭矣形充而大肉䐃堅而有分者肉堅肉堅則壽矣形充而大肉無分理不堅者肉脆肉脆則夭矣此天之生命所以立形定氣而視壽夭者必明乎此立形定氣而後以臨病人決死生黃帝曰余聞壽夭無以度之伯高答曰牆基卑高不及其地者不滿三十而死其有因加疾者不及二十而死也黃帝曰形氣之相勝以立壽夭奈何伯高答曰平人而氣勝

形者病而形肉脈氣勝形者以形勝氣者危矣黃帝曰余聞
刺有三變何謂三變伯高答曰有刺營者有刺衛者有刺寒痹
之留經者黃帝曰刺三變者奈何伯高答曰刺營者出血刺衛
者出氣刺寒痹者內熱黃帝曰營衛寒痹之為病奈何伯高答
曰營之生病也寒熱少氣血上下行衛之生病也氣痛時來時
去怫愾賁響風寒客于腸胃之中寒痹之為病也留而不去時
痛而皮不仁黃帝曰刺寒痹內熱奈何伯高答曰刺布衣者以
火焠之刺大人者以藥熨之黃帝曰藥熨奈何伯高答曰用淳
酒二十升蜀椒一升乾薑一斤桂心一斤凡四種皆㕮咀漬酒
中用綿絮一斤細白布四丈并內酒中置酒馬矢熅中蓋封塗
勿使泄五日五夜出布綿絮曝乾之乾復漬以盡其汁每漬必
晬其日乃出乾乾并用滓與綿絮複布為複巾長六七尺為六
七巾則用之生桑炭炙巾以熨寒痹所刺之處令熱入至于病
所寒復炙巾以熨之三十遍而止汗出以巾拭身亦三十遍而

此皆內中。見一……刺必熨加此……矣。此所謂內熱也

官針第七 法星

凡刺之要，官針最妙。九針之宜，各有所為，長短大小，各有所施

也。不得其用，病弗能移。疾淺針深，內傷良肉，皮膚為癰；病深針

淺，病氣不寫，反為大膿。病小針大，氣寫太甚，疾必為害；病大針

小，氣不泄寫，亦復為敗。失針之宜，大者寫，小者不移。已言其過，

請言其所施。病在皮膚無常處者，取以鑱針于病所，膚白勿取。

病在分肉間，取以員針于病所。病在經絡痼痹者，取以鋒針。病

在脈，氣少當補之者，取以鍉針于井滎分輸。病為大膿者，取以

鈹針。病痹氣暴發者，取以員利針。病痹氣痛而不去者，取以毫

針。病在中者，取以長針。病水腫不能通關節者，取以大針。病在

五藏固居者，取以鋒針，寫于井滎分輸，取以四時。凡刺有九，日

九變一曰輸刺輸刺者刺諸經滎輸臟腧也二曰遠道刺遠
道刺者病在上取之下刺府腧也三曰經刺經刺者刺大經之
結絡經分也四曰絡刺絡刺者刺小絡之血脈也五曰分刺分
刺者刺分肉之間也六曰大寫刺大寫刺者刺大膿以鈹針也
七曰毛刺毛刺者刺浮痺皮膚也八曰巨刺巨刺者左取右右
取左九曰焠刺焠刺者刺燔針則取痺也凡刺有十二節以應
十二經一曰偶刺偶刺者以手直心若背直痛所一刺前一刺
後以治心痺刺此者傍針之也二曰報刺報刺者刺痛無常處
也上下行者直內無拔針以左手隨病所按之乃出針復刺之
也三曰恢刺恢刺者直刺傍之舉之前後恢筋急以治筋痺也四
曰齊刺齊刺者直入一傍入二以治寒氣小深者或曰三刺三
刺者治痺氣小深者也五曰揚刺揚刺者正內一傍內四而浮
之以治寒氣之博大者也六曰直針刺直針刺者引皮乃刺之
以治寒氣之淺者也七曰輸刺輸刺者直入直出稀發針而深

之，以治氣盛而熱者也。八曰短刺，短刺者，刺骨痹，稍搖而深之，致針骨所，以上下摩骨也。九曰浮刺，浮刺者，傍入而浮之，以治肌急而寒者也。十曰陰刺，陰刺者，左右率刺之，以治寒厥，中寒厥，足踝後少陰也。十一曰傍針刺，傍針刺者，直刺傍刺各一，以治留痹久居者也。十二曰贊刺，贊刺者，直入直出，數發針而淺之出血，是謂治癰腫也。脈之所居深不見者，刺之微內針而久留之，以致其空脈氣也。脈淺者勿刺，按絕其脈乃刺之，無令精出，獨出其邪氣耳。所謂三刺則穀氣出者，先淺刺絕皮，以出陽邪，再刺則陰邪出者，少益深，絕皮致肌肉，未入分肉間也，已入分肉之間，則穀氣出。故刺法曰：始刺淺之，以逐邪氣而來血氣，後刺深之，以致陰氣之邪，最後刺極深之，以下穀氣。此之謂也。故用針者，不知年之所加，氣之盛衰，虛實之所起，不可以為工也。凡刺有五，以應五藏。一曰半刺，半刺者，淺內而疾發針，無針傷肉，如拔毛狀，以取皮氣，此肺之應也。二曰豹文刺，豹文刺者

前後鍼之中脈為故以取經絡之血者此心之應也三曰
關刺關刺者直刺左右盡筋上以取筋痹慎無出血此肝之應
也或曰淵刺一曰豈刺四曰合谷刺合谷刺者左右雞足鍼于
分肉之間以取肌痹此脾之應也五曰輸刺輸刺者直入直出
深內之至骨以取骨痹此腎之應也

燔針上音煩　俠刺上音[illegible]大也一本作挾字

○本神第八　法風

黃帝問于岐伯曰凡刺之法先必本于神血脈營氣精神此五
藏之所藏也至其淫泆離藏則精失魂魄飛揚志意恍亂智慮
去身者何因而然乎天之罪與人之過乎何謂德氣生精神魂
魄心意志思智慮請問其故岐伯答曰天之在我者德也地之
在我者氣也德流氣薄而生者也故生之來謂之精兩精相搏
謂之神隨神往來者謂之魂並精而出入者謂之魄所以任物
者謂之心心有所憶謂之意意之所存謂之志因志而存變謂

因思而遠慕謂之慮因慮而處物謂之智。故智者之養生
順四時而適寒暑和喜怒而安居處節陰陽而調剛柔如
僻邪不至長生久視是故怵惕思慮者則傷神神傷則恐
淫而不止因悲哀動中者竭絕而失生喜樂者神憚散而
不藏愁憂者氣閉塞而不行盛怒者迷惑而不治恐懼者神蕩
憚而不收心怵惕思慮則傷神神傷則恐懼自失破䐃脫肉毛
悴色夭死于冬脾愁憂而不解則傷意意傷則悗亂四肢不舉
毛悴色夭死於春肝悲哀動中則傷魂魂傷則狂忘不精不精
則不正當人陰縮而攣筋兩脅骨不舉毛悴色夭死于秋肺喜
樂無極則傷魄魄傷則狂狂者意不存人皮革焦毛悴色夭死
于夏腎盛怒而不止則傷志志傷則喜忘其前言腰脊不可以
俛仰屈伸毛悴色夭死于季夏恐懼而不解則傷精精傷則骨
痠痿厥精時自下是故五藏主藏精者也不可傷傷則失守而
陰虛陰虛則無氣無氣則死矣是故用鍼者察觀病人之態以

魂魄之存亡得失之意五者以傷針不可以治之也肝藏
血血舍魂肝氣虛則恐實則怒脾藏營營舍意脾氣虛則四
肢不用五藏不安實則腹脹經溲不利心藏脈脈舍神心氣虛
則悲實則笑不休肺藏氣氣舍魄肺氣虛則鼻塞不利少氣實
則喘喝胷盈仰息腎藏精精舍志腎氣虛則厥實則脹五藏不
安必審五藏之病形以知其氣之虛實謹而調之也

悗乱上音悶下音亂

終始第九法野

凡刺之道畢于終始明知終始五藏為紀陰陽定矣陰者主藏
陽者主府陽受氣于四末陰受氣于五藏故寫者迎之補者隨
之知迎知隨氣可令和和氣之方必通陰陽五藏為陰六府為
陽傳之後世以血為盟敬之者昌慢之者亡無道行私必得天
殃謹奉天道請言終始終始者經脈為紀持其脈口人迎以知
陰陽有餘不足平與不平天道畢矣所謂平人者不病不病者

脉口，口中以應四時也，上下相應而俱往來也，六經之脉不結動也，本末之寒温之相守司也，形肉血氣必相稱也，是謂平人。少氣者，脉口人迎俱少而不稱尺寸也，如是者則陰陽俱不足，補陽則陰竭，寫陰則陽脫，如是者可將以甘藥，不可飲以至劑，如此者弗灸，不已者因而寫之，則五藏氣壞矣。人迎一盛，病在足少陽，一盛而躁，病在手少陽。人迎二盛，病在足太陽，二盛而躁，病在手太陽。人迎三盛，病在足陽明，三盛而躁，病在手陽明。人迎四盛，且大且數，名曰溢陽，溢陽為外格。脉口一盛，病在足厥陰，厥陰一盛而躁，在手心主。脉口二盛，病在足少陰，二盛而躁，在手少陰。脉口三盛，病在足太陰，三盛而躁，在手太陰。脉口四盛，且大且數者，名曰溢陰，溢陰為內關，內關不通死不治。人迎與太陰脉口俱盛四倍以上，命曰關格，關格者與之短期。人迎一盛，寫足少陽而補足厥陰，二寫一補，日一取之，必切而驗之，疏取之上，氣和乃止。人迎二盛，寫足太陽，補足少陰，二寫一補取之必切而驗之踈取之上氣和乃止。人迎三盛寫足陽明而補足太陰二寫一補日二取之必切而驗之踈取之上氣和乃止。脈口一盛寫足厥陰而補足少陽二補一寫日一取之必切而驗之踈而取上氣和乃止。脈口二盛寫足少陰而補足太陽二補一寫二日一取之必切而驗之踈取之上氣和乃止。脈口三盛寫足太陰而補足陽明二補一寫日二取之必切而驗之踈而取之上氣和乃止。所以日二取之者太陽主胃大富于穀氣故可日二取之也。人迎與脈口俱盛三倍以上命曰陰陽俱溢如是者不開則血脈閉塞氣無所行流淫于中五藏內傷如此者因而灸之則變易而為他病矣。凡刺之道氣調而止補陰瀉陽音氣益彰耳目聰明反此者血氣不行。所謂氣至而有效者寫則益虛虛者脈大如其故而不堅也堅如其故者適雖言故病未去也。補則益實實者脈大如其故而益堅也夫如其故而不堅者適雖言快病未去也。故補則實寫則虛痛雖

不隨鍼病必衰去必先通十二經脈之所生病而後可得傳于
終始矣陰陽不相移虛實不相傾取之其經凡刺之屬三刺
至穀氣邪僻妄合陰陽易居逆順相反沉浮異處四時不得稽
留淫泆須鍼而去故一刺則陽邪出再刺則陰邪出三刺則穀
氣至穀氣至而止所謂穀氣至者已補而實已瀉而虛故以知
穀氣至也邪氣獨去者陰與陽未能調而病知愈也故曰補則
實瀉則虛痛雖不隨鍼病必衰去矣陰盛而陽虛先補其陽後
瀉其陰而和之陰虛而陽盛先補其陰後瀉其陽而和之三脈
動于足大指之間必審其實虛虛而瀉之是謂重虛重虛病益
甚凡刺此者以指按之脈動而實且疾者疾瀉之虛而徐者則
補之反此者病益甚其動也陽明在上厥陰在中少陰在下膺
腧中膺背腧中背肩膊虛者取之上重舌刺舌柱以鈹鍼也手
屈而不伸者其病在筋伸而不屈者其病在骨在骨守骨在筋
守筋補須一方實深取之稀按其痏以極出其邪氣一方虛淺

按其痏無使邪氣得入邪氣來也緊而疾穀氣來也徐而和脈實者深刺之以泄其氣脈虛者淺刺之使精氣無得出以養其脈獨出其邪氣刺諸痛者其脈皆實故曰從腰以上者手太陰陽明皆主之從腰以下者足太陰陽明皆主之病在上者下取之病在下者高取之病在頭者取之足病在腰者取之膕病生於頭者頭重生於手者臂重生於足者足重治病者先刺其病所從生者也春氣在毛夏氣在皮膚秋氣在分肉冬氣在筋骨刺此病者各以其時為齊故刺肥人者秋冬之齊刺瘦人者以春夏之齊病痛者陰也痛而以手按之不得者陰也深刺之病在上者陽也病在下者陰也癢者陽也淺刺之病先起陰者先治其陰而後治其陽病先起陽者先治其陽而後治其陰刺熱厥者留針反為寒刺寒厥者留針反為熱刺熱厥者二陰一陽刺寒厥者二陽一陰所謂二陰者二刺陰也一陽者一刺陽也久病者邪氣入深刺此病者深內而久留之

復刺之必先調其左右去其血脉刺道畢矣凡刺之法必察其形氣形肉未脫少氣而脉又躁躁厥者必為繆刺之散氣可收聚氣可布深居靜處占神往來閉戶塞牖魂魄不散專意一神精氣之分毋聞人聲以收其精必一其神令志在針淺而留之微而浮之以移其神氣至乃休男內女外堅拒勿出謹守勿內是謂得氣

凡刺之禁

新內勿刺新刺勿內已醉勿刺已刺勿醉

新怒勿刺已刺勿怒新勞勿刺已刺勿勞

已飽勿刺已刺勿飽已飢勿刺已刺勿飢

已渴勿刺已刺勿渴大驚大恐必定其氣乃刺之乘車來者臥而休之如食頃乃刺之出行來者坐而休之如行十里頃乃刺之凡此十二禁者其脉亂氣散逆其營衛經氣不次因而刺之則陽病入於陰陰病出為陽則邪氣復生粗工勿察是

身形躰注注乃消腦髓津液不化脫其五味是謂失氣也
二部　二脈其絲也戴眼反折瘛瘲其色白絕皮乃絕汗絕汗則
終矣少陽終者耳聾百節盡縱目系絕目系絕一日半則死矣
其死也色青白乃死陽明終者口目動作喜驚妄言色黃其上
下之經盛而不行則終矣少陰終者面黑齒長而垢腹脹閉塞
上下不通而終矣厥陰終者中熱嗌乾喜溺心煩甚則舌卷卵
上縮而終矣太陰終者腹脹閉不得息氣噫善嘔嘔則逆逆則
面赤不逆則上下不通上下不通則面黑皮毛燋而終矣
一繆刺斷上瞿男內女外外女內雜經作男涅濼名蝕下同齒長平聲

黃帝素問靈樞集註卷之二

黃帝素問靈樞集註卷之三

○經脈第十

雷公問於黃帝曰禁脈之言凡刺之理經脈爲始營其所行制其度量內次五藏外別六府願盡聞其道黃帝曰人始生先成精精成而腦髓生骨爲幹脈爲營筋爲剛肉爲墻皮膚堅而毛髮長穀入于胃脈道以通血氣乃行雷公曰願卒聞經脈之始生黃帝曰經脈者所以能決死生處百病調虛實不可不通○

肺手太陰之脈起于中焦下絡大腸還循胃口上膈屬肺從肺系橫出腋下下循臑內行少陰心主之前下肘中循臂內上骨下廉入寸口上魚循魚際出大指之端其支者從腕後直出次指內廉出其端是動則病肺脹滿膨膨而喘欬缺盆中痛甚則交兩手而瞀此爲臂厥是主肺所生病者欬上氣喘渴煩心胸滿臑臂內前廉痛厥掌中熱氣盛有餘則肩背痛風寒汗出中

手陽明

足陽明

風□數而欠氣虛則肩背痛寒少氣不足以息溺色變為此諸病盛則寫之虛則補之熱則疾之寒則留之陷下則灸之不盛不虛以經取之盛者寸口大三倍於人迎虛者則寸口反小於人迎也

大腸手陽明之脈起於大指次指之端循指上廉出合谷兩骨之間上入兩筋之中循臂上廉入肘外廉上臑外前廉上肩出髃骨之前廉上出於柱骨之會上下入缺盆絡肺下膈屬大腸其支者從缺盆上頸貫頰入下齒中還出挾口交人中左之右右之左上挾鼻孔是動則病齒痛頸腫是主津液所生病者目黃口乾鼽衄喉痺肩前臑痛大指次指痛不用氣有餘則當脈所過者熱腫虛則寒慄不復為此諸病盛則寫之虛則補之熱則疾之寒則留之陷下則灸之不盛不虛以經取之盛者人迎大三倍于寸口虛者人迎反小於寸口也○胃足陽明之脈起於鼻之交頞中旁納太陽之脈下循鼻外入上齒中還出挾口環脣下交承漿却循頤後下廉出大迎

足太陰

車上耳前過客主人循髮際至額顱其支者從大迎前下人
迎循喉嚨入缺盆下膈屬胃絡脾其直者從缺盆下乳內廉下
挾臍入氣街中其支者起于胃口下循腹裏下至氣街中而合
以下髀關抵伏兔下膝臏中下循脛外廉下足跗入中指內間
其支者下廉三寸而別下入中指外間其支者別跗上入大指
間出其端是動則病洒洒振寒善呻數欠顏黑病至則惡人與
火聞木聲則惕然而驚心欲動獨閉戶塞牖而處甚則欲上高
而歌棄衣而走賁響腹脹是為骭厥是主血所生病者狂瘧溫
淫汗出鼽衄口喎唇胗頸腫喉痺大腹水腫膝臏腫痛循膺乳
氣街股伏兔骭外廉足跗上皆痛中指不用氣盛則身以前皆
熱其有餘于胃則消穀善飢溺色黃氣不足則身以前皆寒慄
胃中寒則脹滿為此諸病盛則寫之虛則補之熱則疾之寒則
留之陷下則灸之不盛不虛以經取之盛者人迎大三倍于寸
口虛者人迎反小于寸口也○脾足太陰之脈起于大指之端

手少陰

循指內側白肉際過核骨後上內踝前廉上踹內循脛骨後交出厥陰之前上膝股內前廉入腹屬脾絡胃上膈挾咽連舌本散舌下其支者復從胃別上膈注心中是動則病舌本強食則嘔胃脘痛腹脹善噫得後與氣則快然如衰身體皆重是主脾所生病者舌本痛體不能動搖食不下煩心心下急痛溏瘕泄水閉黃疸不能臥強立股膝內腫厥足大指不用為此諸病盛則瀉之虛則補之熱則疾之寒則留之陷下則灸之不盛不虛以經取之盛者寸口大三倍于人迎虛者寸口反小于人迎〇

心手少陰之脈起于心中出屬心系下膈絡小腸其支者從心系上挾咽繫目系其直者復從心系却上肺下出腋下下循臑內後廉行太陰心主之後下肘內循臂內後廉抵掌後銳骨之端入掌內後廉循小指之內出其端是動則病嗌乾心痛渴而欲飲是為臂厥是主心所生病者目黃脇痛臑臂內後廉痛厥掌中熱痛為此諸病盛則瀉之虛則補之熱則疾之寒則留之

陷下則灸之不盛不虛以經取之盛者寸口大再倍於人迎虛者寸口反小于人迎也

手太陽

小腸手太陽之脉起于小指之端循手外側上腕出踝中直上循臂骨下廉出肘内側兩筋之間上循臑外後廉出肩解繞肩胛交肩上入缺盆絡心循咽下膈抵胃屬小腸其支者從缺盆循頸上頰至目銳眥却入耳中其支者别頰上䪼抵鼻至目内眥斜絡于顴是動則病嗌痛頷腫不可以顧肩似拔臑似折是主液所生病者耳聾目黄頰腫頸頷肩臑肘臂外後廉痛為此諸病盛則寫之虛則補之熱則疾之寒則留之陷下則灸之不盛不虛以經取之盛者人迎大再倍于寸口虛者人迎反小于寸口也

足太陽

膀胱足太陽之脉起于目内眥上額交巔其支者從巔至耳上角其直者從巔入絡腦還出别下項循肩髆内挾脊抵腰中入循膂絡腎屬膀胱其支者從腰中下挾脊貫臀入膕中其支者從髆内左右别下貫胛挾脊内過髀樞循髀外從後廉下合膕中以下貫踹内出外踝之

後循京骨至小指外側是動則病衝頭痛目似脫項如拔脊痛
腰似折髀不可以曲膕如結踹如裂是為踝厥是主筋所生病
者痔瘧狂顛疾頭顖項痛目黃淚出鼽衄項背腰尻膕踹腳皆
痛小指不用為此諸病盛則寫之虛則補之熱則疾之寒則留
之陷下則灸之不盛不虛以經取之盛者人迎大再倍于寸口
虛者人迎反小于寸口也　腎足少陰之脉起于小指之下邪
走足心出于然谷之下循內踝之後別入跟中以上踹內出膕
內廉上股內後廉貫脊屬腎絡膀胱其直者從腎上貫肝膈入
肺中循喉嚨挾舌本其支者從肺出絡心注胸中是動則病飢
不欲食面如漆柴欬唾則有血喝喝而喘坐而欲起目䀮䀮如
無所見心如懸若飢狀氣不足則善恐心惕惕如人將捕之是
為骨厥是主腎所生病者口熱舌乾咽腫上氣嗌乾及痛煩心
心痛黃疸腸澼脊股內後廉痛痿厥嗜卧足下熱而痛為此諸
病盛則寫之虛則補之熱則疾之寒則留之陷下則灸之不盛

不盛以經取之灸則強食生肉緩帶被髮大杖重履而步盛者寸口大再倍于人迎虛者寸口反小于人迎也　心主手厥陰心包絡之脉起于胷中出屬心包絡下膈歷絡三膲其支者循胷出脇下腋三寸上抵腋下循臑內行太陰少陰之間入肘中下臂行兩筋之間入掌中循中指出其端其支者別掌中循小指次指出其端是動則病手心熱臂肘攣急腋腫甚則胷脇支滿心中憺憺大動面赤目黃喜笑不休是主脉所生病者煩心心痛掌中熱為此諸病盛則寫之虛則補之熱則疾之寒則留之陷下則灸之不盛不虛以經取之盛者寸口大一倍于人迎虛者寸口反小于人迎也　三焦手少陽之脉起于小指次指之端上出兩指之間循手表腕出臂外兩骨之間上貫肘循臑外上肩而交出足少陽之後入缺盆布膻中散落心包下膈循屬三焦其支者從膻中上出缺盆上項繫耳後直上出耳上角以屈下頰至䪼其支者從耳後入耳中出走耳前過客主人前

交頰至目銳眥是動則病耳聾渾渾焞焞嗌腫喉痺是主氣所生病者汗出目銳眥痛頰痛耳後肩臑肘臂外皆痛小指次指不用為此諸病盛則寫之虛則補之熱則疾之寒則留之陷下則灸之不盛不虛以經取之盛者人迎大一倍于寸口虛者人迎反小于寸口也　膽足少陽之脈起于目銳眥上抵頭角下耳後循頸行手少陽之前至肩上却交出手少陽之後入缺盆其支者從耳後入耳中出走耳前至目銳眥後其支者別銳眥下大迎合于手少陽抵于頔下加頰車下頸合缺盆以下胸中貫膈絡肝屬膽循脇裏出氣街繞毛際橫入髀厭中其直者從缺盆下腋循胸過季脇下合髀厭中以下循髀陽出膝外廉下外輔骨之前直下抵絶骨之端下出外踝之前循足跗上入小指次指之間其支者別跗上入大指之間循大指歧骨內出其端還貫爪甲出三毛是動則病口苦善大息心脇痛不能轉側甚則面微有塵體無膏澤足外反熱是為陽厥是主骨所生病

頭痛頷痛目銳眥痛缺盆中腫痛腋下腫馬刀俠癭汗出振
寒瘧胸脅肋髀膝外至脛絕骨外踝前及諸節皆痛小指次指
不用為此諸病盛則瀉之虛則補之熱則疾之寒則留之陷下
則灸之不盛不虛以經取之盛者人迎大一倍于寸口虛者人
迎反小于寸口也○肝足厥陰之脈起于大指叢毛之際上循
足跗上廉去內踝一寸上踝八寸交出太陰之後上膕內廉循
股陰入毛中過陰器抵小腹挾胃屬肝絡膽上貫膈布脇肋循
喉嚨之後上入頏顙連目系上出額與督脈會于巔其支者從
目系下頰裏環唇內其支者復從肝別貫膈上注肺是動則病
腰痛不可以俛仰丈夫㿗疝婦人少腹腫甚則嗌乾面塵脫色
是肝所生病者胸滿嘔逆飧泄狐疝遺溺閉癃為此諸病盛則
瀉之虛則補之熱則疾之寒則留之陷下則灸之不盛不虛以
經取之盛者寸口大一倍于人迎虛者寸口反小于人迎也○
手太陰氣絕則皮毛焦太陰者行氣溫于皮毛者也故氣不榮

手少陰氣絕　足太陰氣絕　足少陰氣絕　足厥陰氣絕　五陰俱絕　六陽氣絕

則皮毛焦皮毛焦則津液去皮節津液去皮節者則爪枯毛折毛折者則毛先死丙篤丁死火勝金也○手少陰氣絕則脈不通脈不通則血不流血不流則髦色不澤故其面黑如漆柴者血先死壬篤癸死水勝火也○足太陰氣絕者則脈不榮肌肉唇舌者肌肉之本也脈不榮則肌肉軟肌肉軟則舌萎人中滿人中滿則唇反唇反者肉先死甲篤乙死木勝土也○足少陰氣絕則骨枯少陰者冬脈也伏行而濡骨髓者也故骨不濡則肉不能著也骨肉不相親則肉軟却肉軟却故齒長而垢髮無澤髮無澤者骨先死戊篤己死土勝水也○足厥陰氣絕則筋絕厥陰者肝脈也肝者筋之合也筋者聚于陰氣而脈絡于舌本也故脈弗榮則筋急筋急則引舌與卵故唇青舌卷卵縮則筋先死庚篤辛死金勝木也五陰氣俱絕則目系轉轉則目運目運者為志先死志先死則遠一日半死矣六陽氣絕則陰與陽相離離則腠理發泄絕汗乃出故旦占夕死夕占旦死

十二者伏行分肉之間深而不見其常見者足太陰過于外[illegible]踝
之上無所隱故也諸脈之浮而常見者皆絡脈也六經絡手陽
明少陽之大絡起于五指間上合肘中飲酒者衛氣先行皮膚
先充絡脈絡脈先盛故衛氣已平營氣乃滿而經脈大盛脈之
卒然動者皆邪氣居之留于本末不動則熱不堅則陷且空不
與衆同是以知其何脈之動也雷公曰何以知經脈之與絡脈
異也黃帝曰經脈者常不可見也其虛實也以氣口知之脈之
見者皆絡脈也雷公曰細子無以明其然也黃帝曰諸絡脈皆
不能經大節之間必行絕道而出入復合于皮中其會皆見于
外故諸刺絡脈者必刺其結上甚血者雖無結急取之以瀉其
邪而出其血留之發為痺也凡診絡脈脈色青則寒且痛赤則
有熱胃中寒手魚之絡多青矣胃中有熱魚際絡赤其暴黑者
留久痺也其有赤有黑有青者寒熱氣也其青短者少氣也凡
刺寒熱者皆多血絡必間日而一取之血盡而止乃調其虛實

十五絡脈

其小而短者少氣甚者寫之則悶悶甚則仆不得言悶則急坐之也○手太陰之別名曰列缺起于腕上分間並太陰之經直入掌中散入于魚際其病實則手銳掌熱虛則欠㰦小便遺數取之去腕半寸別走陽明也○手少陰之別名曰通里去腕一寸半別而上行循經入于心中繫舌本屬目系其實則支膈虛則不能言取之掌後一寸別走太陽也○手心主之別名曰內關去腕二寸出于兩筋之間循經以上繫于心包絡心系實則心痛虛則為頭強取之兩筋間也○手太陽之別名曰支正上腕五寸內注少陰其別者上走肘絡肩髃實則節弛肘廢虛則生肬小者如指痂疥取之所別也○手陽明之別名曰偏歷去腕三寸別入太陰其別者上循臂乘肩髃上曲頰偏齒其別者入耳合于宗脈實則齲聾虛則齒寒痹隔取之所別也○手少陽之別名曰外關去腕二寸外繞臂注胸中合心主病實則肘攣虛則不收取之所別也○足太陽之別名曰飛陽去踝七寸別

走少陰實則鼽窒頭背痛虛則鼽衄取之所別也　足少陽之
別名曰光明去踝五寸別走厥陰下絡足跗實則厥虛則痿躄
坐不能起取之所別也　足陽明之別名曰豐隆去踝八寸別
走太陰其別者循脛骨外廉上絡頭項合諸經之氣下絡喉嗌
其病氣逆則喉痺瘁瘖實則狂巔虛則足不收脛枯取之所別
也　足太陰之別名曰公孫去本節之後一寸別走陽明其別
者入絡腸胃厥氣上逆則霍亂實則腸中切痛虛則鼓脹取之
所別也　足少陰之別名曰大鍾當踝後繞跟別走太陽其別
者并經上走于心包下外貫腰脊其病氣逆則煩悶實則閉癃
虛則腰痛取之所別者也　足厥陰之別名曰蠡溝去內踝五
寸別走少陽其別者徑脛上睾結于莖其病氣逆則睾腫卒疝
實則挺長虛則暴癢取之所別也　任脈之別名曰尾翳下鳩
尾散于腹實則腹皮痛虛則癢搔取之所別也　督脈之別名
曰長強挾膂上項散頭上下當肩胛左右別走太陽入貫膂實

則脊強，虛則頭重高搖之，挾脊之有過者，取之所別也。脾之大絡，名曰大包，出淵腋下三寸，布胸脇，實則身盡痛，虛則百節盡皆縱。此脈若羅絡之血者，皆取之脾之大絡脈也。凡此十五絡者，實則必見，虛則必下，視之不見，求之上下，人經不同，絡脈異所別也。

脊音積　顴音[illegible]　[illegible]　髀　骭音幹　[illegible]　挾　邪　[illegible]　髆音博　[illegible]　肮音[illegible]

○經別第十一

黃帝問于岐伯曰：余聞人之合于天道也，內有五藏，以應五音五色五時五味五位也；外有六府，以應六律，六律建陰陽諸經而合之十二月、十二辰、十二節、十二經水、十二時、十二經脈者，此五藏六府之所以應天道。夫十二經脈者，人之所以生，病之所以成，人之所以治，病之所以起，學之所始，工之所止也，粗之所易，上之所難也。請問其離合出入奈何？岐伯稽首再拜曰：明乎哉問也！此粗之所過，上之所息也，請卒言之。足太陽之正別

入于膕中其一道下尻五寸別入于肛屬于膀胱散之腎循膂
當心入散直者從膂上出于項復屬于太陽此爲一經也　足少
陰之正至膕中別走太陽而合上至腎當十四顀出屬帶脈
直者繫舌本復出于項合于太陽此爲一合成以諸陰之別皆
爲正也　足少陽之正繞髀入毛際合于厥陰別者入季脇之
間循胷裏屬膽散之上肝貫心以上挾咽出頤頷中散于面繫
目系合少陽于外眥也　足厥陰之正別跗上上至毛際合于
少陽與別俱行此爲二合也　足陽明之正上至髀入于腹裏
屬胃散之脾上通于心上循咽出于口上頞䪼還繫目系合于
陽明也　足太陰之正上至髀合于陽明與別俱行上結于咽
貫舌中此爲三合也　手太陽之正指地別于肩解入腋走心
繫小腸也　手少陰之正別入于淵腋兩筋之間屬于心上走
喉嚨出于面合目內眥此爲四合也　手少陽之正指天別于
巔入缺盆下走三焦散于胷中也　手心主之正別下淵腋三

寸入胷中別屬三焦出循喉嚨出耳後合少陽完骨之下此爲
五合也 手陽明之正從手循膺乳別于肩髃入柱骨下走大
腸屬于肺上循喉嚨出缺盆合于陽明也 手太陰之正別入
淵腋少陰之前入走肺散之大陽上出缺盆循喉嚨復合陽明
此六合也

死[illegible]也 肛[illegible]公 頭[illegible]上[illegible]上切 下户上切

○經水第十二

黃帝問于岐伯曰經脉十二者外合于十二經水而内屬于五
藏六府夫十二經水者其有大小深淺廣狹遠近各不同五藏
六府之高下小大受穀之多少亦不等相應奈何夫經水者受
水而行之五藏者合神氣䰟魄而藏之六府者受穀而行之受
氣而揚之經脉者受血而營之合而以治奈何刺之深淺灸之
壯數可得聞乎岐伯答曰善哉問也天至高不可度地至廣不
可量此之謂也且夫人生于天地之間六合之内此天之高也

地之廣也非人力之所能度量而至也若夫八尺之士皮肉在此外可度量切循而得之其死可解剖而視之其藏之堅脆府之大小穀之多少脈之長短血之清濁氣之多少十二經之多血少氣與其少血多氣與其皆多血氣與其皆少血氣皆有大數其治以針艾各調其經氣固其常有合乎黃帝曰余聞之快于耳不解于心願卒聞之岐伯答曰此人之所以參天地而應陰陽也不可不察

足太陽外合于清水內屬于膀胱而通水道焉

足少陽外合于渭水內屬于膽

足陽明外合于海水內屬于胃

足太陰外合于湖水內屬于脾

足少陰外合于汝水內屬于腎

足厥陰外合于澠水內屬于肝

手太陽外合于淮水內屬于小腸而水道出焉

手少陽外合于漯水内屬于三焦
手陽明外合于江水内屬于大腸
手太陰外合于河水内屬于肺
手少陰外合于濟水内屬于心
手心主外合于漳水内屬于心包
凡此五藏六府十二經水者外有源泉而内有所稟此皆内外相貫如環無端人經亦然故天爲陽地爲陰腰以上爲天腰以下爲地故海以北者爲陰湖以北者爲陰中之陰漳以南者爲陽河以北至漳者爲陽中之陰漯以南至江者爲陽中之太陽此一隅之陰陽也所以人與天地相參也黃帝曰夫經水之應經脉也其遠近淺深水血之多少各不同合而以刺之奈何岐伯荅曰足陽明五藏六府之海也其脉大血多氣盛熱壯刺此者不深弗散不留不寫也足陽明刺深六分留十呼足太陽深五分留七呼足少陽深四分留五呼足太陰深三分留四呼足

少陰深二分，留三呼；足厥陰深一分，留二呼。手之陰陽，其受氣之道近，其氣之來疾，其刺深者皆無過二分，其留皆無過一呼。其少長大小肥瘦，以心撩之，命曰法天之常。灸之亦然。灸而過此者得惡火，則骨枯脈濇；刺而過此者，則脫氣。黃帝曰：夫經脈之小大，血之多少，膚之厚薄，肉之堅脆，及膕之大小，可為量度乎？岐伯答曰：其可為度量者，取其中度也。不甚脫肉而血氣不衰也。若夫度之人，痟瘦而形肉脫者，惡可以度量刺乎。審切循捫按，視其寒溫盛衰而調之，是謂因適而為之真也。

[illegible] 以心撩之一本作以意料之

黃帝素問靈樞集註卷之三

黃帝素問靈樞集註卷之四

〇經筋第十三

足太陽之筋起于足小指上結于踝邪上結于膝其下循足外側結于踵上循跟結於膕其別者結于踹外上膕中內廉與膕中并上結于臀上挾脊上項其支者別入結於舌本其直者結于枕骨上頭下顏結于鼻其支者爲目上網下結于頄其支者從腋後外廉結于肩髃其支者入腋下上出缺盆上結于完骨其支者出缺盆邪上出于頄其病小指支跟腫痛膕攣脊反折項筋急肩不舉腋支缺盆中紐痛不可左右搖治在燔針劫刺以知爲數以痛爲輸名曰仲春痺　足少陽之筋起于小指次指上結外踝上循脛外廉結于膝外廉其支者別起外輔骨上走髀前者結于伏兔之上後者結于尻其直者上乘䏚季脇上走腋前廉繫于膺乳結于缺盆直者上出腋貫缺盆出太陽之

循耳後上額角交巔上下走頷上結于頄支者結于目眥爲
外維其病小指次指支轉筋引膝外轉筋膝不可屈伸膕筋急
前引髀後引尻即上乘眇季脅痛上引缺盆膺乳頸維筋急從
左之右右目不開上過右角並蹻脈而行左絡于右故傷左角
右足不用命曰維筋相交治在燔針劫刺以知爲數以痛爲輸
名曰孟春痹也　足陽明之筋起于中三指結于跗上邪外上
加于輔骨上結于膝外廉直上結于髀樞上循脅屬脊其直者
上循骭結于　其支者結于外輔骨合少陽其直者上循伏兔
上結于髀聚于陰器上腹而布至缺盆而結上頸上挾口合于
頄下結于鼻上合于太陽太陽爲目上網陽明爲目下網其支
者從頰結于耳前其病足中指支脛轉筋腳跳堅伏兔轉筋髀
前腫㿗疝腹筋急引缺盆及頰卒口僻急者目不合熱則筋縱
目不開頰筋有寒則急引頰移口有熱則筋弛縱緩不勝收故
僻治之以馬膏膏其急者以白酒和桂以塗其緩者以桑鉤鉤

之即以生桑灰置之坎中高下以坐等以膏熨急頰且飲美酒噉美炙肉不飲酒者自強也為之三拊而已治在燔針劫刺以知為數以痛為輸名曰季春痹也

足太陰之筋起于大指之端內側上結于內踝其直者絡于膝內輔骨上循陰股結于髀聚于陰器上腹結于臍循腹裏結于肋散于胷中其內者著于脊其病足大指支內踝痛轉筋痛膝內輔骨痛陰股引髀而痛陰器紐痛下引臍兩脇痛引膺中脊內痛治在燔針劫刺以知為數以痛為輸命曰孟秋痹也

足少陰之筋起于小指之下並足太陰之筋邪走內踝之下結于踵與太陽之筋合而上結于內輔之下並太陰之筋而上循陰股結于陰器循脊內挾膂上至項結于枕骨與足太陽之筋合其病足下轉筋及所過而結者皆痛及轉筋病在此者主癇瘛及痙在外者不能俛在內者不能仰故陽病者腰反折不能俛陰病者不能仰治在燔針劫刺以知為數以痛為輸在內者熨引飲藥此筋折紐紐發數

甚者死不治名曰仲秋痹也。足厥陰之筋起于大指之上上結于內踝之前上循脛上結內輔之下上循陰股結于陰器絡諸筋其病足大指支內踝之前痛內輔痛陰股痛轉筋陰器不用傷於內則不起傷於寒則陰縮入傷於熱則縱挺不收治在行水清陰氣其病轉筋者治在燔針劫刺以知為數以痛為輸命曰季秋痹也。

手太陽之筋起于小指之上結于腕上循臂內廉結于肘內銳骨之後彈之應小指之上入結于腋下其支者後走腋後廉上繞肩胛循頸出走太陽之前結于耳後完骨其支者入耳中直者出耳上下結于頷上屬目外眥其病小指支肘內銳骨後廉痛循臂陰入腋下腋下痛腋後廉痛繞肩胛引頸而痛應耳中鳴痛引頷目瞑良久乃得視頸筋急則為筋瘻頸腫寒熱在頸者治在燔針劫刺之以知為數以痛為輸其為腫者復而銳之本支者上曲牙循耳前屬目外眥上頷結于角其痛當所過者支轉筋治在燔針劫刺以知為數以痛為輸

名曰仲夏痹也〇手少陽之筋起于小指次指之端結于腕上循臂結于肘上繞臑外廉上肩走頸合手太陽其支者當曲頰入繫舌本其支者上曲牙循耳前屬目外眥上乘頷結于角其病當所過者即支轉筋舌卷治在燔針劫刺以知為數以痛為輸名曰季夏痹也

手陽明之筋起于大指次指之端結于腕上循臂上結于肘外上臑結于髃其支者繞肩胛挾脊直者從肩髃上頸其支者上頰結于頄直者上出手太陽之前上左角絡頭下右頷其病當所過者支痛及轉筋肩不舉頸不可左右視治在燔針劫刺以知為數以痛為輸名曰孟夏痹也

手太陰之筋起于大指之上循指上行結于魚後行寸口外側上循臂結肘中上臑內廉入腋下出缺盆結肩前髃上結缺盆下結胸裏散貫賁合賁下抵季脇其病當所過者支轉筋痛甚成息賁脇急吐血治在燔針劫刺以知為數以痛為輸名曰仲冬痹也〇手心主之筋起于中指與太陰之筋並行結于肘內廉上

臂陰結腋下下散前後挾脇其支者入腋散胸中結于臂其病
當所過者支轉筋前及胸痛息賁治在燔針劫刺以知為數以
痛為輸名曰孟冬痺也○手少陰之筋起于小指之内側結于
銳骨上結肘内廉上入腋交太陰挾乳裏結于胸中循臂下繫
于臍其病内急心承伏梁下為肘網其病當所過者支轉筋筋
痛治在燔針劫刺以知為數以痛為輸其成伏梁唾血膿者死
不治經筋之病寒則反折筋急熱則筋弛縱不收陰痿不用陽
急則反折陰急則俛不伸焠刺者刺寒急也熱則筋縱不收無
用燔針名曰季冬痺也　足之陽明手之太陽筋急則口目為
噼眥急不能卒視治皆如右方也

【頃】音束

○骨度第十四

黃帝問于伯高曰脉度言經脉之長短何以立之伯高曰先度
其骨節之大小廣狹長短而脉度定矣黃帝曰願聞衆人之度
人長七尺五寸者其骨節之大小長短各幾何伯高曰頭之大

骨圍二尺六寸。胸圍四尺五寸。腰圍四尺二寸。髮所覆者顱至
項尺二寸。髮以下至頤長一尺。君子終折。結喉以下至缺盆中
長四寸。缺盆以下至𩩲骬長九寸。過則肺大。不滿則肺小。𩩲骬
以下至天樞長八寸。過則胃大。不及則胃小。天樞以下至橫骨
長六寸半。過則迴腸廣長。不滿則狹短。橫骨長六寸半。橫骨上
廉以下至內輔之上廉長一尺八寸。內輔之上廉以下至下廉
長三寸半。內輔下廉下至內踝長一尺三寸。內踝以下至地長
三寸。膝膕以下至跗屬長一尺六寸。跗屬以下至地長三寸。故
骨圍大則太過。小則不及。角以下至柱骨長一尺。行腋中不見
者長四寸。腋以下至季脅長一尺二寸。季脅以下至髀樞長六
寸。髀樞以下至膝中長一尺九寸。膝以下至外踝長一尺六寸。
外踝以下至京骨長三寸。京骨以下至地長一寸。耳後當完骨
者廣九寸。耳前當耳門者廣一尺三寸。兩顴之間相去七寸。兩
乳之間廣九寸半。兩髀之間廣六寸半。足長一尺二寸。廣四寸

半肩至肘長一尺七寸,肘至腕長一尺二寸半,腕至中指本節長四寸,本節至其末長四寸半,項髮以下至背骨長二寸半,膂骨以下至尾骶二十一節長三尺,上節長一寸四分分之一,奇分在下,故上七節至于膂骨九寸八分分之七,此衆人骨之度也,所以立經脈之長短也。是故視其經脈之在于身也,其見浮而堅,其見明而大者多血,細而沉者多氣也。

髃骬[illegible]

○五十營第十五

黄帝曰:余願聞五十營奈何?岐伯答曰:天周二十八宿,宿三十六分,人氣行一周千八分,日行二十八宿,人經脈上下左右前後二十八脉,周身十六丈二尺,以應二十八宿,漏水下百刻,以分晝夜,故人一呼脉再動,氣行三寸,一吸脉亦再動,氣行三寸,呼吸定息,氣行六寸,十息氣行六尺,日行二分,二百七十息氣行十六丈二尺,氣行交通于中,一周于身,下水二刻,日行二十度分五百四十息氣行再周于身下水四刻日行四十分二千七百息氣行十周于身下水二十刻日行五宿二十分一萬三千五百息氣行五十營于身水下百刻日行二十八宿漏水皆盡脈終矣所謂交通者并行一數也故五十營備得盡天地之壽矣凡行八百一十丈也

營氣第十六

黃帝曰營氣之道內穀為寶穀入于胃乃傳之肺流溢于中布散于外精專者行于經隧常營無已終而復始是謂天地之紀故氣從太陰出注手陽明上行注足陽明下行至跗上注大指間與太陰合上行抵髀從脾注心中循手少陰出腋下臂注小指合手太陽上行乘腋出䪼內注目內眥上巔下項合足太陽循脊下尻下行注小指之端循足心注足少陰上行注腎從腎注心外散于胸中循心主脈出腋下臂出兩筋之間入掌中出中指之端還注小指次指之端合手少陽上行注膻中散于三

焦從三焦注膻中出膽注足少陽下行至跗上復從跗注大指間合足厥陰上行至肝從肝上注肺上循喉嚨入頏顙之竅究于畜門其支別者上額循巔下項中循脊入骶是督脉也絡陰器上過毛中入臍中上循腹裏入缺盆下注肺中復出太陰此營氣之所行也逆順之常也

圖者 一本作脚[illegible]刑也 入骶 音氐

○脉度第十七

黃帝曰願聞脉度岐伯答曰手之六陽從手至頭長五尺五六三丈手之六陰從手至胸中三尺五寸三六一丈八尺五六三尺合二丈一尺足之六陽從足上至頭八尺六八四丈八尺足之六陰從足至胸中六尺五寸六六三丈六尺五六三尺合三丈九尺蹻脉從足至目七尺五寸二七一丈四尺二五一尺合一丈五尺督脉任脉各四尺五寸二四八尺二五一尺合九尺凡都合一十六丈二尺此氣之大經隧也經脉為裏支而横者為絡絡之別者為孫盛而血者疾誅之盛者寫之虚者飲藥以

補注五藏常内閲于上七竅也故肺氣通於鼻肺和則鼻能知臭香矣心氣通于舌心和則舌能知五味矣肝氣通于目肝和則目能辨五色矣脾氣通于口脾和則口能知五穀矣腎氣通于耳腎和則耳能聞五音矣五藏不和則七竅不通六府不和則留爲癰故邪在府則陽脉不和陽脉不和則氣留之氣留之則陽氣盛矣陽氣大盛則陰不利陰脉不利則血留之血留之則陰氣盛矣陰氣大盛則陽氣不能榮也故曰關陽氣大盛則陰氣弗能榮也故曰格陰陽俱盛不得相榮故曰關格關格者不得盡期而死也黄帝曰蹻脉安起安止何氣榮水岐伯答曰蹻脉者少陰之别起于然骨之後上内踝之上直上循陰股入陰上循胷裏入缺盆上出人迎之前入頄屬目内眥合于太陽陽蹻而上行氣并相還則爲濡目氣不榮則目不合黄帝曰氣獨行五藏不榮六府何也岐伯答曰氣之不得無行也如水之流如日月之行不休故陰脉榮其藏陽脉榮其府如環之無端

莫知其紀終而復始其流溢之氣內溉藏府外濡腠理黃帝曰
蹻脉有陰陽何脉當其數岐伯答曰男子數其陽女子數其陰
當數者爲經其不當數者爲絡也
蹻脉（其畧切又音喬）經隧（音遂）

○營衛生會第十八

黃帝問于岐伯曰人焉受氣陰陽焉會何氣爲營何氣爲衛營
安從生衛于焉會老壯不同氣陰陽異位願聞其會岐伯答曰
人受氣于穀穀入于胃以傳與肺五藏六府皆以受氣其淸者
爲營濁者爲衛營在脉中衛在脉外營周不休五十而復大會
陰陽相貫如環無端衛氣行于陰二十五度行于陽二十五度
分爲晝夜故氣至陽而起至陰而止故曰日中而陽隴爲重陽
夜半而陰隴爲重陰故太陰主內太陽主外各行二十五度分
爲晝夜夜半爲陰隴夜半後而爲陰衰平旦陰盡而陽受氣矣
日中而陽隴日西而陽衰日入陽盡而陰受氣矣夜半而大會

皆臥命曰合陰平旦陰盡而陽受氣如是無已與天地同
紀黃帝曰老人之不夜瞑者何氣使然少壯之人不晝瞑者何
氣使然岐伯答曰壯者之氣血盛其肌肉滑氣道通營衛之行
不失其常故晝精而夜瞑老者之氣血衰其肌肉枯氣道澀五
藏之氣相搏其營氣衰少而衛氣內伐故晝不精夜不瞑黃帝
曰願聞營衛之所行皆何道從來岐伯答曰營出于中焦衛出
于下焦黃帝曰願聞三焦之所出岐伯答曰上焦出于胃上口
並咽以上貫膈而布胷中走腋循太陰之分而行還至陽明上
至舌下足陽明常與營俱行于陽二十五度行于陰亦二十五
度一周也故五十度而復大會于手太陰矣黃帝曰人有熱飲
食下胃其氣未定汗則出或出于面或出于背或出于身半其
不循衛氣之道而出何也岐伯曰此外傷于風內開腠理毛蒸
理泄衛氣走之固不得循其道此氣慓悍滑疾見開而出故不
得從其道故命曰漏泄黃帝曰願聞中焦之所出岐伯答曰中

焦亦並胃中出上焦之後此所受氣者泌糟粕蒸津液化其精
微上注于肺脉乃化而為血以奉生身莫貴于此故獨得行于
經隧命曰營氣黃帝曰夫血之與氣異名同類何謂也岐伯答
曰營衛者精氣也血者神氣也故血之與氣異名同類焉故奪
血者無汗奪汗者無血故人生有兩死而無兩生黃帝曰願聞
下焦之所出岐伯答曰下焦者別廻腸注于膀胱而滲入焉故
水穀者常并居于胃中成糟粕而俱下于大腸而成下焦滲而
俱下濟泌別汁循下焦而滲入膀胱焉黃帝曰人飲酒酒亦入
胃穀未熟而小便獨先下何也岐伯答曰酒者熟穀之液也其
氣悍以清故後穀而入先穀而液出焉黃帝曰善余聞上焦如
霧中焦如漚下焦如瀆此之謂也

四時氣第十九

黃帝問于岐伯曰夫四時之氣各不同形百病之起皆有所生
灸刺之道何者為定岐伯答曰四時之氣各有所在灸刺

之道得氣穴爲定故春取經血脉分肉之間甚者深刺之間者
淺刺之夏取盛經孫絡取分間絶皮膚秋取經腧邪在府取之
合冬取井滎必深以留之溫瘧汗不出爲五十九痏風㽷膚脹
爲五十七痏取皮膚之血者盡取之飧泄補三陰之上補陰陵
泉皆久留之熱行乃止轉筋于陽治其陽轉筋于陰治其陰皆
卒刺之徒㽷先取環谷下三寸以鈹鍼鍼之已刺而筩之而内
之入而復之以盡其㽷必堅來緩則煩悗來急則安靜間日一
刺之㽷盡乃止飲閉藥方刺之時徒飲之方飲無食方食無飲
無食他食百三十五日著痹不去久寒不已卒取其三里骨爲
幹腸中不便取三里盛瀉之虚補之癘風者素刺其腫上已刺
以鋭鍼鍼其處按出其惡氣腫盡乃止常食方食無食他食腹
中常鳴氣上衝胸喘不能久立邪在大腸刺肓之原巨虚上廉
三里小腹控睪引腰脊上衝心邪在小腸者連睪系屬于脊貫
肝肺絡心系氣盛則厥逆上衝腸胃燻肝散于肓結于臍故取

之首原以散之刺太陰以予之取厥陰以下之取巨虛下廉以
去之按其所過之經以調之善嘔嘔有苦長太息心中憺憺恐
人將捕之邪在膽逆在胃膽液泄則口苦胃氣逆則嘔苦故曰
嘔膽取三里以下胃氣逆則刺少陽血絡以閉膽逆却調其虛
實以去其邪飲食不下膈塞不通邪在胃脘在上脘則刺抑而
下之在下脘則散而去之小腹痛腫不得小便邪在三焦約取
之太陽大絡視其絡脉與厥陰小絡結而血者腫上及胃脘取
三里覩其色察其以知其散復者視其目色以知病之存亡也
一其形聽其動静者持氣口人迎以視其脉堅且盛且滑者病
日進脉軟者病將下諸經實者病三日已氣口候陰人迎候陽
也。
○風㾌切類篇音同 著痺下上直音 鑱鍼切上餘

黃帝素問靈樞集註卷之四

黄帝素問靈樞經註卷之五

○五邪第二十

邪在肺則病皮膚痛寒熱上氣喘汗出欬動肩背取之膺中外腧背三節五藏（一本作五顀又五節）之傍以手疾按之快然乃刺之取之缺盆中以越之邪在肝則兩脇中痛寒中惡血在內行善掣節時脚腫取之行間以引脇下補三里以温胃中取血脉以散惡血取耳間青脉以去其掣邪在脾胃則病肌肉痛陽氣有餘陰氣不足則熱中善飢陽氣不足陰氣有餘則寒中腸鳴腹痛陰陽俱有餘若俱不足則有寒有熱皆調于三里邪在腎則病骨痛陰痺陰痺者按之而不得腹脹腰痛大便難肩背頸項痛時眩取之湧泉崑崙視有血者盡取之邪在心則病心痛喜悲時眩仆視有餘不足而調之其輸也

顀音椎

○寒熱病第二十一

皮寒熱者不可附席毛髮焦鼻槁腊不得汗取三陽之絡以補
手太陰肌寒熱者肌痛毛髮焦而唇槁腊不得汗取三陽于下
以去其血者補足太陰以出其汗骨寒熱者病无所安汗注不
休齒未槁取其少陰于陰股之絡齒已槁死不治骨厥亦然骨
痺舉節不用而痛汗注煩心取三陰一本作二陽之經補之身有所
傷血出多及中風寒若有所墮墜四支懈惰不收名曰體惰取
其小腹臍下三結交三結交者陽明太陰也臍下三寸關元也
厥痺者厥氣上及腹取陰陽之絡視主病也寫陽補陰經也頸
側之動脉人迎人迎足陽明也在嬰筋之前嬰筋之後手陽明
也名曰扶突次脉足少陽脉也名曰天牖次脉足太陽也名曰
天柱腋下動脉臂太陰也名曰天府陽迎頭痛胸滿不得息取
之人迎暴瘖氣鞕取扶突與舌本出血暴聾氣蒙耳目不明取
天牖暴攣癎眩足不任身取天柱暴癉內逆肝肺相搏血溢鼻
口取天府此為天牖五部臂陽明有入頄徧齒者名曰大迎下

齒齲取之臂惡寒補之不惡寒寫之足太陽有入頄徧齒者名
曰角孫上齒齲取之在鼻与頄前方病之時其脉盛〻則寫之
虛則補之一曰取之出鼻外足陽明有挾鼻入于面者名曰懸
顱屬口對入繫目本視有過者取之損有餘益不足反者益其
足太陽有通項入于腦者正屬目本名曰眼系頭目苦痛取之
在項中兩筋間入腦乃別陰蹻陽蹻陰陽相交陽入陰〻出陽
交于目銳眥陽氣盛則瞋目陰氣盛則瞑目熱厥取足太陰少
陽皆留之寒厥取足陽明少陰于足皆留之舌縱涎下煩悗取
足少陰振寒洒〻鼓頷不得汗出腹脹煩悗取手太陰刺虛者
刺其去也刺实者刺其來也春取絡脉夏取分腠秋取氣口冬
取經輸凡此四時各以時為齊絡脉治皮膚分腠治肌肉氣口
治筋脉經輸治骨髓五藏身有五部伏兎一腓二腓者腨也背
三五藏之腧四項五此五部有癰疽者死病始手臂者先取手
陽明太陰而汗出病始頭首者先取項太陽而汗出病始足脛

當作名

者皆取足陽明而汗出臂大陰可汗出足陽明可汗出故取陰而汗出甚者止之手陽取陽而汗出甚者止之於陰凡刺之害中而不去則精泄不中而去則致氣精泄則病甚而恇致氣則生為癰疽也

槁腊下媪亦切齲丘禹切齲齲蠹也顑遣佻二音顑[redacted]也悗音悶腓音肥

◉癲狂第二十二

目眥外決于面者為銳眥在內近鼻者為內眥上為外眥下為內眥癲疾始生先不樂頭重痛視舉目赤甚作極已而煩心候之于顏取手大陽陽明大陰血變而止癲疾始作而引口啼呼喘悸者候之手陽明大陽左強者攻其右右強者攻其左血變而止癲疾始作先反僵因而脊痛候之足大陽陽明大陰手大陽血變而止治癲疾者常與之居察其所當取之處病至視之有過者寫之置其血于瓠壺之中至其發時血獨動矣不動灸窮骨二十壯窮骨者骶骨也骨癲疾者頗齒諸腧分肉皆滿而

骨居汗出煩悗嘔多沃沫氣下泄不治筋癲疾者身倦攣急大
刺項大經之大杼脉嘔多沃沫氣下泄不治脉癲疾者暴仆四
肢之脉皆脹而縱脉滿盡刺之出血不滿灸之挾項大陽灸帶
脉于腰相去三寸諸分肉本輸嘔多沃沫氣下泄不治癲疾者
疾發如狂者死不治狂始生先自悲也喜忘苦怒善恐者得之
憂飢治之取手大陰陽明血變而止及取足大陰陽明狂始發
少卧不飢自高賢也自辯智也自尊貴也善罵詈日夜不休治
之取手陽明大陽大陰舌下少陰視之盛者皆取之不盛釋之
也狂言驚善笑好歌樂妄行不休者得之大恐治之取手陽明
大陽大陰狂目妄見耳妄聞善呼者少氣之所生也治之取手
大陽大陰陽明足大陰頭兩顑狂者多食善見鬼神善笑而不
發于外者得之有所大喜治之取足大陰大陽陽明後取手大
陰大陽陽明狂而新發未應如此者先取曲泉左右動脉及盛
者見血有頃已不已以法取之灸骨骶二十壯風逆暴四肢腫

身漯漯唏然時寒飢則煩飽則善變取手太陰表裏足少陰陽明之經肉清取滎骨清取井經也厥逆爲病也足暴清胸若將裂腸若將以刀切之煩而不能食脉大小皆濇煖取足少陰清取足陽明清則補之溫則寫之厥逆腹脹滿腸鳴胸滿不得息取之下胸二脇欬而動手者與背腧以手按之立快者是也内閉不得溲刺足少陰太陽與骶上以長鍼氣逆則取其太陰陽明厥陰甚取少陰陽明動者之經也少氣身漯漯也言吸吸也骨痠體重懈惰不能動補足少陰短氣息短不屬動作氣索補足少陰去血絡也

倦攣上音 顑丘感切黄皃 唏許几切欷也

○熱病第二十三

偏枯身偏不用而痛言不變志不亂病在分腠之間巨鍼取之益其不足損其有餘乃可復也痱之爲病也身無痛者四肢不收智亂不甚其言微知可治甚則不能言不可治也病先起於

陽後入于陰者先取其陽後取其陰浮而取之熱病三日而氣口静人迎躁者取之諸陽五十九刺以寫其熱而出其汗實其陰以補其不足者身熱甚陰陽皆静者勿刺也其可刺者急取之不汗出則泄所謂勿刺者有死徵也熱病七日八日脈口動喘而短一本作弦者急刺之汗且自出淺刺手大指間熱病七日八日脈微小病者溲血口中乾一日半而死脈代者一日死熱病已得汗出而脈尚躁喘且復熱勿刺膚喘甚者死熱病七日八日脈不躁躁不散數後三日中有汗三日不汗四日死未曾汗者勿腠刺之熱病先膚痛窒鼻充面取之皮以第一針五十九苛軫鼻索皮于肺不得索之火火者心也熱病先身澀倚而熱煩悗乾唇口嗌取之皮以第一針五十九膚脹口乾寒汗出索脈于心不得索之水水者腎也熱病嗌乾多飲善驚臥不能起取之膚肉以第六針五十九目眥青索肉于脾不得索之木木者肝也熱病面青腦痛手足躁取之筋間以第四針于四逆

□浸索筋于肝不得索之金金者肺也熱病數驚瘛瘲而狂
取之脈以第四針急寫有餘者癲疾毛髮去索血于心不得索
之水水者腎也熱病身重骨痛耳聾而好瞑取之骨以第四針
五十九刺骨病不食嚙齒耳青索骨于腎不得索之土土者脾
也熱病不知所痛耳聾不能自收口乾陽熱甚陰頗有寒者熱
在髓死不可治熱病頭痛顳顬目瘈脈痛善衄厥熱病也取之
以第三針視有餘不足寒熱痔熱病體重腸中熱取之以第四
針於其腧及下諸指間索氣于胃胳得氣也熱病挾臍急痛胸
脇滿取之湧泉與陰陵泉取以第四針針嗌裏熱病而汗且出
及脈順可汗者取之魚際大淵大都大白寫之則熱去補之則
汗出汗出大甚取內踝上橫脈以止之熱病已得汗而脈尚躁
盛此陰脈之極也死其得汗而脈靜者生熱病者脈尚盛躁而
不得汗者此陽脈之極也死脈盛躁得汗靜者生熱病不可刺
者有九一曰汗不出大顴發赤噦者死二曰泄而腹滿甚者死

三曰目不明熱不已者死四曰老人嬰兒熱而腹滿者死五曰
汗不出嘔下血者死六曰舌本爛熱不已者死七曰欬而衄汗
不出出不至者死八曰髓熱者死九曰熱而痙者死腰折瘛
瘲齒噤齘也凡此九者不可刺也所謂五十九刺者兩手外內
側各三凡十二痏五指間各一凡八痏足亦如是頭入髮一寸
傍三分各三凡六痏更入髮三寸邊五凡十痏耳前後口下者
各一項中一凡六痏巔上一顖會一髮際一廉泉一風池二天
柱二氣滿胸中喘息取足太陰大指之端去爪甲如薤葉寒則
留之熱則疾之氣下乃止心疝暴痛取足太陰厥陰盡刺去其
血絡喉痺舌卷口中乾煩心心痛臂內廉痛不可及頭取手小
指次指爪甲下去端如韭葉目中赤痛從內眥始取之陰蹻風
痙身反折先取足太陽及膕中及血絡出血中有寒取三里癃
取之陰蹻及三毛上及血絡出血男子如蠱女子如怚身体腰
脊如解不欲飲食先取湧泉見血視跗上盛者盡見血也

[illegible]

○厥病第二十四

厥頭痛面若腫起而煩心取之足陽明太陰厥頭痛頭脈痛心
悲善泣視頭動脈反盛者刺盡去血後調足厥陰厥頭痛貞貞
頭重而痛寫頭上五行行五先取手少陰後取足少陰厥頭痛
意善忘按之不得取頭面左右動脈後取足太陰厥頭痛項先
痛腰脊為應先取天柱後取足太陽厥頭痛頭痛甚耳前後脈
湧有熱一本云有動脈寫出其血後取足少陽真頭痛頭痛甚腦盡痛
手足寒至節死不治頭痛不可取於腧者有所擊墮惡血在於
內若肉傷痛未已可則刺不可遠取也頭痛不可刺者大痺為
惡日作者可令少愈不可已頭半寒痛先取手少陽陽明後取
足少陽陽明　心痛與背相控善瘛如從後觸其心傴僂者腎
心痛也先取京骨崑崙發針不已取然谷厥心痛腹脹胷滿心
尤痛甚胃心痛也取之大都太白厥心痛痛如以錐針刺其心

心痛甚者脾心痛也取之然谷大谿厥心痛色蒼蒼如死狀終
日不得大息肝心痛也取之行間大衝厥心痛臥若徒居心痛
間動作痛益　色不變肺心痛也取之魚際大淵真心痛手足
清至節心痛甚旦發夕死夕發旦死心痛不可刺者中有盛聚
不可取于腧腸中有蟲瘕及蛟蛕皆不可取以小針心腸痛憹
作痛腫聚往來上下行痛有休止腹熱喜渴涎出者是蛟蛕也
以手聚按而堅持之無令得移以大針刺之久持之蟲不動乃
出針也𢵥腹憹痛形中上者耳聾無聞取耳中耳鳴取耳前動
脈耳痛不可刺者耳中有膿若有乾耵聹耳無聞也耳聾取手
小指次指爪甲上與肉交者先取手後取足耳鳴取手中指爪
甲上左取右右取左先取手後取足足髀不可舉側而取之在
樞合中以員利針大針不可刺病注下血取曲泉風痹淫濼病
不可已者足如履冰時如入湯中股脛淫濼煩心頭痛時嘔時
悗眩已汗出久則目眩悲以喜恐短氣不樂不出三年死也

[illegible]

○病本第二十五

先病而後逆者治其本。先逆而後病者治其本。先寒而後生病者治其本。先病而後生寒者治其本。先熱而後生病者治其本。先泄而後生他病者治其本。必且調之乃治其他病。先病而後中滿者治其標。先病後泄者治其本。先中滿而後煩心者治其本。有客氣。有同氣。大小便不利治其標。大小便利治其本。病發而有餘。本而標之。先治其本後治其標。病發而不足。標而本之。先治其標後治其本。謹詳察間甚。以意調之。間者并行。甚爲獨行。先小大便不利而後生他病者治其本也。

○雜病第二十六

厥挾脊而痛　至頂頭沉沉然目䀮䀮然腰脊強取足太陽膕中血絡。厥[illegible]面腫唇漯漯然暴言難甚則不能言取足陽明。厥氣走喉而不能言手足清大便不利取足少陰。厥而腹嚮嚮

然多寒氣腹中穀穀便溲難取足太陰嗌乾口中熱如膠取足
少陰膝中痛取犢鼻以員利針發而間之針大如氂刺膝無疑
喉痹不能言取足陽明能言取手陽明瘧不渴間日而作取足
陽明渴而日作取手陽明齒痛不惡清飲取足陽明惡清飲取
手陽明聾而不痛者取足少陽聾而痛者取手陽明衄而不止
衃血流取足太陽衃血取手太陽不已刺宛骨下不已刺膕中
出血腰痛痛上寒取足太陽陽明痛上熱取足厥陰不可以俛
仰取足少陽中熱而喘取足少陰膕中血絡喜怒而不欲食言
益小刺足太陰怒而多言刺足少陽顑痛刺手陽明與顑之盛
脈出血項痛不可俛仰刺足太陽不可以顧刺手太陽也小腹
滿大上走胃至心淅淅身時寒熱小便不利取足厥陰腹滿大
便不利腹大亦上走胸嗌喘息喝喝然取足少陰腹滿食不化
腹嚮嚮然不能大便取足太陰心痛引腰脊欲嘔取足少陰心
痛腹脹嗇嗇然大便不利取足太陰心痛引背不得息刺足少

陰不已取手少陽心痛引小腹滿上下無常處便溲難刺足厥陰心痛但短氣不足以息刺手太陰心痛當九節次之按已刺按之立已不已上下求之得之立已顑痛刺足陽明曲周動脈見血立已不已按人迎于經立已氣逆上刺膺中陷者與下胷動脈腹痛刺臍左右動脈已刺按之立已不已刺氣街已刺按之立已痿厥為四末束悗乃疾解之日二不仁者十日而知無休病已止歲以草刺鼻嚏嚏而已無息而疾迎引之立已大驚之亦可已

音釋　嚴斗

○周痹第二十七

黃帝問于岐伯曰周痹之在身也上下移徙隨脈其上下左右相應間不容空願聞此痛在血脈之中邪將在分肉之間乎何以致是其痛之移也間不及下鍼其慉痛之時不及定治而痛已止矣何道使然願聞其故岐伯答曰此衆痹也非周痹也黃

帝曰：願聞衆痹。岐伯對曰：此各在其處，更發更止，更居更起，以右應左，以左應右，非能周也，更發更休也。黃帝曰：善。刺之奈何？岐伯對曰：刺此者，痛雖已止，必刺其處，勿令復起。帝曰：善。願聞周痹何如？岐伯對曰：周痹者，在于血脈之中，隨脈以上，隨脈以下，不能左右，各當其所。黃帝曰：刺之奈何？岐伯對曰：痛從上下者，先刺其下以過之，後刺其上以脫之。痛從下上者，先刺其上以過之，後刺其下以脫之。黃帝曰：善。此痛安生？何因而有名？岐伯對曰：風寒濕氣，客于外分肉之間，迫切而為沫，沫得寒則聚，聚則排分肉而分裂，分裂則痛，痛則神歸之，神歸之則熱，熱則痛解，痛解則厥，厥則他痹發，發則如是。帝曰：善。余已得其意矣。此內不在藏，而外未發于皮，獨居分肉之間，真氣不能周，故命曰周痹。故刺痹者，必先切循其下之六經，視其虛實，及大絡之血結而不通，及虛而脈陷空者而調之，熨而通之，其瘛堅轉引而行之。黃帝曰：善。余已得其意矣，亦得其事也。九者

實之理十二經脉陰陽之病也　靈樞六

○口問第二十八

黃帝閒居辟左右而問于岐伯曰余已聞九鍼之經論陰陽逆順六經已畢願得口問岐伯避席再拜曰善乎哉問也此先師之所口傳也黃帝曰願聞口傳岐伯荅曰夫百病之始生也皆生于風雨寒暑陰陽喜怒飲食居處大驚卒恐則血氣分離陰陽破散經絡厥絶脉道不通陰陽相逆衛氣稽留經脉虛空血氣不次乃失其常論不在經者請道其方黃帝曰人之欠者何氣使然岐伯荅曰衛氣晝日行于陽夜半則行于陰陰者主夜夜者卧陽者主上陰者主下故陰氣積于下陽氣未盡陽引而上陰引而下陰陽相引故數欠陽氣盡陰氣盛則目瞑陰氣盡而陽氣盛則寤矣寫足少陰補足太陽黃帝曰人之噦者何氣使然岐伯曰穀入于胃胃氣上注于肺今有故寒氣與新穀氣俱還入于胃新故相亂真邪相攻氣并相逆復出于胃故爲噦

補手太陰瀉足少陰黃帝曰人之唏者何氣使然岐伯曰此陰
氣盛而陽氣虛陰氣疾而陽氣徐陰氣盛而陽氣絕故爲唏補
足太陽瀉足少陰黃帝曰人之振寒者何氣使然岐伯曰寒氣
客于皮膚陰氣盛陽氣虛故爲振寒寒慄補諸陽黃帝曰人之
噫者何氣使然岐伯曰寒氣客于胃厥逆從下上散復出于胃
故爲噫補足太陰陽明一曰補眉本也黃帝曰人之嚏者何氣
使然岐伯曰陽氣和利滿于心出于鼻故爲嚏補足太陽榮眉
本一曰眉上也黃帝曰人之嚲者何氣使然岐伯曰胃不實則
諸脈虛諸脈虛則筋脈懈惰筋脈懈惰則行陰用力氣不能復
故爲嚲因其所在補分肉間黃帝曰人之哀而泣涕出者何氣
使然岐伯曰心者五藏六府之主也目者宗脈之所聚也上液
之道也口鼻者氣之門戶也故悲哀愁憂則心動心動則五藏
六府皆搖搖則宗脈感宗脈感則液道開液道開故泣涕出焉
液者所以灌精濡空竅者也故上液之道開則泣泣不止則液

液竭則精不灌精不灌則目無所見矣故命曰奪精補天柱
經挾頸黃帝曰人之太息者何氣使然岐伯曰憂思則心系急
心系急則氣道約約則不利故太息以伸出之補手少陰心主
足少陽留之也黃帝曰人之涎下者何氣使然岐伯曰飲食者
皆入于胃胃中有熱則蟲動蟲動則胃緩胃緩則廉泉開故涎
下補足少陰黃帝曰人之耳中鳴者何氣使然岐伯曰耳者宗
脉之所聚也故胃中空則宗脉虛虛則下溜脉有所竭者故耳
鳴補客主人手大指爪甲上與肉交者也黃帝曰人之自齧舌
者何氣使然此厥逆走上脉氣輩至也少陰氣至則齧舌少陽
氣至則齧頰陽明氣至則齧脣矣視主病者則補之凡此十二
邪者皆奇邪之走空竅者也故邪之所在皆為不足故上氣不
足腦為之不滿耳為之苦鳴頭為之苦傾目為之眩中氣不足
溲便為之變腸為之苦鳴下氣不足則乃為痿厥心悗補足外
踝下留之黃帝曰治之奈何岐伯曰腎主為欠取足少陰肺主

為噦取手太陰足少陰唏者陰與陽絶故補足太陽寫足少陰
振寒者補諸陽噫者補足太陰陽明嚏者補足太陽眉本嚲
其所在補分肉間泣出補天柱經俠頸俠頸者頭中分也太息
補手少陰心主足少陽留之涎下補足少陰耳鳴補客主人手
大指爪甲上與肉交者自齧舌視主病者則補之目眩頭傾補
足外踝下留之痿厥心悗刺足大指間上二寸留之一曰足外
踝下留之

黄帝素問靈樞集註卷之五

· 白頁 ·

黄帝素問靈樞集註卷之六

○師傳第二十九

黄帝曰余聞先師有所心藏弗著于方余願聞而藏之則而行之上以治民下以治身使百姓無病上下和親德澤下流子孫無憂傳于後世無有終時可得聞乎岐伯曰遠乎哉問也夫治民與自治治彼與治此治小與治大治國與治家未有逆而能治之也夫惟順而已矣順者非獨陰陽脉論氣之逆順也百姓人民皆欲順其志也黄帝曰順之柰何岐伯曰入國問俗入家問諱上堂問禮臨病人問所便黄帝曰便病人柰何岐伯曰夫中熱消癉則便寒寒中之屬則便熱胃中熱則消穀令人縣心善飢臍以上皮熱腸中熱則出黄如糜臍以下皮寒胃中寒則腹脹腸中寒則腸鳴飧泄胃中寒腸中熱則脹而且泄胃中熱腸中寒則疾飢小腹痛脹黄帝曰胃欲寒飢腸欲熱飲兩者相

逆便之柰何且夫王公大人血食之君驕恣從欲輕人而無能禁之禁之則逆其志順之則加其病便之柰何治之何先岐伯曰人之情莫不惡死而樂生告之以其敗語之以其善導之以其所便開之以其所苦雖有無道之人惡有不聽者乎黃帝曰治之柰何岐伯曰春夏先治其標後治其本秋冬先治其本後治其標黃帝曰便其相逆者柰何岐伯曰便此者食飲衣服亦欲適寒溫寒無淒愴暑無出汗食飲者熱無灼灼寒無滄滄寒溫中適故氣將持乃不致邪僻也黃帝曰本藏以身形支節䐃肉候五藏六府之小大焉今夫王公大人臨朝即位之君而問焉誰可捫循之而後荅乎岐伯曰身形支節者藏府之蓋也非面部之閱也黃帝曰五藏之氣閱于面者余已知之矣以肢節知而閱之柰何岐伯曰五藏六府者肺爲之蓋巨肩陷咽候見其外黃帝曰善岐伯曰五藏六府心爲之主缺盆爲之道骷骨有餘以候髑骬黃帝曰善岐伯曰肝者主爲將使之候外欲知

堅固視目小大黃帝曰善岐伯曰脾者主為衛使之迎粮視唇
舌好惡以知吉凶黃帝曰善岐伯曰腎者主為外使之遠聽視
耳好惡以知其性黃帝曰善願聞六府之候岐伯曰六府者胃
為之海廣骸大頸張胸五穀乃容鼻隧以長以候大腸唇厚人
中長以候小腸目下果大其膽乃橫鼻孔在外膀胱漏泄鼻柱
中央起三焦乃約此所以候六府者也上下三等藏安且良矣
便平声

〇決氣第三十

黃帝曰余聞人有精氣津液血脉余意以為一氣耳今乃辨為
六名余不知其所以然岐伯曰兩神相搏合而成形常先身生
是謂精何謂氣岐伯曰上焦開發宣五穀味熏膚充身澤毛若
霧露之溉是謂氣何謂津岐伯曰腠理發泄汗出溱溱是謂津
何謂液岐伯曰穀入氣滿淖澤注于骨骨屬屈伸洩澤補益腦
髓皮膚潤澤是謂液何謂血岐伯曰中焦受氣取汁變化而赤

是謂血何謂脈岐伯曰壅遏營氣令無所避是謂脈黃帝曰六氣者有餘不足氣之多少腦髓之虛實血脈之清濁何以知之岐伯曰精脫者耳聾氣脫者目不明津脫者腠理開汗大泄液脫者骨屬屈伸不利色夭腦髓消脛痠耳數鳴血脫者色白夭然不澤其脈空虛此其候也黃帝曰六氣者貴賤何如岐伯曰六氣者各有部主也其貴賤善惡可為常主然五穀與胃為大海也

○腸胃第三十一

黃帝問于伯高曰余願聞六府傳穀者腸胃之小大長短受穀之多少奈何伯高曰請盡言之穀所從出入淺深遠近長短之度脣至齒長九分口廣二寸半齒以後至會厭深三寸半大容五合舌重十兩長七寸廣二寸半咽門重十兩廣一寸半至胃長一尺六寸胃紆曲屈伸之長二尺六寸大一尺五寸徑五寸大容三斗五升小腸後附脊左環迴周疊積其注于迴腸者外

附于臍上迴運環十六曲，大二寸半，徑八分分之少半，長三丈二尺。迴腸當臍，左環迴周葉積而下，迴運環反十六曲，大四寸，徑一寸寸之少半，長二丈一尺。廣腸傅脊，以受迴腸，左環葉脊，上下辟，大八寸，徑二寸寸之大半，長二尺八寸。腸胃所入至所出，長六丈四寸四分，迴曲環反三十二曲也。

○平人絕穀第三十二

黃帝曰：願聞人之不食，七日而死，何也？伯高曰：臣請言其故。胃大一尺五寸，徑五寸，長二尺六寸，橫屈受水穀三斗五升，其中之穀常留二斗，水一斗五升而滿。上焦泄氣，出其精微，慓悍滑疾，下焦下溉諸腸。小腸大二寸半，徑八分分之少半，長三丈二尺，受穀二斗四升，水六升三合合之大半。迴腸大四寸，徑一寸寸之少半，長二丈一尺，受穀一斗，水七升半。廣腸大八寸，徑二寸寸之大半，長二尺八寸，受穀九升三合八分合之一。腸胃之長，凡五丈八尺四寸，受水穀九斗二升一合合之大半，此腸胃所受水穀之數也平人則不然胃滿則腸虛腸滿則胃虛更虛更滿故氣得上下五藏安定血脈和利精神乃居故神者水穀之精氣也故腸胃之中當留穀二斗水一斗五升故平人日再後後二升半一日中五升七日五七三斗五升而留水穀盡矣故平人不食飲七日而死者水穀精氣津液皆盡故也

○海論第三十三

黃帝問于岐伯曰余聞刺法于夫子夫子之所言不離于營衛血氣夫十二經脈者內屬于府藏外絡于肢節夫子乃合之于四海乎岐伯答曰人亦有四海十二經水經水者皆注于海海有東西南北命曰四海黃帝曰以人應之柰何岐伯曰人有髓海有血海有氣海有水穀之海凡此四者以應四海也黃帝曰遠乎哉夫子之合人天地四海也願聞應之柰何岐伯答曰必先明知陰陽表裏滎輸所在四海定矣黃帝曰定之柰何岐伯曰胃者水穀之海其輸上在氣街下至三里衝脈者為十二經

之海其輸上在于大杼下出于巨虛之上下廉膻中者為氣之
海其輸上在于柱骨之上下前在于人迎腦為髓之海其輸上
在于其蓋下在風府黃帝曰凡此四海者何利何害何生何敗
岐伯曰得順者生得逆者敗知調者利不知調者害黃帝曰四
海之逆順奈何岐伯曰氣海有餘者氣滿胸中悗息面赤氣海
不足則氣少不足以言血海有餘則常想其身大怫然不知其
所病血海不足亦常想其身小狹然不知其所病水穀之海有
餘則腹滿水穀之海不足則飢不受穀食髓海有餘則輕勁多
力自過其度髓海不足則腦轉耳鳴脛痠眩冒目無所見懈怠
安臥黃帝曰余已聞逆順調之奈何岐伯曰審守其輸而調其
虛實無犯其害順者得復逆者必敗黃帝曰善

○五亂第三十四

黃帝曰經脈十二者別為五行分為四時何失而亂何得而治
岐伯曰五行有序四時有分相順則治相逆則亂黃帝曰何

相順岐伯曰經脉十二者以應十二月十二月者分為四時四
時者春秋冬夏其氣各異營衛相隨陰陽已和清濁不相干如
是則順之而治黄帝曰何謂逆而亂岐伯曰清氣在陰濁氣在
陽營氣順脉衛氣逆行清濁相干亂于胷中是謂大悗故氣亂
于心則煩心密嘿俛首靜伏亂于肺則俛仰喘喝接手以呼亂
于腸胃則為霍乱乱于臂脛則為四厥乱于頭則為厥逆頭重
眩仆黄帝曰五乱者刺之有道乎岐伯曰有道以來有道以去
審知其道是謂身寶黄帝曰善願聞其道岐伯曰氣在于心者
取之手少陰心主之輸氣在於肺者取之手太陰滎足少陰輸
氣在于腸胃者取之足太陰陽明不下者取之三里氣在于頭
者取之天柱大杼不知取足太陽滎輸氣在于臂足取之先去
血脉後取其陽明少陽之滎輸黄帝曰補寫奈何岐伯曰徐入
徐出謂之導氣補寫無形謂之同精是非有餘不足也乱氣之
相逆也黄帝曰允乎哉道明乎哉論請著之玉版命曰治乱也

五臟脹

○脹論第三十五

黃帝曰脉之應于寸口如何而脹岐伯曰其脉大堅以濇者脹也黃帝曰何以知藏府之脹也岐伯曰陰爲藏陽爲府黃帝曰夫氣之令人脹也在于血脉之中耶藏府之内乎岐伯曰三者皆存焉然非脹之舍也黃帝曰願聞脹之舍岐伯曰夫脹者皆在于藏府之外排藏府而郭胷脇脹皮膚故命曰脹黃帝曰藏府之在胷脇腹裏之内也若匣匱之藏禁器也各有次舍異名而同處一域之中其氣各異願聞其故黃帝曰未解其意再問岐伯曰夫胷腹藏府之郭也膻中者心主之宮城也胃者大倉也咽喉小腸者傳送也胃之五竅者閭里門户也廉泉玉英者津液之道也故五藏六府者各有畔界其病各有形狀營氣循脉衛氣逆爲脉脹衛氣並脉循分爲膚脹三里而寫近者一下遠者三下無問虚實工在疾寫黃帝曰願聞脹形岐伯曰夫心脹者煩心短氣臥不安肺脹者虚滿而喘欬肝脹者脇下滿

六府脹

而痛引小腹。脾脹者，善噦，四肢煩悗，體重不能勝衣，臥不安。腎
脹者，腹滿引背，央央然腰髀痛。六府脹：胃脹者，腹滿，胃脘痛，鼻
聞焦臭，妨于食，大便難。大腸脹者，腸鳴而痛濯濯，冬日重感于
寒，則飧泄不化。小腸脹者，少腹䐜脹，引腰而痛。膀胱脹者，少腹
滿而氣癃。三焦脹者，氣滿于皮膚中，輕輕然而不堅。膽脹者，脅
下痛脹，口中苦，善太息。凡此諸脹者，其道在一，明知逆順，鍼數
不失。寫虛補實，神去其室，致邪失正，真不可定，粗之所敗，謂之
夭命。補虛寫實，神歸其室，久塞其空，謂之良工。黃帝曰：脹者焉
生？何因而有？岐伯曰：衛氣之在身也，常然並脈，循分肉，行有逆
順，陰陽相隨，乃得天和，五藏更始，四時有序，五穀乃化。然後厥
氣在下，營衛留止，寒氣逆上，真邪相攻，兩氣相搏，乃合為脹也。
黃帝曰：善。何以解惑？岐伯曰：合之于真，三合而得。帝曰：善。黃帝
問于岐伯曰：脹論言無問虛實，工在疾瀉，近者一下，遠者三下。
今有其三而不下者，其過焉在？岐伯對曰：此言陷于肉肓而中

氣穴者也不中氣穴則氣內閉鍼不陷肓則氣不行上越中肉則衛氣相亂陰陽相逐其于脹也當瀉不瀉氣故不下三而不下必更其道氣下乃止不下復始可以萬全烏有殆者乎其于脹也必審其胗當瀉則瀉當補則補如鼓應桴惡有不下者乎

五癃津液別第三十六

黃帝問于岐伯曰水穀入于口輸于腸胃其液別為五天寒衣薄則為溺與氣天熱衣厚則為汗悲哀氣并則為泣中熱胃緩則為唾邪氣內逆則氣為之閉塞而不行不行則為水脹余知其然也不知其何由生願聞其道岐伯曰水穀皆入于口其味有五各注其海津液各走其道故三焦出氣以溫肌肉充皮膚為其津其流而不行者為液天暑衣厚則腠理開故汗出寒留于分肉之間聚沫則為痛天寒則腠理閉氣濕不行水下留于膀胱則為溺與氣五藏六府心為之主耳為之聽目為之候肺為之相肝為之將脾為之衛腎為之主外故五藏六府之津

盡上滲于目心悲氣并則心系急心系急則肺舉肺舉則液上溢夫心系與肺不能常舉乍上乍下故欬而泣出矣中熱則胃中消穀消穀則蟲上下作腸胃充郭故胃緩胃緩則氣逆故唾出五穀之津液和合而為膏者內滲入于骨空補益腦髓而下流于陰股陰陽不和則使液溢而下流于陰髓液皆減而下下過度則虛虛故腰背痛而脛痠陰陽氣道不通四海閉塞三焦不寫津液不化水穀并行腸胃之中別于迴腸留于下焦不得滲膀胱則下焦脹水溢則為水脹此津液五別之逆順也

五閱五使第三十七

黃帝問于岐伯曰余聞刺有五官五閱以觀五氣五氣者五藏之使也五時之副也願聞其五使當安出岐伯曰五官者五藏之閱也黃帝曰願聞其所出令可為常岐伯曰脉出于氣口色見于明堂五色更出以應五時各如其常經氣入藏必當治裏帝曰善五色獨決于明堂乎岐伯曰五官已辨闕庭必張乃立

明堂明堂廣大蕃蔽見外方壁高基引垂居外五色乃治平博
廣大壽中百歲見此者刺之必已如是之人者血氣有餘肌肉
堅緻故可苦已針黃帝曰願聞五官岐伯曰鼻者肺之官也目
者肝之官也口脣者脾之官也舌者心之官也耳者腎之官也
黃帝曰以官何候岐伯曰以候五藏故肺病者喘息鼻張肝病
者眥青脾病者脣黃心病者舌卷短顴赤腎病者顴與顏黑黃
帝曰五脈安出五色安見其常色殆者如何岐伯曰五官不辨
闕庭不張小其明堂蕃蔽不見又埤其墻墻下無基垂角去外
如是者雖平常殆況加疾哉黃帝曰五色之見于明堂以觀五
藏之氣左右高下各有形乎岐伯曰府藏之在中也各以次舍
左右上下各如其度也 【緻】直利切

逆順肥瘦第三十八

黃帝問于岐伯曰余聞鍼道于夫子衆多畢悉矣夫子之道應
若失而據未有堅然者也　問學熟乎將審察于物而心

生之乎岐伯曰聖人之爲道上合于天下合于地中合于人
事必有明法以起度數法式檢押乃後可傳焉故匠人不能釋
尺寸而意短長廢繩墨而起平水也工人不能置規而爲員去
矩而爲方知用此者固自然之物易用之教逆順之常也黃帝
曰願聞自然奈何岐伯曰臨深決水不用功力而水可竭也循
掘決衝而經可通也此言氣之滑濇血之清濁行之逆順也黃
帝曰願聞人之白黑肥瘦小長各有數乎岐伯曰年質壯大血
氣充盈膚革堅固因加以邪刺此者深而留之此肥人也廣肩
腋項肉薄厚皮而黑色脣臨臨然其血黑以濁其氣濇以遲其
爲人也貪于取與刺此者深而留之多益其數也黃帝曰刺瘦
人奈何岐伯曰瘦人者皮薄色少肉廉廉然薄脣輕言其血清
氣滑易脫于氣易損于血刺此者淺而疾之黃帝曰刺常人奈
何岐伯曰視其白黑各爲調之其端正敦厚者其血氣和調刺
此者無失常數也黃帝曰刺壯士眞骨　奈何岐伯曰刺壯士

眞骨。堅肉緩節監監然此人重則氣濇[illegible]刺此者深而留之多益其數勁則氣滑血清刺此者淺而疾之黄帝曰刺嬰兒奈何岐伯曰嬰兒者其肉脆血少氣弱刺此者以豪刺淺刺而疾發針日再可也黄帝曰臨深決水奈何岐伯曰血清氣濁疾寫之則氣竭焉黄帝曰循掘決衝奈何岐伯曰血濁氣濇疾寫之則經可通也黄帝曰脉行之逆順奈何岐伯曰手之三陰從藏走手手之三陽從手走頭足之三陽從頭走足足之三陰從足走腹黄帝曰少陰之脉獨下行何也岐伯曰不然夫衝脉者五藏六府之海也五藏六府皆禀焉其上者出於頏顙滲諸陽灌諸精其下者注少陰之大絡出于氣街循陰股内廉入膕中伏行骭骨内下至内踝之後屬而別其下者並于少陰之經滲三陰其前者伏行出跗屬下循跗入大指間滲諸絡而溫肌肉故別絡結則跗上不動不動則厥厥則寒矣黄帝曰何以明之岐伯曰以言導之切而驗之[illegible]動然後乃可明逆順之行也黃帝曰[illegible]乎哉聖人之爲[illegible]于日月微于毫釐其非夫子孰能道之也。

○血絡論第三十九

黃帝曰願聞其奇邪而不在經者岐伯曰血絡是也黃帝曰刺血絡而仆者何也血出而射者何也血少黑而濁者何也血出清而半爲汁者何也發針而腫者何也血出若多若少而面色蒼蒼者何也發針而面色不變而煩悗者何也多出血而不動搖者何也願聞其故岐伯曰脈氣盛而血虛者刺之則脫氣脫氣則仆血氣俱盛而陰氣多者其血滑刺之則射陽氣畜積久留而不寫者其血黑以濁故不能射新飲而液滲于絡而未合和于血也故血出而汁別焉其不新飲者身中有水久則爲腫陰氣積于陽其氣因于絡故刺之血未出而氣先行故腫陰陽之氣其新相得而未和合因而寫之則陰陽俱脫表裏相離故脫色而蒼蒼然刺之血出多色不變而煩悗者刺絡而虛經虛經

經之屬于陰者陰脫故煩悶陰陽相得而合爲痺者此爲內溢于經外注于絡如是者陰陽俱有餘雖多出血而弗能虛也黃帝曰相之奈何岐伯曰血脈者盛堅橫以赤上下無常處小者如針大者如筋則而寫之萬全也故無失數矣失數而反各如其度黃帝曰針入而肉著者何也岐伯曰熱氣因于針則針熱熱則肉著于針故堅焉

○陰陽清濁第四十

黃帝曰余聞十二經脈以應十二經水者其五色各異清濁不同人之血氣若一應之奈何岐伯曰人之血氣苟能若一則天下爲一矣惡有亂者乎黃帝曰余問一人非問天下之衆岐伯曰夫一人者亦有亂氣天下之衆亦有亂人其合爲一耳黃帝曰願聞人氣之清濁岐伯曰受穀者濁受氣者清清者注陰濁者注陽濁而清者上出于咽清而濁者則下行清濁相干命曰[illegible]濁者有清清者有濁清濁別之奈[illegible]

[illegible]大別清[illegible]濁者下走于胃胃之清氣
上出于口肺之濁氣下注于經内積于海黄帝曰諸陽皆濁何
陽濁甚乎岐伯曰手太陽獨受陽之濁手太陰獨受陰之清其
清者上走空竅其濁者下行諸經諸陰皆清足太陰獨受其濁
黄帝曰治之奈何岐伯曰清者其氣滑濁者其氣濇此氣之常
也故刺陰者深而留之刺陽者淺而疾之清濁相干者以數調
之也

悗音悶 空音孔

黄帝素問靈樞集註卷之二

黃帝素問靈樞集註卷之七

陰陽繫日月第四十一

黃帝曰余聞天為陽地為陰日為陽月為陰其合之於人柰何岐伯曰腰以上為天腰以下為地故天為陽地為陰故足之十二經脉以應十二月月生於水故在下者為陰手之十指以應十日日主火故在上者為陽黃帝曰合之於脉柰何岐伯曰寅者正月之生陽也主左足之少陽未者六月主右足之少陽卯者二月主左足之太陽午者五月主右足之太陽辰者三月主左足之陽明巳者四月主右足之陽明此兩陽合於前故曰陽明申者七月之生陰也主右足之少陰丑者十二月主左足之少陰酉者八月主右足之太陰子者十一月主左足之太陰戌者九月主右足之厥陰亥者十月主左足之厥陰此兩陰交盡[illegible]主左手之少陽巳主右手之少陽乙主左手之[illegible]

戊主右手之大陽丙主右手之陽明丁主左手之陽明此兩

火并合故為陽明庚主右手之少陰癸主左手之少陰辛主右

手之大陰壬主左手之大陰故足之陽者陰中之少陽也足之

陰者陰中之大陰也手之陽者陽中之大陽也手之陰者陽中

之少陰也腰以上者為陽腰以下者為陰其於五藏也心為陽

中之大陽肺為陰中之少陰肝為陰中之少陽脾為陰中之至

陰腎為陰中之大陰黃帝曰以治奈何岐伯曰正月二月三月

人氣在左無刺左足之陽四月五月六月人氣在右無刺右足

之陽七月八月九月人氣在右無刺右足之陰十月十一月十

二月人氣在左無刺左足之陰黃帝曰五行以東方為甲乙木

王春春者蒼色主肝肝者足厥陰也今乃以甲為左手之少陽

不合于數何也岐伯曰此天地之陰陽也非四時五行之以次

行也且夫陰陽者有名而無形故數之可十離之可百散之可

千推之可萬此之謂也

病傳第四十二

黃帝曰：余受九鍼于夫子，而私覧于諸方，或有導引行氣、喬摩、灸熨、刺焫、飲藥之一者，可獨守耶？將盡行之乎？岐伯曰：諸方者，衆人之方也，非一人之所盡行也。黃帝曰：此乃所謂守一勿失萬物畢者也。今余已聞陰陽之要，虛實之理，傾移之過，可治之屬，願聞病之變化，淫傳絶敗而不可治者，可得聞乎？岐伯曰：要乎哉問。道，昭乎其如日醒，窘乎其如夜瞑，能被而服之，神與俱成，畢將服之，神自得之，生神之理，可著于竹帛，不可傳于子孫。黃帝曰：何謂日醒？岐伯曰：明于陰陽，如惑之解，如醉之醒。黃帝曰：何謂夜瞑？岐伯曰：瘖乎其無聲，漠乎其無形，折毛發理，正氣横傾，淫邪泮衍，血脉傳溜，大氣入藏，腹痛下淫，可以致死，不可以致生。黃帝曰：大氣入藏奈何？岐伯曰：病先發于心，一日而之肺，三日而之肝，五日而之脾，三日不已，死。冬夜半，夏日中。病先[illegible]日而之脾，五日而之胃，十日不已，死。

[illegible]肝三日而之脾五日而之胃三日而之

腎三日不已死冬日入夏蚤食病先發于脾一日而之胃二日

而之腎三日而之膂膀胱十日不已死冬人定夏晏食病先發

于胃五日而之腎三日而之膂膀胱五日而上之心二日不已

死冬夜半夏日昳病先發于腎三日而之膂膀胱二日而上之

心三日而之小腸三日不已死冬大晨夏早晡病先發于膀胱

五日而之腎一日而之小腸一日而之心二日不已死冬雞鳴

夏下晡諸病以次相傳如是者皆有死期不可刺也間一藏及

二三四藏者乃可刺也　昳徒結切

○淫邪發夢第四十三

黃帝曰願聞淫邪泮衍柰何岐伯曰正邪從外襲內而未有定

舍反淫于藏不得定處與營衛俱行而與魂魄飛揚使人卧不

得安而喜夢氣淫于府則有餘于外不足于內氣淫于藏則有

餘于內不足于外黃帝曰有餘不足有形乎岐伯曰陰氣盛則

夢涉大水而恐懼陽氣盛則夢大火而燔焫陰陽俱盛則夢相
殺上盛則夢飛下盛則夢墮甚飢則夢取甚飽則夢予肝氣盛
則夢怒肺氣盛則夢恐懼哭泣飛揚心氣盛則夢善笑恐畏脾
氣盛則夢歌樂身體重不舉腎氣盛則夢腰脊兩解不屬凡此
十二盛者至而寫之立已厥氣客于心則夢見丘山煙火客于
肺則夢飛揚見金鐵之奇物客于肝則夢山林樹木客于脾則
夢見丘陵大澤壞屋風雨客于腎則夢臨淵沒居水中客于膀
胱則夢遊行客于胃則夢飲食客于大腸則夢田野客于小腸
則夢聚邑衝衢客于膽則夢鬬訟自刳客于陰器則夢接內客
于項則夢斬首客于脛則夢行走而不能前及居深地窌苑中
客于股肱則夢禮節拜起客于胞䐈則夢溲便凡此十五不足
者至而補之立已也 窌力交

○順氣一日分爲四時第四十四

有形得藏而有名余知其然也夫百病者多
以旦慧晝安夕加夜甚何也岐伯曰四時之氣使然黃帝曰願
聞四時之氣岐伯曰春生夏長秋收冬藏是氣之常也人亦應
之以一日分為四時朝則為春日中為夏日入為秋夜半為冬
朝則人氣始生病氣衰故旦慧日中人氣長長則勝邪故安夕
則人氣始衰邪氣始生故加夜半人氣入藏邪氣獨居于身故
甚也黃帝曰其時有反者何也岐伯曰是不應四時之氣藏獨
主其病者是必以藏氣之所不勝時者甚以其所勝時者起也
黃帝曰治之奈何岐伯曰順天之時而病可與期順者為工逆
者為粗黃帝曰善余聞刺有五變以主五輸願聞其數岐伯曰
人有五藏五藏有五變五變有五輸故五五二十五輸以應五
時黃帝曰願聞五變岐伯曰肝為牡藏其色青其時春其音角
其味酸其日甲乙心為牡藏其色赤其時夏其日丙丁其音徵
其味苦脾為牝藏其色黃其時長夏其日戊己其音宮其味甘

肺爲牝藏其色白其音商其時秋其日庚辛其味辛腎爲牝藏其色黑其時冬其日壬癸其音羽其味鹹是爲五變黄帝曰以主五輸奈何藏主冬冬刺井色主春春刺滎時主夏夏刺輸音主長夏長夏刺經味主秋秋刺合是謂五變以主五輸黄帝曰諸原安合以致六輸岐伯曰原獨不應五時以經合之以應其數故六六三十六輸黄帝曰何謂藏主冬時主夏音主長夏味主秋色主春願聞其故岐伯曰病在藏者取之井病變于色者取之滎病時間時甚者取之輸病變于音者取之經經滿而血者病在胃及以飲食不節得病者取之於合故命曰味主合是謂五變也

外揣第四十五

黄帝曰余聞九針九篇余親授其調頗得其意夫九針者始於一而終于九然未得其要道也夫九針者小之則無内大之則無外深不可爲下高不可爲蓋恍惚無窮[illegible]溢無極余知[illegible]

道人事四時之變也然余願雜之毫毛渾束為一可乎岐伯曰明乎哉問也非獨針道焉夫治國亦然黃帝曰余願聞針道非國事也岐伯曰夫治國者夫惟道焉非道何可小大深淺雜合而為一乎黃帝曰願卒聞之岐伯曰日與月焉水與鏡焉鼓與響焉夫日月之明不失其影水鏡之察不失其形鼓響之應不後其聲動搖則應和盡得其情黃帝曰窘乎哉昭昭之明不可蔽其不可蔽不失陰陽也合而察之切而驗之見而得之若清水明鏡之不失其形也五音不彰五色不明五藏波蕩若是則外內相襲若鼓之應桴響之應聲影之似形故遠者司外揣內近者司內揣外是謂陰陽之極天地之蓋請藏之靈蘭之室弗敢使泄也

○五變第四十六

黃帝問于少俞曰余聞百疾之始期也必生于風雨寒暑循毫毛而入腠理或復還或留止或為風腫汗出或為消癉或為寒

熱或為留痹或為積聚奇邪淫溢不可勝數願聞其故夫同時
得病或病此或病彼意者天之為人生風乎何其異也少俞曰
夫天之生風者非以私百姓也其行公平正直犯者得之避者
得無殆非求人而人自犯之黃帝曰一時遇風同時得病其病
各異願聞其故少俞曰善乎哉問請論以比匠人匠人磨斧斤
礪刀削斲材木木之陰陽尚有堅脆堅者不入脆者皮弛至其
交節而缺斤斧焉夫一木之中堅脆不同堅者則剛脆者易傷
況其材木之不同皮之厚薄汁之多少而各異耶夫木之蚤花
先生葉者遇春霜烈風則花落而葉萎久曝大旱則脆木薄皮
者枝條汁少而葉萎久陰淫雨則薄皮多汁者皮潰而漉卒風
暴起則剛脆之木枝折杌傷秋霜疾風則剛脆之木根搖而葉
落凡此五者各有所傷況於人乎黃帝曰以人應木奈何少俞
曰木之所傷也皆傷其枝枝之剛脆而堅未成傷也人之有
[illegible]理之不堅固

黃帝曰人之善病風厥漉汗者何以候之少俞答曰
肉不堅腠理疎則善病風黃帝曰何以候肉之不堅也少俞答曰
膕肉不堅而無分理理者粗理粗理而皮不緻者腠理疎此言
其渾然者黃帝曰人之善病消癉者何以候之少俞答曰五藏
皆柔弱者善病消癉黃帝曰何以知五藏之柔弱也少俞答曰
夫柔弱者必有剛強剛強多怒柔者易傷也黃帝曰何以候柔
弱之與剛強少俞答曰此人薄皮膚而目堅固以深者長衝直
揚其心剛剛則多怒怒則氣上逆胸中畜積血氣逆留臗皮充
肌血脈不行轉而為熱熱則消肌膚故為消癉此言其人暴剛
而肌肉弱者也黃帝曰人之善病寒熱者何以候之少俞答曰
小骨弱肉者善病寒熱黃帝曰何以候骨之小大肉之堅脆色
之不一也少俞答曰顴骨者骨之本也顴大則骨大顴小則骨
小皮膚薄而其肉無䐃其臂懦懦然其地色殆然不與其天同
色污然獨異此其候也然後臂薄者其髓不滿故善病寒熱也

黃帝曰何以候人之善病痺者少俞答曰粗理而肉不堅者善病
痺黃帝曰痺之高下有處乎少俞答曰欲知其高下者各視其
部黃帝曰人之善病腸中積聚者何以候之少俞答曰皮膚
薄而不澤肉不堅而淖澤如此則腸胃惡惡則邪氣留止積聚
乃傷脾胃之間寒溫不次邪氣稍至稸積留止大聚乃起黃帝
曰余聞病形已知之矣願聞其時少俞答曰先立其年以知其
時時高則起時下則殆雖不陷下當年有衝通其病必起是謂
因形而生病五變之紀也

[illegible]寬抗兀浪鹿臑儒

○本藏第四十七

黃帝問于岐伯曰人之血氣精神者所以奉生而周于性命者
也經脉者所以行血氣而營陰陽濡筋骨利關節者也衛氣者
所以溫分肉充皮膚肥腠理司關闔者也[illegible]以御精神

筋骨勁強關節清利矣衛氣和則分肉解利皮膚調柔腠理緻
密矣志意和則精神專直魂魄不散悔怒不起五藏不受邪矣
寒溫和則六府化穀風痹不作經脉通利肢節得安矣此人之
常平也五藏者所以藏精神血氣魂魄者也六府者所以化水
穀而行津液者也此人之所以具受于天也無愚智賢不肖無
以相倚也然有其獨盡天壽而無邪僻之病百年不衰雖犯風
雨卒寒大暑猶有弗能害也有其不離屏蔽室內無怵惕之恐
然猶不免於病何也願聞其故岐伯對曰窘乎哉問也五藏者
所以參天地副陰陽而連四時化五節者也五藏者固有小大
高下堅脆端正偏傾者六府亦有小大長短厚薄結直緩急凡
此二十五者各不同或善或惡或吉或凶請言其方心小則安
邪弗能傷易傷以憂心大則憂不能傷易傷于邪心高則滿于
肺中悗而善忘難開以言心下則藏外易傷于寒易恐以言心
堅則藏安守固心脆則善病消癉熱中心端正則和利難傷心

偏傾則操持不一。無守司也。肺小則少飲不病喘喝。肺大則多飲善病胸痹喉痹逆氣。肺高則上氣肩息欬。肺下則居賁迫肺善脅下痛。肺堅則不病欬上氣。肺脆則苦病消癉易傷。肺端正則和利難傷。肺偏傾則胸偏痛也。肝小則藏安無脅下之病。肝大則逼胃迫咽。迫咽則苦膈中。且脅下痛。肝高則上支賁切脅悗為息賁。肝下則逼胃脅下空。脅下空則易受邪。肝堅則藏安難傷。肝脆則善病消癉易傷。肝端正則和利難傷。肝偏傾則脅下痛也。脾小則藏安難傷於邪也。脾大則苦湊𦜭而痛不能疾行。脾高則𦜭引季脅而痛。脾下則下加於大腸。下加於大腸則藏苦受邪。脾堅則藏安難傷。脾脆則善病消癉易傷。脾端正則和利難傷。脾偏傾則善滿善脹也。腎小則藏安難傷。腎大則善病腰痛。不可以俛仰。易傷以邪。腎高則苦背膂痛。不可以俛仰。腎下則腰尻痛。不可以俛仰。為狐疝。腎堅則不病腰背痛。腎脆則善病消癉易傷。腎端正則和利難傷。腎偏傾則苦腰尻痛也。

此二十五變者人之所苦常病黃帝曰何以知其然也岐伯
曰赤色小理者心小粗理者心大無䯏骭者心高䯏骭小短舉
者心下䯏骭長者心下堅䯏骭弱小以薄者心脆䯏骭直下不
舉者心端正䯏骭倚一方者心偏傾也白色小理者肺小粗理
者肺大巨肩反膺陷喉者肺高合腋張脅者肺下好肩背厚者
肺堅肩背薄者肺脆背膺厚者肺端正脅偏疏者肺偏傾也青
色小理者肝小粗理者肝大廣胸反骹者肝高合脅兔骹者肝
下胸脅好者肝堅脅骨弱者肝脆膺腹好相得者肝端正脅骨
偏舉者肝偏傾也黃色小理者脾小粗理者脾大揭唇者脾高
唇下縱者脾下唇堅者脾堅唇大而不堅者脾脆唇上下好者
脾端正唇偏舉者脾偏傾也黑色小理者腎小粗理者腎大高
耳者腎高耳後陷者腎下耳堅者腎堅耳薄不堅者腎脆耳好
前居牙車者腎端正耳偏高者腎偏傾也凡此諸變者持則安
減則病也帝曰善然非余之所問也願聞人之有不可病者

盡天壽雖有深憂大恐怵惕之志猶不能減也甚寒大熱不
傷也其有不離屏蔽室内又無怵惕之恐然不免于病者何也
願聞其故岐伯曰五藏六府邪之舍也請言其故五藏皆小者
少病苦燋心大愁憂五藏皆大者緩于事難使以憂五藏皆高
者好高舉措五藏皆下者好出人下五藏皆堅者無病五藏皆
脆者不離于病五藏皆端正者和利得人心五藏皆偏傾者邪
心而善盜不可以為人平反覆言語也黃帝曰願聞六府之應
岐伯答曰肺合大腸大腸者皮其應心合小腸小腸者脈其應
肝合膽膽者筋其應脾合胃胃者肉其應腎合三焦膀胱三焦
膀胱者腠理毫毛其應黃帝曰應之奈何岐伯曰肺應皮皮厚
者大腸厚皮薄者大腸薄皮緩腹裏大者大腸大而長皮急者
大腸急而短皮滑者大腸直皮肉不相離者大腸結心應脈皮
厚者脈厚脈厚者小腸厚皮薄者脈薄脈薄者小腸薄皮緩者
脈緩脈緩者小腸大而長皮薄而脈沖小者小腸小而短諸陽

諸陽經脈皆多紆屈者小腸結脾應肉肉䐃堅大者胃厚肉䐃麼者胃薄肉䐃小而麼者胃不堅肉䐃不稱身者胃下胃下者下管約不利肉䐃不堅者胃緩肉䐃無小裹累者胃急肉䐃多少裹累者胃結胃結者上管約不利也肝應爪爪厚色黃者膽厚爪薄色紅者膽薄爪堅色青者膽急爪濡色赤者膽緩爪直色白無約者膽直爪惡色黑多紋者膽結也腎應骨密理厚皮者三焦膀胱厚粗理薄皮者三焦膀胱薄疏腠理者三焦膀胱緩皮急而無毫毛者三焦膀胱急毫毛美而粗者三焦膀胱直稀毫毛者三焦膀胱結也黃帝曰厚薄美惡皆有形願聞其所病岐伯答曰視其外應以知其內藏則知所病矣

死髃高骸骸髃骬于

黃帝素問靈樞集註卷之七

黃帝素問靈樞經集註卷之八

○禁服第四十八

雷公問于黃帝曰：細子得受業，通于九針六十篇，旦暮勤服之，近者編絕，久者簡垢，然尚諷誦弗置，未盡解於意矣。外揣言渾束爲一，未知所謂也。夫大則無外，小則無內，大小無極，高下無度，束之柰何？士之才力，或有厚薄，智慮褊淺，不能博大深奧，自强于學若細子。細子恐其散于後世，絕于子孫，敢問約之柰何？黃帝曰：善乎哉問也！此先師之所禁，坐私傳之也，割臂歃血之盟也，子若欲得之，何不齋乎？雷公再拜而起曰：請聞命于是也。乃齋宿三日而請曰：敢問今日正陽，細子願以受盟。黃帝乃與俱入齋室，割臂歃血。黃帝親祝曰：今日正陽，歃血傳方，有敢背此言者，反受其殃。雷公再拜曰：細子受之。黃帝乃左握其手，右授之書曰：愼之愼之，吾爲子言之。凡刺之理，經脉爲始，營其所推知其度量內刺五藏外刺六府審察衛氣爲百病母調其虛實虛實乃止寫其血絡血盡不殆矣雷公曰此皆細子之所以通未知其所約也黃帝曰夫約方者猶約囊也囊滿而弗約則輸泄方成弗約則神與弗俱雷公曰願爲下材者勿滿而約之黃帝曰未滿而知約之以爲工不可以爲天下師雷公曰願聞爲工黃帝曰寸口主中人迎主外兩者相應俱往俱來若引繩大小齊等春夏人迎微大秋冬寸口微大如是者名曰平人人迎大一倍于寸口病在足少陽一倍而躁在手少陽人迎二倍病在足太陽二倍而躁病在手太陽人迎三倍病在足陽明三倍而躁病在手陽明盛則爲熱虛則爲寒緊則爲痛痹代則乍甚乍間盛則寫之虛則補之緊痛則取之分肉代則取血絡且飲藥陷下則灸之不盛不虛以經取之名曰經刺人迎四倍者且大且數名曰溢陽溢陽爲外格死不治必審按其本末察其寒熱以驗其藏府之病寸口大于人迎一倍病在足厥陰一倍

而躁在手心主。寸口二倍病在足少陰，二倍而躁在手少陰。寸
口三倍病在足太陰，三倍而躁在手太陰。盛則脹滿寒中食不
化，虛則熱中出糜少氣溺色變，緊則痛痺，代則乍痛乍止。盛則
寫之，虛則補之，緊則先刺而後灸之，代則取血絡而後調之，陷
下則徒灸之。陷下者，脈血結于中，中有著血，血寒，故宜灸之。不
盛不虛，以經取之。寸口四倍者，名曰內關。內關者，且大且數，死
不治。必審察其本末之寒溫，以驗其藏府之病，通其營輸，乃可
傳于大數。大數曰：盛則徒寫之，虛則徒補之，緊則灸刺且飲藥，
陷下則徒灸之，不盛不虛，以經取之。所謂經治者，飲藥，亦曰灸
刺。脈急則引，脈大以弱，則欲安靜，用力無勞也。敕 難治

6 五色第四十九

雷公問于黃帝曰：五色獨決于明堂乎？小子未知其所謂也。黃
帝曰：明堂者，鼻也；闕者，眉間也；庭者，顏也；蕃者，頰側也；蔽者，耳
門也。其間欲方大，去之十步，皆見于外，如是者壽，必中百歲。

公曰五官之辨奈何黃帝曰明堂骨高以起平以直五藏次于中央六府挾其兩側首面上于闕庭王宮在于下極五藏安于胷中真色以致病色不見明堂潤澤以清五官惡得無辨乎雷公曰其不辨者可得聞乎黃帝曰五色之見也各出其色部部骨陷者必不免于病矣其色部乘襲者雖病甚不死矣雷公曰官五色奈何黃帝曰青黑為痛黃赤為熱白為寒是謂五官雷公曰病之益甚與其方衰如何黃帝曰外內皆在焉切其脉口滑小緊以沉者病益甚在中人迎氣大緊以浮者其病益甚在外其脉口浮滑者病日進人迎沉而滑者病日損其脉口滑以沉者病日進在內其人迎脉滑盛以浮者其病日進在外脉之浮沉及人迎與寸口氣小大等者病難已病之在藏沉而大者易已小為逆病在府浮而大者其病易已人迎盛堅者傷於寒氣口盛堅者傷於食雷公曰以色言病之間甚奈何黃帝曰其色麤以明沉夭者為甚其色上行者病益甚其色下行如雲

散者病方以五色各有藏部有外部有内部也色從外部走内部者其病從外走内其色從内走外者其病從内走外病生於内者先治其陰後治其陽反者益甚其病生於陽者先治其外後治其内反者益甚其脉滑大以代而長者病從外來目有所見志有所惡此陽氣之并也可变而已雷公曰小子聞風者百病之始也厥逆者寒濕之起也别之柰何黄帝曰常候闕中薄澤為風冲濁為痺在地為厥此其常也各以其色言其病雷公曰人不病卒死何以知之黄帝曰大氣入于藏府者不病而卒死矣雷公曰病小愈而卒死者何以知之黄帝曰赤色出兩顴大如母指者病雖小愈必卒死黑色出於庭大如母指必不病而卒死雷公再拜曰善哉其死有期乎黄帝曰察色以言其時雷公曰善乎願卒聞之黄帝曰庭者首面也闕上者咽喉也闕中者肺也下極者心也直下者肝也肝左者膽也下者脾也方上者胃也中央者大腸也挾大腸者腎也當腎者臍也面王以

上者小腸也面王以下者膀胱子處也顴者肩也顴後者臂也
臂下者手也目內眥上者膺乳也挾繩而上者背也循牙車以
下者股也中央者膝也膝以下者脛也當脛以下者足也巨分
者股裏也巨屈者膝臏也此五藏六府肢節之部也各有部分
有部分用陰和陽用陽和陰當明部分萬舉萬當能別左右是
謂大道男女異位故曰陰陽審察澤夭謂之良工沉濁為內浮
澤為外黃赤為風青黑為痛白為寒黃而膏潤為膿赤甚者為
血痛甚為攣寒甚為皮不仁五色各見其部察其浮沉以知淺
深察其澤夭以觀成敗察其散摶以知遠近視色上下以知病
處積神于心以知往今故相氣不微不知是非屬意勿去乃知
新故色明不麤沉夭為甚不明不澤其病不甚其色散駒駒然
未有聚其病散而氣痛聚未成也腎乘心心先病腎為應色皆
如是男子色在于面王為小腹痛下為卵痛其圜直為莖痛高
為本下為首狐疝㿉陰之屬也女子在于面王為膀胱子處之

病散爲痛摶爲聚方員左右各如其色形其隨而下至胝爲淫有潤如膏狀爲暴食不潔左爲左右爲右其色有邪聚散而不端面色所指者也色者青黑赤白黃皆端滿有別鄉別鄉赤者其色亦大如榆莢在面王爲不日其色上銳首空上向下銳下向在左右如法以五色命藏青爲肝赤爲心白爲肺黃爲脾黑爲腎肝合筋心合脈肺合脾脾合肉腎合骨也

○論勇第五十

黃帝問于少俞曰有人于此並行並立其年之長少等也衣之厚薄均也卒然遇烈風暴雨或病或不病或皆病或皆不病其故何也少俞曰帝問何急黃帝曰願盡聞之少俞曰春青風夏陽風秋涼風冬寒風凡此四時之風者其所病各不同形黃帝曰四時之風病人如何少俞曰黃色薄皮弱肉者不勝春之虛風白色薄皮弱肉者不勝夏之虛風青色薄皮弱肉不勝秋之虛風赤色薄皮弱肉不勝冬之虛風也黃帝曰黑色不病乎少

俞曰黑色而皮厚肉堅固不傷于四時之風其皮薄而肉不堅
色不一者長夏至而有虛風者病矣其皮厚而肌肉堅者長夏
至而有虛風不病矣其皮厚而肌肉堅者必重感于寒外內皆
然乃病黃帝曰善黃帝曰夫人之忍痛與不忍痛者非勇怯之
分也夫勇士之不忍痛者見難則前見痛則止夫怯士之忍痛
者聞難則恐遇痛不動夫勇士之忍痛者見難不恐遇痛不動
夫怯士之不忍痛者見難與痛目轉面盻恐不能言失氣驚顏
色變化乍死乍生余見其然也不知其何由願聞其故少俞曰
夫忍痛與不忍痛者皮膚之薄厚肌肉之堅脆緩急之分也非
勇怯之謂也黃帝曰願聞勇怯之所由然少俞曰勇士者目深
以固長衡直揚三焦理橫其心端直其肝大以堅其膽滿以傍
怒則氣盛而胸張肝舉而膽橫眥裂而目揚毛起而面蒼此勇
士之由然者也黃帝曰願聞怯士之所由然少俞曰怯士者目
大而不減陰陽相失其焦理縱䯏骬短而小肝系緩其膽不滿

而縱腸胃挺脅下空雖方大怒氣不能滿其胸肝肺雖舉氣衰復下故不能久怒此怯士之所由然者也黃帝曰怯士之得酒怒不避勇士者何藏使然少俞曰酒者水穀之精熟穀之液也其氣慓悍其入于胃中則胃脹氣上逆滿于胸中肝浮膽橫當是之時固比于勇士氣衰則悔與勇士同類不知避之名曰酒悖也

【胃挺】下古梗切

○背腧第五十一

黃帝問于岐伯曰願聞五藏之腧出于背者岐伯曰胸中大腧在杼骨之端肺腧在三焦之間心腧在五焦之間膈腧在七焦之間肝腧在九焦之間脾腧在十一焦之間腎腧在十四焦之間皆挾脊相去三寸所則欲得而驗之按其處應在中而痛解乃其腧也灸之則可刺之則不可氣盛則瀉之虛則補之以火補者毋吹其火須自滅也以火瀉者疾吹其火傳其艾須其火滅也

衛氣第五十二

黃帝曰：五藏者，所以藏精神魂魄者也；六府者，所以受水穀而行化物者也。其氣內干五藏，而外絡肢節。其浮氣之不循經者，為衛氣；其精氣之行于經者，為營氣。陰陽相隨，外內相貫，如環之無端，亭亭淳淳乎，孰能窮之。然其分別陰陽，皆有標本虛實所離之處。能別陰陽十二經者，知病之所生；候虛實之所在者，能得病之高下；知六府之氣街者，能知解結契紹于門戶；能知虛石之堅軟者，知補寫之所在；能知六經標本者，可以無惑于天下。岐伯曰：博哉聖帝之論！臣請盡意悉言之。足太陽之本，在跟以上五寸中，標在兩絡命門。命門者，目也。足少陽之本，在竅陰之間，標在窗籠之前。窗籠者，耳也。足少陰之本，在內踝下上三寸中，標在背腧與舌下兩脈也。足厥陰之本，在行間上五寸所，標在背腧也。足陽明之本，在厲兌，標在人迎頰挾頏顙也。足太陰之本，在中封前上四寸之中，標在背腧與舌本也。手太[illegible]

之本在外踝之後標在命門之上一寸也手少陽之本在小
指次指之間上二寸標在耳後上角下外眥也手陽明之本在
肘骨中上至別陽標在顏下合鉗上也手太陰之本在寸口之中
標在腋內動也手少陰之本在銳骨之端標在背腧也手心主
之本在掌後兩筋之間二寸中標在腋下下三寸也凡候此者
下虛則厥下盛則熱上虛則眩上盛則熱痛故石者絕而止之
虛者引而起之請言氣街胸氣有街腹氣有街頭氣有街脛氣
有街故氣在頭者止之於腦氣在胸者止之膺與背腧氣在腹
者止之背腧與衝脈於臍左右之動脈者氣在脛者止之於氣
街與承山踝上以下取此者用毫針必先按而在久應於手乃
刺而予之所治者頭痛眩仆腹痛中滿暴脹及有新積痛可移
者易已也積不痛難已也

音鉗

論痛第五十三

黃帝問於少俞曰筋骨之強弱肌肉之堅脆皮膚之厚薄腠理

之踈密各不同其于針石火焫之痛何如腸胃之厚薄堅脆亦不等其於毒藥何如願盡聞之少俞曰人之骨強筋弱肉緩皮膚厚者耐痛其于針石之痛火焫亦然黃帝曰其耐火焫者何以知之少俞荅曰加以黑色而美骨者耐火焫黃帝曰其不耐針石之痛者何以知之少俞曰堅肉薄皮者不耐針石之痛于火焫亦然黃帝曰人之病或同時而傷或易已或難已其故何如少俞曰同時而傷其身多熱者易已多寒者難已黃帝曰人之勝毒何以知之少俞曰胃厚色黑大骨及肥者皆勝毒故其瘦而薄胃者皆不勝毒也

○天年第五十四

黃帝問于岐伯曰願聞人之始生何氣築為基何立而為楯何失而死何得而生岐伯曰以母為基以父為楯失神者死得神者生也黃帝曰何者為神岐伯曰血氣已和榮衛已通五藏已成神氣舍心魂魄畢具乃成為人黃帝曰人之壽夭各不同或

或

夭壽或卒死或病久願聞其道岐伯曰五藏堅固血脉和調肌肉解利皮膚緻密營衛之行不失其常呼吸微徐氣以度行六府化穀津液布揚各如其常故能長久黄帝曰人之壽百歲而死何以致之岐伯曰使道隧以長基牆高以方通調營衛三部三里起骨高肉滿百歲乃得終黄帝曰其氣之盛衰以至其死可得聞乎岐伯曰人生十歲五藏始定血氣已通其氣在下故好走二十歲血氣始盛肌肉方長故好趨三十歲五藏大定肌肉堅固血脉盛滿故好步四十歲五藏六府十二經脉皆大盛以平定腠理始踈榮華頹落髮頗班白平盛不搖故好坐五十歲肝氣始衰肝葉始薄膽汁始減目始不明六十歲心氣始衰苦憂悲血氣懈惰故好卧七十歲脾氣虚皮膚枯八十歲肺氣衰魄離故言善誤九十歲腎氣焦四藏經脉空虚百歲五藏皆虚神氣皆去形骸獨居而終矣黄帝曰其不能終壽而死者何如岐伯曰其五藏皆不堅使道不長空外以張喘息暴疾

牆薄脈少血其肉不石數中風寒血氣虛脈不通真邪相攻
亂而相引故中壽而盡也

○逆順第五十五

黃帝問于伯高曰余聞氣有逆順脈有盛衰刺有大約可得聞
乎伯高曰氣之逆順者所以應天地陰陽四時五行也脈之盛
衰者所以候血氣之虛實有餘不足刺之大約者必明知病之
可刺與其未可刺與其已不可刺也黃帝曰候之奈何伯高曰
兵法曰無迎逢逢之氣無擊堂堂之陣刺法曰無刺熇熇之熱
無刺漉漉之汗無刺渾渾之脈無刺病與脈相逆者黃帝曰候
其可刺奈何伯高曰上工刺其未生者也其次刺其未盛者也
其次刺其已衰者也下工刺其方襲者也與其形之盛者也與
其病之與脈相逆者也故曰方其盛也勿敢毀傷刺其已衰事
必大昌故曰上工治未病不治已病此之謂也

逢蒲紅　熇呼木

五味第五十六

黃帝曰：願聞穀氣有五味，其入五藏，分別奈何？伯高曰：胃者，五藏六府之海也，水穀皆入于胃，五藏六府皆稟氣于胃。五味各走其所喜，穀味酸，先走肝；穀味苦，先走心；穀味甘，先走脾；穀味辛，先走肺；穀味鹹，先走腎。穀氣津液已行，營衛大通，乃化糟粕，以次傳下。黃帝曰：營衛之行奈何？伯高曰：穀始入于胃，其精微者，先出于胃之兩焦，以溉五藏，別出兩行，營衛之道。其大氣之摶而不行者，積于胸中，命曰氣海，出于肺，循喉咽，故呼則出，吸則入。天地之精氣，其大數常出三入一，故穀不入半日則氣衰，一日則氣少矣。黃帝曰：穀之五味，可得聞乎？伯高曰：請盡言之。五穀：秔米甘，麻酸，大豆鹹，麥苦，黃黍辛。五果：棗甘，李酸，栗鹹，杏苦，桃辛。五畜：牛甘，犬酸，猪鹹，羊苦，雞辛。五菜：葵甘，韭酸，藿鹹，薤苦，葱辛。五色：黃色宜甘，青色宜酸，黑色宜鹹，赤色宜苦，白色宜辛。凡此五者，各有所宜。五宜：所言五色者，脾病者，宜食秔米飯

牛肉棗葵心病者宜食麥羊肉杏薤腎病者宜食大豆黃卷猪
肉栗藿肝病者宜食麻犬肉李韭肺病者宜食黃黍雞肉桃葱。
五禁肝病禁辛心病禁鹹脾病禁酸腎病禁甘肺病禁苦。肝色
青宜食甘秔米飯牛肉棗葵皆甘心色赤宜食酸犬肉麻李韭
皆酸脾色黃宜食鹹大豆豕肉栗藿皆鹹肺色白宜食苦麥羊
肉杏薤皆苦腎色黑宜食辛黃黍雞肉桃葱皆辛

黃帝素問靈樞集註卷之八。

黃帝素問靈樞集註卷之九

○水脹第五十七

黃帝問于岐伯曰水與膚脹鼓脹腸覃石瘕石水何以別之岐伯答曰水始起也目窠上微腫如新臥起之狀其頸脈動時欬陰股間寒足脛瘇腹乃大其水已成矣以手按其腹隨手而起如裹水之狀此其候也黃帝曰膚脹何以候之岐伯曰膚脹者寒氣客于皮膚之間鼟鼟然不堅腹大身盡腫皮厚按其腹窅而不起腹色不變此其候也鼓脹何如岐伯曰腹脹身皆大大與膚脹等也色蒼黃腹筋起此其候也腸覃何如岐伯曰寒氣客于腸外與衛氣相搏氣不得榮因有所繫癖而內著惡氣乃起瘜肉乃生其始生也大如雞卵稍以益大至其成如懷子之狀久者離歲按之則堅推之則移月事以時下此其候也石瘕何如岐伯曰石瘕生于胞中寒氣客于子門子門閉塞氣不得

通惡血當寫不寫衃以留止日以益大狀如懷子月事不以時下皆生于女子可導而下黃帝曰膚脹鼓脹可刺邪岐伯曰先寫其脹之血絡後調其經刺去其血絡也

○賊風第五十八

黃帝曰夫子言賊風邪氣之傷人也令人病焉今有其不離屏蔽不出室穴之中卒然病者非不離賊風邪氣其故何也岐伯曰此皆嘗有所傷于濕氣藏于血脉之中分肉之間久留而不去若有所墮墜惡血在內而不去卒然喜怒不節飲食不適寒溫不時腠理閉而不通其開而遇風寒則血氣凝結與故邪相襲則為寒痺其有熱則汗出汗出則受風雖不遇賊風邪氣必有因加而發焉黃帝曰今夫子之所言者皆病人之所自知也其毋所遇邪氣又毋怵惕之所志卒然而病者其故何也唯有因鬼神之事乎岐伯曰此亦有故邪留而未發因而志有所惡及有所慕血氣內亂兩氣相搏其所從來者微視之不見聽而

不聞故似鬼神。黃帝曰：其祝而已者，其故何也？岐伯曰：先巫者因知百病之勝，先知其病之所從生者，可祝而已也。

○衛氣失常第五十九

黃帝曰：衛氣之留于腹中，搐積不行，苑蘊不得常所，使人肢脇胃中滿，喘呼逆息者，何以去之？伯高曰：其氣積于胸中者，上取之；積于腹中者，下取之；上下皆滿者，旁取之。黃帝曰：取之奈何？伯高對曰：積于上，寫人迎、天突、喉中；積于下者，寫三里與氣街；上下皆滿者，上下取之，與季脇之下一寸（一本云季脇之下深一寸）；重者，雞足取之。診視其脈大而弦急，及絕不至者，及腹皮急甚者，不可刺也。黃帝曰：善。黃帝問于伯高曰：何以知皮肉氣血筋骨之病也？伯高曰：色起兩眉薄澤者，病在皮；唇色青黃赤白黑者，病在肌肉；營氣濡然者，病在血氣；目色青黃赤白黑者，病在筋；耳焦枯受塵垢，病在骨。黃帝曰：病形何如？取之奈何？伯高曰：夫百病變化，不可勝數，然皮有部，肉有柱，血氣有輸，骨有屬。黃帝曰：願

聞其故伯高曰皮之部輸于四末內之柱在臂脛諸陽分內之
間與足少陰分間血氣之輸輸于諸絡氣血留居則盛而起筋
部無陰無陽無左無右候病所在骨之屬者骨空之所以受益
而益腦髓者也黃帝曰取之奈何伯高曰夫病變化浮沉深淺
不可勝窮各在其處病間者淺之甚者深之間者小之甚者衆
之隨變而調氣故曰上工黃帝問於伯高曰人之肥瘦大小寒
溫有老壯少小別之奈何伯高對曰人年五十已上爲老二十
已上爲壯十八已上爲少六歲已上爲小黃帝曰何以度之其
肥瘦伯高曰人有肥有膏有肉黃帝曰別此奈何伯高曰膕肉
堅■䐃皮滿者肥膕肉不堅皮緩者膏皮肉不相離者肉黃
帝曰身之寒溫何如伯高曰膏者其肉淖而粗理者身寒細理
者身熱脂者其肉堅細理者熱粗理者寒黃帝曰其肥瘦大小
奈何伯高曰膏者多氣而皮縱緩故能縱腹垂腴肉者身體容
大脂者其身收小黃帝曰三者之氣血多少何如伯高曰膏者

多氣多氣者熱熱者耐寒内者多血則充形充形則平脂者其
血清氣滑少故不能大此別于衆人者也黃帝曰衆人奈何伯
高曰衆人皮肉脂膏不能相加也血與氣不能相多故其形不
小不大各自稱其身命曰衆人黃帝曰善治之奈何伯高曰必
先別其三形血之多少氣之清濁而後調之治無失常經是故
膏人縱腹垂腴内人者上下容大脂人者雖脂不能大者

○玉版第六十

黃帝曰余以小針為細物也夫子乃言上合之于天下合之于
地中合之于人余以為過針之意矣願聞其故岐伯曰何物大
於天乎夫大于針者惟五兵者焉五兵者死之備也非生之具
且夫人者天地之鎮也其不可不參乎夫治民者亦唯針焉夫
針之與五兵其孰小乎黃帝曰病之生時有喜怒不測飲食不
節陰氣不足陽氣有餘營氣不行乃發為癰疽陰陽不通兩熱
相搏乃化為膿小針能取之乎岐伯曰聖人不能使化者為之

邪不可留也故兩軍相當旗幟相望白刃陳于中野者此非一日之謀也能使其民令行禁止士卒無白刃之難者非一日之教也須臾之得也夫至使身被癰疽之病膿血之聚者不亦離道遠乎夫癰疽之生膿血之成也不從天下不從地出積微之所生也故聖人自治于未有形也愚者遭其已成也黃帝曰其已形不予遭膿已成不予見為之柰何岐伯曰膿已成十死一生故聖人弗使已成而明為良方著之竹帛使能者踵而傳之後世無有終時者為其不予遭也黃帝曰其已有膿血而後遭乎不導之以小針治乎岐伯曰以小治小者其功小以大治大者多害故其已成膿血者其唯砭石鈹鋒之所取也黃帝曰多害者其不可全乎岐伯曰其在逆順焉黃帝曰願聞逆順岐伯曰以為傷者其白眼青黑眼小是一逆也内藥而嘔者是二逆也腹痛渴甚是三逆也肩項中不便是四逆也音嘶色脫是五逆也除此五者為順矣黃帝曰諸病皆有[illegible]

曰腹脹身熱脈大是一逆也腹鳴而滿四肢清泄其脈大是二
逆也衄而不止脈大是三逆也咳且溲血脫形其脈小勁是四
逆也咳脫形身熱脈小以疾是謂五逆也如是者不過十五日
而死矣其腹大脹四末清脫形泄甚是一逆也腹脹便血其脈
大時絕是二逆也咳溲血形肉脫脈搏是三逆也嘔血胸滿引
背脈小而疾是四逆也咳嘔腹脹且飧泄其脈絕是五逆也如
是者不及一時而死矣工不察此者而刺之是謂逆治黃帝曰
夫子之言針甚駿以配天地上數天文下度地紀內別五藏外
次六府經脈二十八會盡有周紀能殺生人不能起死者子能
反之乎岐伯曰能殺生人不能起死者也黃帝曰余聞之則為
不仁然願聞其道弗行於人岐伯曰是明道也其必然也其如
刀劍之可以殺人如飲酒使人醉也雖勿診猶可知矣黃帝曰
願卒聞之岐伯曰人之所受氣者穀也穀之所注者胃也胃者
水穀氣血之海也海之所行雲氣者天下也胃之所出氣血者

經隧也經隧者五藏六府之大絡也迎而奪之而已矣黄帝曰上下有數乎岐伯曰迎之五里中道而止五至而已五往而藏之氣盡矣故五五二十五而竭其輸矣此所謂奪其天氣者也非能絶其命而傾其壽者也黄帝曰願卒聞之岐伯曰闚門而刺之者死于家中入門而刺之者死于堂上黄帝曰善乎方明哉道請著之玉版以爲重寶傳之後世以爲刺禁令民勿敢犯也

○五禁第六十一

黄帝問于岐伯曰余聞刺有五禁何謂五禁岐伯曰禁其不可刺也黄帝曰余聞刺有五奪岐伯曰無寫其不可奪者也黄帝曰余聞刺有五過岐伯曰補寫無過其度黄帝曰余聞刺有五逆岐伯曰病与脉相逆命曰五逆黄帝曰余聞刺有九宜岐伯曰明知九鍼之論是謂九宜黄帝曰何謂五禁願聞其不可刺之時岐伯曰甲乙日自乘无刺頭無發矇于耳内丙丁日自乘無振埃于肩喉廉泉戊己日自乘四季无刺腹去爪寫水庚辛

日自乘無刺關節于股膝壬癸日自乘無刺足脛是謂五禁黃
帝曰何謂五奪岐伯曰形肉已奪是一奪也大奪血之後是二
奪也大汗出之後是三奪也大泄之後是四奪也新產及大血
之後是五奪也此皆不可寫黃帝曰何謂五逆岐伯曰熱病脈
靜汗已出脈盛躁是一逆也病泄脈洪大是二逆也著痺不移
䐃肉破身熱脈偏絕是三逆也淫而奪形身熱色夭然白及後
下血衃血衃篤重是謂四逆也寒熱奪形脈堅搏是謂五逆也

〇動輸第六十二

黃帝曰經脈十二而手太陰足少陰陽明獨動不休何也岐伯
曰是明胃脈也胃為五藏六府之海其清氣上注于肺肺氣從
太陰而行之其行也以息往來故人一呼脈再動一吸脈亦再
動呼吸不已故動而不止黃帝曰氣之過于寸口也上十焉息
下八焉伏何道從還不知其極岐伯曰氣之離藏也卒然如弓
弩之發如水之下岸上于魚以反衰其餘氣衰散以逆上故其

行微黄帝曰足之陽明何因而動岐伯曰胃氣上注于肺其悍
氣上衝頭者循咽上走空竅循眼系入絡腦出顑下客主人循
牙車合陽明并下人迎此胃氣別走于陽明者也故陰陽上下
其動也若一故陽病而陽脉小者為逆陰病而陰脉大者為逆
故陰陽俱靜俱動若引繩相傾者病黄帝曰足少陰何因而動
岐伯曰衝脉者十二經之海也與少陰之大絡起于腎下出于
氣街循陰股內廉邪入膕中循脛骨內廉並少陰之經下入內
踝之後入足下其別者邪入踝出屬跗上入大指之間注諸絡
以溫足脛此脉之常動者也黄帝曰營衛之行也上下相貫如
環之無端今有其卒然遇邪氣及逢大寒手足懈惰其脉陰陽
之道相輸之會行相失也氣何由還岐伯曰夫四末陰陽之會
者此氣之大絡也四街者氣之徑路也故絡絕則徑通四末解
則氣從合相輸如環黄帝曰善此所謂如環無端莫知其紀終
而復始此之謂也

○五味論第六十三

黃帝問于少俞曰五味入于口也各有所走各有所病酸走筋多食之令人癃鹹走血多食之令人渴辛走氣多食之令人洞心苦走骨多食之令人變嘔甘走肉多食之令人悗心余知其然也不知其何由願聞其故少俞答曰酸入于胃其氣澁以收上之兩焦弗能出入也不出即留于胃中胃中和溫則下注膀胱膀胱之胞薄以懦得酸則縮綣約而不通水道不行故癃陰者積筋之所終也故酸入而走筋矣黃帝曰鹹走血多食之令人渴何也少俞曰鹹入于胃其氣上走中焦注于脉則血氣走之血與鹹相得則凝凝則胃中汁注之注之則胃中竭竭則咽路焦故舌本乾而善渴血脉者中焦之道也故鹹入而走血矣黃帝曰辛走氣多食之令人洞心何也少俞曰辛入于胃其氣走于上焦上焦者受氣而營諸陽者也薑韭之氣薰之營衛之氣不時受之久留心下故洞心辛與氣俱行故辛入而與汗俱

出黃帝曰苦走骨多食之令人变嘔何也少俞曰苦入于胃五穀之氣皆不能勝苦苦入下脘三焦之道皆閉而不通故变嘔齒者骨之所終也故苦入而走骨故入而復出知其走骨也黃帝曰甘走肉多食之令人悗心何也少俞曰甘入于胃其氣弱小不能上至于上焦而與穀留于胃中者令人柔潤者也胃柔則緩緩則蟲動蟲動則令人悗心其氣外通於肉故甘走肉

陰陽二十五人第六十四

黃帝曰余聞陰陽之人何如伯高曰天地之間六合之内不離于五人亦應之故五五二十五人之政而陰陽之人不與焉其態又不合于衆者五余已知之矣願聞二十五人之形血氣之所生別而以候從外知内何如岐伯曰悉乎哉問也此先師之秘也雖伯高猶不能明之也黃帝避席遵循而却曰余聞之得其人弗教是謂重失得而泄之天將厭之余願得而明之金櫃藏之不敢揚之岐伯曰先立五形金木水火土別其五色異其

五形之人，而二十五人具矣。黃帝曰：願卒聞之。岐伯曰：慎之慎之，臣請言之。

木形之人，比於上角，似於蒼帝。其爲人蒼色，小頭，長面，大肩背，直身，小手足，好有才，勞心，少力，多憂勞於事。能春夏不能秋冬，感而病生，足厥陰佗佗然。

大角之人，比於左足少陽，少陽之上遺遺然。

左角之人，比於右足少陽，少陽之下隨隨然。

釱角之人（少角一曰），比於右足少陽，少陽之上推推然。

判角之人（右角一曰），比於左足少陽，少陽之下栝栝然。

火形之人，比於上徵，似於赤帝。其爲人赤色，廣䏘，脫面，小頭，好肩背髀腹，小手足，行安地，疾心，行搖肩背，肉滿，有氣，輕財，少信，多慮，見事明，好顏，急心，不壽暴死。能春夏不能秋冬，秋冬感而病生，手少陰核核然。

質徵之人，比於左手太陽，太陽之上肌肌然（一曰質之人，一曰大徵）。

少徵之人，比於右手太陽，太陽之下慆慆然。

右徵之人，比於右手太陽，太陽之上鮫鮫然（一曰熊熊然）。

質判之人，比於左手太陽，太陽之下支支頤頤然（一曰質徵）。

土形之人，比於

上宮似於上古黃帝。其爲人黃色，圓面，大頭，美肩背，大腹，美股脛，小手足，多肉，上下相稱，行安地，舉足浮，安心，好利人，不喜權勢，善附人也。能秋冬，不能春夏，春夏感而病生。足太陰敦敦然。

○大宮之人比於左足陽明，陽明之上婉婉然。加宮之人比於左足陽明，陽明之下坎坎然。一曰衆之人　少宮之人比於右足陽明，陽明之上樞樞然。左宮之人比於右足陽明，陽明之下兀兀然。一曰衆之人一曰陽明之上

金形之人比於上商，似於白帝。其爲人方面，白色，小頭，小肩背，小腹，小手足，如骨發踵外，骨輕，身清廉，急心，靜悍，善爲吏。能秋冬，不能春夏，春夏感而病生。手太陰敦敦然。釱商之人比於左手陽明，陽明之上廉廉然。右商之人比於左手陽明，陽明之下脫脫然。右商之人比於右手陽明，陽明之上監監然。小商之人比於右手陽明，陽明之下嚴嚴然。

水形之人比於上羽，似於黑帝。其爲人黑色，面不平，大頭，廉頤，小肩，大腹，動手足，發行搖身，下尻長，背延延然。不敬

畏善欺紿人戮死能秋冬不能春夏春夏感而病生足少陰汙汙然　大羽之人比於右足太陽太陽之上頰頰然　小羽之人比於左足太陽太陽之下紆紆然　衆之為人比於右足太陽太陽之下潔潔然〔一曰加〕　桎之為人比於左足太陽太陽之上安安然　是故五形之人二十五變者衆之所以相欺者是也黃帝曰得其形不得其色何如岐伯曰形勝色色勝形者至其勝時年加感則病行失則憂矣形色相得者富貴大樂黃帝曰其形色相勝之時年加可知乎岐伯曰凡年忌下上之人大忌常加七歲十六歲二十五歲三十四歲四十三歲五十二歲六十一歲皆人之大忌不可不自安也感則病行失則憂矣當此之時無為姦事是謂年忌黃帝曰夫子之言脈之上下血氣之候以知形氣奈何岐伯曰足陽明之上血氣盛則髯美長血少氣多則髯短故氣少血多則髯少血氣皆少則無髯兩吻多畫足陽明之下血氣盛則下毛美長至胸血多氣少則下毛

美短至臍行則善高舉足足指少肉足善寒血少氣多則肉而
善瘃血氣皆少則無毛有則稀枯悴善痿厥足痺足少陽之上
氣血盛則通髯美長血多氣少則通髯美短血少氣多則少髯
血氣皆少則無鬚感於寒濕則善痺骨痛爪枯也足少陽之下
血氣盛則脛毛美長外踝肥血多氣少則脛毛美短外踝皮堅
而厚血少氣多則胻毛少外踝皮薄而軟血氣皆少則無毛外
踝瘦無肉足太陽之上血氣盛則美眉眉有毫毛血多氣少則
惡眉面多少理血少氣多則面多肉血氣和則美色足太陰之
下血氣盛則跟肉滿踵堅氣少血多則瘦跟空血氣皆少則善
轉筋踵下痛手陽明之上血氣盛則髭美血少氣多則髭惡血
氣皆少則無髭手陽明之下血氣盛則腋下毛美手魚肉以溫
氣血皆少則手瘦以寒手少陽之上血氣盛則眉美以長耳色
美血氣皆少則耳焦惡色手少陽之下血氣盛則手捲多肉以
溫血氣皆少則寒以瘦氣少血多則瘦以多脈手太陽之上血

氣盛則有多鬚，面多肉以平。血氣皆少則面瘦惡色。手太陽之下，血气盛則掌肉充滿；血气皆少則掌瘦以寒。黄帝曰：二十五人者，刺之有約乎？岐伯曰：美眉者，足太陽之脉气血多；惡眉者，血气少；其肥而澤者，血气有餘；肥而不澤者，气有餘，血不足；瘦而无澤者，气血倶不足。審察其形气有餘不足而調之，可以知逆順矣。黄帝曰：刺其諸陰陽柰何？岐伯曰：按其寸口人迎，以調陰陽，切循其經絡之凝濇，結而不通者，此於身皆為痛痺，甚則不行，故凝濇。凝濇者，致气以温之，血和乃止。其結絡者，脉結血不和，決之乃行。故曰：气有餘於上者，導而下之；气不足於上者，推而休之；其稽留不至者，因而迎之。必明於經隧，乃能持之。寒与熱爭者，導而行之；其宛陳血不結者，則而予之。必先明知二十五人，則血气之所在，左右上下，刺約畢也。

釱大　惰蛻刀　鮫交　胻杭　豪蜆玉

黄帝素問靈樞集註卷之九

黄帝素問靈樞集註卷之十

○五音五味第六十五

右徵与少徵調右手太陽上　左商与左徵調左手陽明上
少徵与大宮調左手陽明上　右角与大角調右足少陽下
大徵与少徵調左手太陽上　衆羽与少羽調右足太陽下
少商与右商調右手太陽下　桎羽与衆羽調右足太陽下
少宮与大宮調右足陽明下　判角与少角調右足少陽下
釱商与上商調右足陽明下　釱商与上角調左足太陽下
上徵与右徵同穀麥畜羊果杏
手少陽藏心色赤味苦時夏
上羽與大羽同穀大豆畜彘果栗
足少陰藏腎色黑味鹹時冬
上宮與大宮同穀稷畜牛果棗

足太陰藏脾色黃味甘時季夏

上商與右商同穀黍畜雞果桃

手太陰藏肺色白味辛時秋

上角與大角同穀麻畜犬果李

足厥陰藏肝色青味酸時春

大宮與上角同右足陽明上　　左角與大角同左足陽明上

少羽與大羽同右足太陽下　　左商與右商同左手陽明上

加宮與大宮同左足少陽上　　質判與大宮同左手太陽下

判角與大角同左足少陽下　　大羽與大角同右足太陽上

大角與大宮同右足少陽上　　右徵少徵質徵上徵判徵

右角釱角上角大角判角　　右商少商釱商上商左商

少宮上宮大宮加宮左角宮　　衆羽桎羽上羽大羽少羽

黃帝曰婦人無鬚者無血氣乎。岐伯曰衝脈任脈皆起於胞中上

循背裏為經絡之海其浮而外者循腹右上行會於咽喉別

而絡唇口血氣盛則充膚熱肉血獨盛則澹滲皮膚生毫毛今
婦人之生有餘於氣不足於血以其數脫血也衝任之脈不榮
口唇故鬚不生焉黃帝曰士人有傷於陰陰氣絕而不起陰不
用然其鬚不去其故何也宦者獨去何也願聞其故岐伯曰宦
者去其宗筋傷其衝脈血寫不復皮膚內結唇口不榮故鬚不
生黃帝曰其有天宦者未嘗被傷不脫於血然其鬚不生其故
何也岐伯曰此天之所不足也其任衝不盛宗筋不成有氣無
血唇口不榮故鬚不生黃帝曰善乎哉聖人之通萬物也若日
月之光影音聲鼓響聞其聲而知其形其非夫子孰能明萬物
之精是故聖人視其顏色黃赤者多熱氣青白者少熱氣黑色
者多血少氣美眉者太陽多血通髯極鬚者少陽多血美鬚者
陽明多血此其時然也夫人之常數太陽常多血少氣少陽常
多氣少血陽明常多血多氣厥陰常多氣少血少陰常多血少
氣太陰常多血少氣此天之常數也

○百病始生第六十六

黃帝問于岐伯曰夫百病之始生也皆生於風雨寒暑清濕喜
怒喜怒不節則傷藏風雨則傷上清濕則傷下三部之氣所傷
異類願聞其會岐伯曰三部之氣各不同或起於陰或起於陽
請言其方喜怒不節則傷藏藏傷則病起於陰也清濕襲虛則
病起於下風雨襲虛則病起於上是謂三部至於其淫泆不可
勝數黃帝曰余固不能數故問先師願卒聞其道岐伯曰風雨
寒熱不得虛邪不能獨傷人卒然逢疾風暴雨而不病者蓋無
虛故邪不能獨傷人此必因虛邪之風與其身形兩虛相得乃
客其形兩實相逢衆人肉堅其中於虛邪也因於天時與其身
形參以虛實大病乃成氣有定舍因處為名上下中外分為三
員是故虛邪之中人也始於皮膚皮膚緩則腠理開開則邪從
毛髮入入則抵深深則毛髮立毛髮立則淅然故皮膚痛留而
不去則傳舍於絡脈在絡之時痛於肌肉其痛之時息大經乃

代留而不去傳舍於經在經之時洒淅喜驚留而不去傳舍於輸在輸之時六經不通四肢則肢節痛腰脊乃強留而不去傳舍於伏衝之脈在伏衝之時體重身痛留而不去傳舍於腸胃在腸胃之時賁響腹脹多寒則腸鳴飧泄食不化多熱則溏出麋留而不去傳舍於腸胃之外募原之間留着於脈稽留而不去息而成積或着孫脈或着絡脈或着經脈或着輸脈或着於伏衝之脈或着於膂筋或着於腸胃之募原上連於緩筋邪氣淫泆不可勝論黃帝曰願盡聞其所由然岐伯曰其著孫絡之脈而成積者其積往來上下臂手孫絡之居也浮而緩不能句積而止之故往來移行腸胃之間水湊滲注灌濯濯有音有寒則䐜䐜滿雷引故時切痛其著於陽明之經則挾臍而居飽食則益大飢則益小其著於緩筋也似陽明之積飽食則痛飢則安其著於腸胃之募原也痛而外連於緩筋飽食則安飢則痛其著於伏衝之脈者揣之應手而動發手則熱氣下於兩股如

湯沃之狀其著於膂筋在腸後者飢則積見飽則積不見按之
不得其著於輸之脉者閉塞不通津液不下孔竅乾壅此邪氣
之從外入內從上下也黃帝曰積之始生至其已成奈何岐伯
曰積之始生得寒乃生厥乃成積也黃帝曰其成積奈何岐伯
曰厥氣生足悗悗生脛寒脛寒則血脉凝濇血脉凝濇則寒氣
上入於腸胃入於腸胃則䐜脹䐜脹則腸外之汁沫迫聚不得
散日以成積卒然多食飲則腸滿起居不節用力過度則絡脉
傷陽絡傷則血外溢血外溢則衄血陰絡傷則血內溢血內溢
則後血腸胃之絡傷則血溢於腸外腸外有寒汁沫與血相搏
則并合凝聚不得散而積成矣卒然外中於寒若內傷於憂怒
則氣上逆氣上逆則六輸不通溫氣不行凝血蘊裹而不散津
液濇滲著而不去而積皆成矣黃帝曰其生於陰者奈何岐伯
曰憂思傷心重寒傷肺忿怒傷肝醉以入房汗出當風傷脾用
力過度若入房汗出浴則傷腎此內外三部之所生病者也黃

帝曰善治之奈何岐伯荅曰察其所痛以知其應有餘不足當補則補當寫則寫毋逆天時是謂至治

○行鍼第六十七

黃帝問于岐伯曰余聞九鍼於夫子而行之於百姓百姓之血氣各不同形或神動而氣先鍼行或氣與針相逢或針以出氣獨行或數刺乃知或發針而氣逆或數刺病益劇凡此六者各不同形願聞其方岐伯曰重陽之人其神易動其氣易往也黃帝曰何謂重陽之人岐伯曰重陽之人熇熇高高言語善疾舉足善高心肺之藏氣有餘陽氣滑盛而揚故神動而氣先行黃帝曰重陽之人而神不先行者何也岐伯曰此人頗有陰者也黃帝曰何以知其頗有陰也岐伯曰多陽者多喜多陰者多怒數怒者易解故曰頗有陰其陰陽之離合難故其神不能先行也黃帝曰其氣與針相逢奈何岐伯曰陰陽和調而血氣淖澤滑利故針入而氣出疾而相逢也黃帝曰針已出而氣獨行者

何氣使然岐伯曰其陰氣多而陽氣少陰氣沉而陽氣浮者内藏故針已出氣乃隨其後故獨行也黃帝曰數刺乃知何氣使然岐伯曰此人之多陰而少陽其氣沉而氣往難故數刺乃知也黃帝曰針入而氣逆者何氣使然岐伯曰其氣逆與其數刺病益甚者非陰陽之氣浮沉之勢也此皆粗之所敗上之所失其形氣無過焉

上膈第六十八

黃帝曰氣爲上膈者食飲入而還出余已知之矣蟲爲下膈下膈者食晬時乃出余未得其意願卒聞之岐伯曰喜怒不適食飲不節寒溫不時則寒汁流於腸中流於腸中則蟲寒蟲寒則積聚守於下管則腸胃充郭衛氣不營邪氣居之人食則蟲上食蟲上食則下管虛下管虛則邪氣勝之積聚以留留則癰成癰成則下管約其癰在管内者即而痛深其癰在外者則癰外而痛浮癰上皮熱黃帝曰刺之柰何岐伯曰微按其癰視氣所

行先淺刺其傍稍內益深還而刺之毋過三行察其沉浮以爲
深淺已刺必熨令熱入中日使熱內邪氣益衰大癰乃潰伍以
參禁以除其內恬憺無爲乃能行氣後以鹹苦化穀乃下矣

潰音會

○憂恚無言第六十九

黃帝問於少師曰人之卒然憂恚而言無音者何道之塞何氣
出行使音不彰願聞其方少師答曰咽喉者水穀之道也喉嚨
者氣之所以上下者也會厭者音聲之戶也口脣者音聲之扇
也舌者音聲之機也懸雍垂者音聲之關也頏顙者分氣之所
泄也橫骨者神氣所使主發舌者也故人之鼻洞涕出不收者
頏顙不開分氣失也是故厭小而疾薄則發氣疾其開闔利其
出氣易其厭大而厚則開闔難其氣出遲故重言也人卒然無
音者寒氣客于厭則厭不能發發不能下至其開闔不致故無
音黃帝曰刺之奈何岐伯曰足之少陰上繫於舌絡於橫骨終

於會厭兩寫其血脈濁氣乃辟會厭之脈上絡任脈取之天突
其厭乃發也

○寒熱第七十

黃帝問于岐伯曰寒熱瘰癧在於頸腋者皆何氣使生岐伯曰
此皆鼠瘻寒熱之毒氣也留於脈而不去者也黃帝曰去之柰
何岐伯曰鼠瘻之本皆在於藏其末上出於頸腋之間其浮於
脈中而未內著於肌肉而外為膿血者易去也黃帝曰去之柰
何岐伯曰請從其本引其末可使衰去而絕其寒熱審按其道
以予之徐往徐來以去之其小如麥者一刺知三刺而已黃帝
曰決其生死柰何岐伯曰反其目視之其中有赤脈上下貫瞳
子見一脈一歲死見一脈半一歲半死見二脈二歲死見二脈
半二歲半死見三脈三歲而死見赤脈不下貫瞳子可治也

○邪客第七十一

黃帝問于伯高曰夫邪氣之客人也或令人目不瞑不臥出者

何氣使然伯高曰五穀入于胃也其糟粕津液宗氣分爲三隧
故宗氣積于胷中出于喉嚨以貫心脉而行呼吸焉營氣者泌
其津液注之於脉化以爲血以榮四末內注五藏六府以應刻
數焉衛氣者出其悍氣之慓疾而先行於四末分肉皮膚之間
而不休者也晝日行於陽夜行於陰常從足少陰之分間行於
五藏六府今厥氣客於五藏六府則衛氣獨衛其外行於陽不
得入於陰行於陽則陽氣盛陽氣盛則陽蹻陷不得入於陰陰
虛故目不瞑黃帝曰善治之奈何伯高曰補其不足寫其有餘
調其虛實以通其道而去其邪飲以半夏湯一劑陰陽已通其
卧立至黃帝曰善此所謂决瀆壅塞經絡大通陰陽和得者也
願聞其方伯高曰其湯方以流水千里以外者八升揚之萬遍
取其清五升煑之炊以葦薪火沸置秫米一升治半夏五合徐
炊令竭爲一升半去其滓飲汁一小盃日三稍益以知爲度故
其病新發者覆杯則卧汗出則已矣久者三飲而已也黃帝問

於伯高曰願聞人之肢節以應天地柰何伯高荅曰天圓地方人頭圓足方以應之天有日月人有兩目地有九州人有九竅天有風雨人有喜怒天有雷電人有音声天有四時人有四肢天有五音人有五藏天有六律人有六府天有冬夏人有寒熱天有十日人有手十指辰有十二人有足十指莖垂以應之女子不足二節以抱人形天有陰陽人有夫妻歲有三百六十五日人有三百六十節地有高山人有肩膝地有深谷人有腋膕地有十二經水人有十二經脈地有泉脈人有衛氣地有草蓂人有毫毛天有晝夜人有臥起天有列星人有牙齒地有小山人有小節地有山石人有高骨地有林木人有募筋地有聚邑人有䐃肉歲有十二月人有十二節地有四時不生草人有無子此人與天地相應者也黄帝問于岐伯曰余願聞持針之數內針之理縱舍之意扦皮開腠理柰何脉之屈折出入之處焉至而出焉至而止焉至而徐焉至而疾焉至而入六府之輸於

身者余願盡聞少序別離之處離而入陰別而入陽此何道而
從行願盡聞其方岐伯曰帝之所問針道畢矣黄帝曰願卒聞
之岐伯曰手太陰之脈出於大指之端内屈循白肉際至本節
之後太淵留以澹外屈上於本節下内屈與陰諸絡會於魚際
數脈并注其氣滑利伏行壅骨之下外屈出於寸口而行上至
於肘内廉入於大筋之下内屈上行臑陰入腋下内屈走肺此
順行逆數之屈折也心主之脈出於中指之端内屈循中指内
廉以上留於掌中伏行兩骨之間外屈出兩筋之間骨肉之際
其氣滑利上一寸外屈出行兩筋之間上至肘内廉入於小筋
之下留兩骨之會上入於胷中内絡於心脈黄帝曰手少陰之
脈獨無腧何也岐伯曰少陰心脈也心者五藏六府之大主也
精神之所舍也其藏堅固邪弗能容也容之則心傷心傷則神
去神去則死矣故諸邪之在於心者皆在於心之包絡包絡者
心主之脈也故獨無腧焉黄帝曰少陰獨無腧者不病乎岐伯

曰其外經病而藏不病故獨取其經於掌後銳骨之端其餘脈
出入屈折其行之徐疾皆如手少陰心主之脈行也故本腧者
皆因其氣之虛實疾徐以取之是謂因衝而寫因衰而補如是
者邪氣得去真氣堅固是謂因天之序黃帝曰持針縱舍奈何
岐伯曰必先明知十二經脈之本末皮膚之寒熱脈之盛衰滑
濇其脈滑而盛者病日進虛而細者久以持大以濇者為痛痹
陰陽如一者病難治其本末尚熱者病尚在其熱以衰者其病
亦去矣持其尺察其肉之堅脆小大滑濇寒溫燥濕因視目之
五色以知五藏而決死生視其血脈察其色以知其寒熱痛痹
黃帝曰持針縱舍余未得其意也岐伯曰持針之道欲端以正
安以靜先知虛實而行疾徐左手執骨右手循之無與肉果寫
欲端以正補必閉膚輔針導氣邪得淫泆真氣得居黃帝曰扞
皮開腠理奈何岐伯曰因其分肉左別其膚微內而徐端之適
神不散邪氣得去黃帝問於岐伯曰人有八虛各何以候岐伯

荅曰以候五藏黃帝曰候之柰何岐伯曰肺心有邪其氣留於兩肘肝有邪其氣流于兩腋脾有邪其氣留于兩髀腎有邪其氣留于兩膕凡此八虛者皆機關之室真氣之所過血絡之所遊邪氣惡血固不得住留住留則傷筋絡骨節機關不得屈伸故病攣也

泌音必 [illegible] 扞音干 [illegible] 音拘

○通天第七十二

黃帝問于少師曰余嘗聞人有陰陽何謂陰人何謂陽人少師曰天地之間六合之內不離於五人亦應之非徒一陰一陽而已也而略言耳口弗能徧明也黃帝曰願略聞其意有賢人聖人心能備而行之乎少師曰蓋有太陰之人少陰之人太陽之人少陽之人陰陽和平之人凡五人者其態不同其筋骨氣血各不等黃帝曰其不等者可得聞乎少師曰太陰之人貪而不仁下齊湛湛好內而惡出心和而不發不務於時動而後之此

太陰之人也　少陰之人小貪而賊心見人有亡常若有得好傷好害見人有榮乃反慍怒心疾而無恩此少陰之人也

太陽之人居處于于好言大事無能而虛說志發於四野舉措不顧是非為事如常自用事雖敗而常無悔此太陽之人也

少陽之人諟諦好自貴有小小官則高自宜好為外交而不內附此少陽之人也　陰陽和平之人居處安靜無為懼懼無為欣欣婉然從物或與不爭與時變化尊則謙謙譚而不治是謂至治古之善用針艾者視人五態乃治之盛者寫之虛者補之

黃帝曰治人之五態奈何少師曰太陰之人多陰而無陽其陰血濁其衛氣濇陰陽不和緩筋而厚皮不之疾寫不能移之

少陰之人多陰少陽小胃而大腸六府不調其陽明脈小而太陽脈大必審調之其血易脫其氣易敗也　太陽之人多陽而少陰必謹調之無脫其陰而寫其陽陽重脫者易狂陰陽皆脫者暴死不知人也　少陽之人多陽少陰經小而絡大血在中

而氣外實陰而虛陽獨寫其絡脉則強氣脫而疾中氣不足病
不起也　陰陽和平之人其陰陽之氣和血脉調謹診其陰陽
視其邪正安容儀審有餘不足盛則寫之虛則補之不盛不虛
以經取之此所以調陰陽別五態之人者也黃帝曰夫五態之
人者相與毋故卒然新會未知其行也何以別之少師答曰衆
人之屬不如五態之人者故五五二十五人而五態之人不與
焉五態之人尤不合於衆者也黃帝曰別五態之人柰何少師
曰太陰之人其狀黮黮然黑色念然下意臨臨然長大膕然未
僂此太陰之人也　少陰之人其狀清然竊然固以陰賊立而
躁嶮行而似伏此少陰之人也　太陽之人其狀軒軒儲儲反
身折膕此太陽之人也　少陽之人其狀立則好仰行則好搖
其兩臂兩肘則常出於背此少陽之人也　陰陽和平之人其
狀委委然隨隨然顒顒然愉愉然暶暶然豆豆然衆人皆曰君
子此陰陽和平之人也

[illegible]

黄帝素問靈樞集註卷之十

黄帝素問靈樞集註卷之十一

○官能第七十三

黄帝問于岐伯曰。余聞九針於夫子。衆多矣。不可勝數。余推而論之。以爲一紀。余司誦之。子聽其理。非則語余。請正其道。令可久傳。後世無患。得其人乃傳。非其人勿言。岐伯稽首再拜曰。請聽聖王之道。黄帝曰。用針之理。必知形氣之所在。左右上下。陰陽表裏。血氣多少。行之逆順。出入之合。謀伐有過。知解結。知補虚寫實。上下氣門。明通於四海。審其所在。寒熱淋露。以輸異處。審於調氣。明於經隧。左右肢絡。盡知其會。寒與熱爭。能合而調之。虚與實鄰。知決而通之。左右不調。把而行之。明於逆順。乃知可治。陰陽不奇。故知起時。審於本末。察其寒熱。得邪所在。萬刺不殆。知官九針。刺道畢矣。明於五輸。徐疾所在。屈伸出入。皆有條理。言陰與陽。合於五行。五藏六府。亦有所藏。四時八風。盡有陰陽各得其位，合於明堂，各處色部，五藏六府，察其所痛，左右上下，知其寒溫，何經所在，審皮膚之寒溫滑澀，知其所苦，膈有上下，知其氣所在，先得其道，稀而疏之，稍深以留，故能徐入之。大熱在上，推而下之，從下上者，引而去之，視前痛者，常先取之。大寒在外，留而補之，入於中者，從合瀉之。針所不為，灸之所宜。上氣不足，推而揚之，下氣不足，積而從之，陰陽皆虛，火自當之，厥而寒甚，骨廉陷下，寒過於膝，下陵三里，陰絡所過，得之留止，寒入於中，推而行之，經陷下者，火則當之，結絡堅緊，火所治之。不知所苦，兩蹻之下，男陰女陽，良工所禁，針論畢矣。用針之服，必有法則，上視天光，下司八正，以辟奇邪，而觀百姓，審於虛實，無犯其邪。是得天之露，遇歲之虛，救而不勝，反受其殃，故曰必知天忌，乃言針意。法於往古，驗於來今，觀於窈冥，通於無窮，粗之所不見，良工之所貴，莫知其形，若神髣髴。邪氣之中人也，洒淅動形。正邪之中人也微，先見於色，不知於其身，若有若無，若

亡若存有形無形莫知其情是故上工之取氣乃救其萌芽下
工守其已成因敗其形是故工之用針也知氣之所在而守其
門戶明於調氣補寫所在徐疾之意所取之處寫必用員切而
轉之其氣乃行疾而徐出邪氣乃出伸而迎之遥大其穴氣出
乃疾補必用方外引其皮令當其門左引其樞右推其膚微旋
而徐推之必端以正安以靜堅心無解欲微以留氣下而疾出
之推其皮蓋其外門真氣乃存用針之要無忘其神雷公問於
黃帝曰針論曰得其人乃傳非其人勿言何以知其可傳黃帝
曰各得其人任之其能故能明其事雷公曰願聞官能奈何黃
帝曰明目者可使視色聰耳者可使聽音捷疾辭語者可使傳
論語徐而安靜手巧而心審諦者可使行針艾理血氣而調諸
逆順察陰陽而兼諸方緩節柔筋而心和調者可使導引行氣
疾毒言語輕人者可使唾癰呪病爪苦手毒爲事善傷者可使
按積抑痹各得其能方乃可行其名乃彰不得其人其功不成

其師無名故曰得其人乃言非其人勿傳此之謂也手毒者可使試按龜置龜於器下而按其上五十日而死矣手甘者復生如故也

出入之合一本作會把而行之而一本作行之把宜一本作宜

○論疾診尺第七十四

黃帝問于岐伯曰余欲無視色持脉獨調其尺以言其病從外知內為之柰何岐伯曰審其尺之緩急小大滑濇肉之堅脆而病形定矣視人之目窠上微癰如新臥起狀其頸脉動時欬按其手足上窅而不起者風水膚脹也尺膚滑其淖澤者風也尺肉弱者解㑊安臥脫肉者寒熱不治尺膚滑而澤脂者風也尺膚濇者風痺也尺膚麤如枯魚之鱗者水泆飲也尺膚熱甚脉盛躁者病溫也其脉盛而滑者病且出也尺膚寒其脉小者泄少氣尺膚炬然先熱後寒者寒熱也尺膚先寒久大之而熱者亦寒熱也肘所獨熱者腰以上熱手所獨熱者腰以下熱肘前

熱者膺前熱肘後獨熱者肩背熱臂中獨熱者腰腹熱肘後
麤以下三四寸熱者腸中有虫掌中熱者腹中熱掌中寒者腹
中寒魚上白肉有青血脈者胃中有寒尺炬然熱人迎大者當
奪血尺堅大脈小甚少氣悗有加立死目赤色者病在心白在
肺青在肝黃在脾黑在腎黃色不可名者病在胸中診目痛赤
脈從上下者太陽病從下上者陽明病從外走內者少陽病診
寒熱赤脈上下至瞳子見一脈一歲死見一脈半一歲半死見
二脈二歲死見二脈半二歲半死見三脈三歲死診齲齒痛按
其陽之來有過者獨熱在左左熱在右右熱在上上熱在下下
熱診血脈者多赤多熱多青多痛多黑為久痹多赤多黑多青
皆見者寒熱身痛而色微黃齒垢黃爪甲上黃黃疸也安臥小
便黃赤脈小而澀者不嗜食人病其寸口之脈與人迎之脈小
大等及其浮沉等者病難已也女子手少陰脈動甚者妊子嬰
兒病其頭毛皆逆上者必死耳間青脈起者掣痛大便赤瓣飧

泄脈小者手足寒難已飧泄脈小手足溫泄易已四時之變寒
暑之勝重陰必陽重陽必陰故陰主寒陽主熱故寒甚則熱熱
甚則寒故曰寒生熱熱生寒此陰陽之變也故曰冬傷於寒春
生癉熱春傷於風夏生後泄腸澼夏傷於暑秋生痎瘧秋傷於
濕冬生咳嗽是謂四時之序也

目窠科 窅音杳 炬然作[illegible]切 [illegible] 腸澼[illegible]切 [illegible]切

痎瘧上音皆[illegible]

○刺節真邪第七十五

黄帝問于岐伯曰余聞刺有五節奈何岐伯曰固有五節一曰
振埃二曰發矇三曰去爪四曰徹衣五曰解惑黄帝曰夫子言
五節余未知其意岐伯曰振埃者刺外經去陽病也發矇者刺府
輸去府病也去爪者刺關節肢絡也徹衣者盡刺諸陽之奇輸
也解惑者盡知調陰陽補瀉有餘不足相傾移也黄帝曰刺節
言振埃夫子乃言刺外經去陽病余不知其所謂也願卒聞之

岐伯曰振埃者陽氣大逆上滿於胸中憤瞋肩息大氣逆上喘
喝坐伏病惡埃煙餲不得息請言振埃尚疾於振埃黃帝曰善
取之何如岐伯曰取之天容黃帝曰其欬上氣窮詘胸痛者取
之柰何岐伯曰取之廉泉黃帝曰取之有數乎岐伯曰取天容
者無過一里取廉泉者血變而止帝曰善哉黃帝曰刺節言發
矇余不得其意夫發矇者耳無所聞目無所見夫子乃言刺府
輸去府病何輸使然願聞其故岐伯曰妙乎哉問也此刺之大
約鍼之極也神明之類也口說書卷猶不能及也請言發矇耳
尚疾於發矇也黃帝曰善願卒聞之岐伯曰刺此者必於日中
刺其聽宮中其眸子聲聞於耳此其輸也黃帝曰善何謂聲聞
於耳岐伯曰刺邪以手堅按其兩鼻竅而疾偃其聲必應於鍼
也黃帝曰善此所謂弗見爲之而無目視見而取之神明相得
者也黃帝曰刺節言去爪夫子乃言刺關節肢絡願卒聞之岐
伯曰腰脊者身之大關節也肢脛者人之管以趨翔也莖垂者

身中之機陰精之候津液之道也故飲食不節喜怒不時津液
內溢乃下留於睾血道不通日大不休俛仰不便趨翔不能此
病滎然有水不上不下鈹石所取形不可匿常不得蔽故命曰
去爪帝曰善黃帝曰刺節言徹衣夫子乃言盡刺諸陽之奇輸
未有常處也願卒聞之岐伯曰是陽氣有餘而陰氣不足陰氣
不足則內熱陽氣有餘則外熱內熱相搏熱於懷炭外畏綿帛
近不可近身又不可近席腠理閉塞則汗不出舌焦唇槁腊乾
嗌燥飲食不讓美惡黃帝曰善取之奈何岐伯曰或之於其天
府大杼三痏又刺中膂以去其熱補足手太陰以去其汗熱去
汗稀疾於徹衣黃帝曰善黃帝曰刺節言解惑夫子乃言盡知
調陰陽補瀉有餘不足相傾移也惑何以解之岐伯曰大風在
身血脈偏虛虛者不足實者有餘輕重不得傾側宛伏不知東
西不知南北乍上乍下乍反乍覆顛倒無常甚於迷惑黃帝曰
善取之奈何岐伯曰瀉其有餘補其不足陰陽平復用鍼若此

[illegible]解惑黃帝曰善請藏之靈蘭之室不敢妄出也黃帝曰余聞刺有五邪何謂五邪岐伯曰病有持癰者有容大者有狹小者有熱者有寒者是謂五邪黃帝曰刺五邪奈何岐伯曰凡刺五邪之方不過五章癉熱消滅腫聚散亡寒痺益溫小者益陽大者必去請道其方凡刺癰邪無迎隴易俗移性不得膿脆道更行去其鄉不安處所乃散亡諸陰陽過癰者取之其輸寫之凡刺大邪日以小泄奪其有餘乃益虛剽其通針其邪肌肉親視之毋有反其真刺諸陽分肉間凡刺小邪日以大補其不足乃無害視其所在迎之界遠近盡至其不得外侵而行之乃自費刺分肉間凡刺熱邪越而蒼出游不歸乃無病為開通辟門戶使邪得出病乃已凡刺寒邪日以溫徐往徐來致其神門戶已閉氣不分虛實得調其氣存也黃帝曰官針奈何岐伯曰刺癰者用鈹針刺大者用鋒針刺小者用員利針刺熱者用鑱針刺寒者用毫針也請言解論與天地相應與四時相副人參天

地故可為解下有漸洳上生葦蒲此所以知形氣之多少也陰陽者寒暑也熱則滋雨而在上根荄少汁人氣在外皮膚緩腠理開血氣減汁大泄皮淖澤寒則地凍水冰人氣在中皮膚緻腠理閉汗不出血氣強肉堅濇當是之時善行水者不能往冰善穿地者不能鑿凍善用針者亦不能取四厥血脈凝結堅搏不往來者亦未可即柔故行水者必待天溫冰釋凍解而水可行地可穿也人脈猶是也治厥者必先熨調和其經掌與腋肘與腳項與脊以調之火氣已通血脈乃行然後視其病脈淖澤者刺而平之堅緊者破而散之氣下乃止此所謂以解結者也用針之類在於調氣氣積於胃以通營衛各行其道宗氣留於海其下者注於氣街其上者走於息道故厥在於足宗氣不下脈中之血凝而留止弗之火調弗能取之用針者必先察其經絡之實虛切而循之按而彈之視其應動者乃後取之而下之六經調者謂之不病雖病謂之自已也一經上實下虛而不通

者此必有横絡盛加於大經令之不通視而寫之此所謂解結
也上寒下熱先刺其項太陽久留之已刺則熨項與肩胛令熱
下合乃止此所謂推而上之者也上熱下寒視其虛脉而陷之
於經絡者取之氣下乃止此所謂引而下之者也大熱偏身狂
而妄見妄聞妄言視足陽明及大絡取之虛者補之血而實者
寫之因其偃臥居其頭前以兩手四指挾按頸動脉久持之卷
而切推下至缺盆中而復止如前熱去乃止此所謂推而散之
者也黄帝曰有一脉生數十病者或痛或癰或熱或寒或痒或
痺或不仁變化無窮其故何也岐伯曰此皆邪氣之所生也黄
帝曰余聞氣者有真氣有正氣有邪氣何謂真氣岐伯曰真氣
者所受於天與穀氣并而充身也正氣者正風也從一方來非
實風又非虛風也邪氣者虛風之賊傷人也其中人也深不能
自去正風者其中人也淺合而自去其氣來柔弱不能勝真氣
故自去虛邪之中人也洒淅動形起毫毛而發腠理其入深內

搏於骨則爲骨痹搏於筋則爲筋攣搏於脉中則爲血閉不通則爲癰搏於肉與衛氣相搏陽勝者則爲熱陰勝者則爲寒寒則眞氣去去則虛虛則寒搏於皮膚之間其氣外發腠理開毫毛搖氣往來行則爲痒留而不去則痹衛氣不行則爲不仁虛邪徧容於身半其入深内居榮衛榮衛稍衰則眞氣去邪氣獨留發爲偏枯其邪氣淺者脉偏痛虛邪之入於身也深寒與熱相搏久留而内著寒勝其熱則骨疼肉枯熱勝其寒則爛肉腐肌爲膿内傷骨内傷骨爲骨蝕有所疾前筋筋屈不得伸邪氣居其間而不反發於筋溜有所結氣歸之衛氣留之不得反津液久留合而爲腸溜久者數歲乃成以手按之柔已有所結氣歸之津液留之邪氣中之凝結日以易甚連以聚居爲昔瘤以手按之堅有所結深中骨氣因於骨骨與氣并日以益大則爲骨疽有所結中於肉宗氣歸之邪留而不去有熱則化而爲膿無熱則爲肉疽凡此數氣者其發無常處而有常名也

餲音壹 腭出下各言 腊思亦 剽其四妙 衝如上音替下音如

衛氣行第七十六

黄帝問於岐伯曰願聞衛氣之行出入之合何如伯高曰歲有十二月日有十二辰子午為經卯酉為緯天周二十八宿而一面七星四七二十八星房昴為緯虛張為經是故房至畢為陽昴至心為陰陽主晝陰主夜故衛氣之行一日一夜五十周於身晝日行於陽二十五周夜行於陰二十五周周於五藏是故平旦陰盡陽氣出於目目張則氣上行於頭循項下足太陽循背下至小指之端其散者別於目銳眥下手太陽下至手小指之間外側其散者別於目銳眥下足少陽注小指次指之間以上循手少陽之分側下至小指之間別者以上至耳前合於頷脈注足陽明以下行至跗上入五指之間其散者從耳下下手陽明入大指之間入掌中其至於足也入足心出內踝下行陰分復合於目故為一周是故日行一舍人氣行一周與十分身

之八日行二舍人氣行二周於身與十分身之六日行三舍人氣行於身五周與十分身之四日行四舍人氣行於身七周與十分身之二日行五舍人氣行於身九周日行六舍人氣行於身十周與十分身之八日行七舍人氣行於身十二周在身與十分身之六日行十四舍人氣二十五周於身有奇分與十分身之四陽盡於陰陰受氣矣其始入於陰常從足少陰注於腎腎注於心心注於肺肺注于肝肝注於脾脾復注于腎為周是故夜行一舍人氣行於陰藏一周與十分藏之八亦如陽行之二十五周而復合於目陰陽一日一夜合有奇分十分身之四與十分藏之二是故人之所以臥起之時有早晏者奇分不盡故也黃帝曰衛氣之在於身也上下往來不以期候氣而刺之奈何伯高曰分有多少日有長短春秋冬夏各有分理然後常以平旦為紀以夜盡為始是故一日一夜水下百刻二十五刻者半日之度也常如是毋已日入而止隨日之長短各以為紀

而刺之謹候其時病可與期失時反候者百病不治故曰刺實
者刺其來也刺虛者刺其去也此言氣存亡之時以候虛實而刺
之是故謹候氣之所在而刺之是謂逢時在於三陽必候其
氣在於陽而刺之病在於三陰必候其氣在陰分而刺之水下
一刻人氣在太陽水下二刻人氣在少陽水下三刻人氣在陽
明水下四刻人氣在陰分水下五刻人氣在太陽水下六刻人
氣在少陽水下七刻人氣在陽明水下八刻人氣在陰分水下
九刻人氣在太陽水下十刻人氣在少陽水下十一刻人氣在
陽明水下十二刻人氣在陰分水下十三刻人氣在太陽水下
十四刻人氣在少陽水下十五刻人氣在陽明水下十六刻人
氣在陰分水下十七刻人氣在太陽水下十八刻人氣在少陽
水下十九刻人氣在陽明水下二十刻人氣在陰分水下二十
一刻人氣在太陽水下二十二刻人氣在少陽水下二十三刻
人氣在陽明水下二十四刻人氣在陰分水下二十五刻人氣

在太陽此半月之度也從房至畢一十四舍水下五十刻日行半度迴行一舍水下三刻與七分刻之四大要曰常以日之加於宿上也人氣在太陽是故日行一舍人氣行三陽行與陰分常如是無已天與地同紀紛紛盼盼終而復始一日一夜水下百刻而盡矣　盼盼 按大素音義 上普巴切

○九宮八風第七十七

合八風虛實邪正

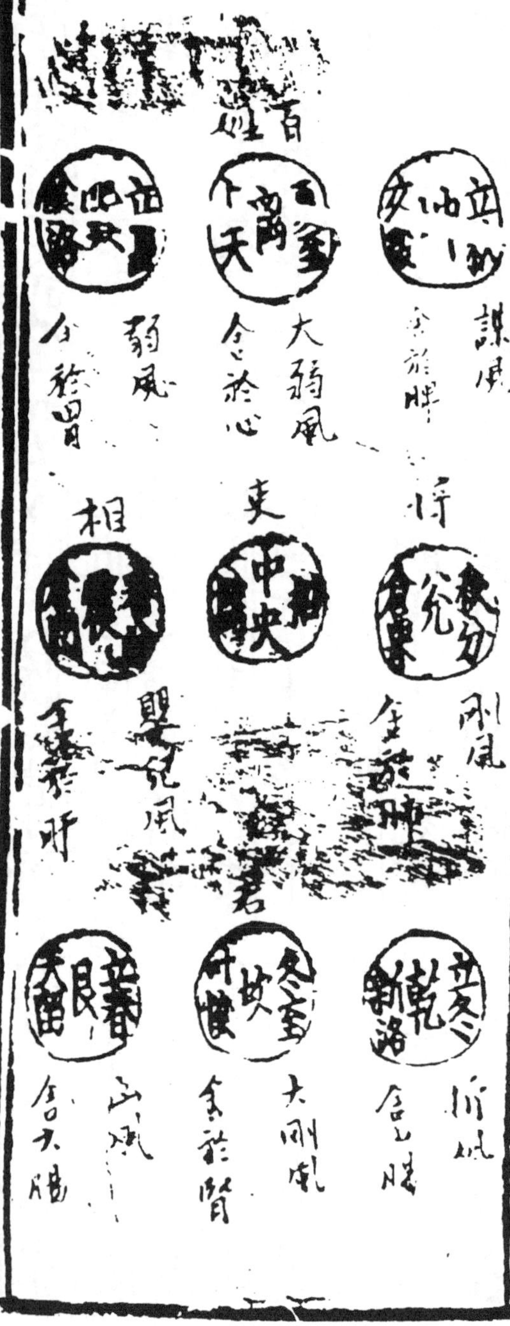

立秋二玄委西南方　秋分七倉果西方　立冬六新洛西北方

夏至九上天南方　招搖中央　冬至一叶蟄北方

立夏四陰洛東南方　春分三倉門東方　立春八天留東北方

太一常以冬至之日，居叶蟄之宫四十六日，明日居天留四十六日，明日居倉門四十六日，明日居陰洛四十五日，明日居天宫四十六日，明日居玄委四十六日，明日居倉果四十六日，明日居新洛四十五日，明日復居叶蟄之宫，曰冬至矣。太一日遊，以冬至之日居叶蟄之宫，數所在日，從一處至九日，復反於一，常如是無已，終而復始。太一移日，天必應之以風雨，以其日風雨則吉，歲美民安少病矣。先之則多雨，後之則多汗。太一在冬至之日有變，占在君；太一在春分之日有變，占在相；太一在中宫之日有變，占在吏；太一在秋分之日有變，占在將；太一在夏至之日有變，占在百姓。所謂有變者，太一居五宫之日，病風折樹木，揚沙石，各以其所主占貴賤，因視風所從來而占之。風從其所居之鄉來為實風主生長養萬物從其衝後來為虛風傷人者也主殺主害者謹候虛風而避之故聖人日避虛邪之道如避矢石然邪弗能害此之謂也是故太一入徙立於中宮乃朝八風以占吉凶也風從南方來名曰大弱風其傷人也內舍於心外在於脈氣主熱風從西南方來名曰謀風其傷人也內舍於脾外在於肌其氣主為弱風從西方來名曰剛風其傷人也內舍於肺外在於皮膚其氣主為燥風從西北方來名曰折風其傷人也內舍於小腸外在於手太陽脈脈絕則溢脈閉則結不通善暴死風從北方來名曰大剛風其傷人也內舍於腎外在於骨與肩背之膂筋其氣主為寒也風從東北方來名曰凶風其傷人也內舍於大腸外在於兩脇腋骨下及肢節風從東方來名曰嬰兒風其傷人也內舍於肝外在於筋紐其氣主為身濕風從東南方來名曰弱風其傷人也內舍於胃外在肌肉其氣主體重此八風皆從其虛之鄉來乃能病人三虛相搏

則爲暴病卒死兩實一虛病則爲淋露寒熱犯其雨濕之地則爲痿故聖人避風如避矢石焉其有三虛而偏中於邪風則爲擊仆偏枯矣

黃帝素問靈樞集註卷之十一

黄帝内經素問靈樞集註卷之十二

九針論第七十八

黄帝曰。余聞九針於夫子。衆多博大矣。余猶不能寤。敢問九針焉生。何因而有名。岐伯曰。九針者。天地之大數也。始於一而終於九。故曰一以法天。二以法地。三以法人。四以法時。五以法音。六以法律。七以法星。八以法風。九以法野。黄帝曰。以針應九之數柰何。岐伯曰。夫聖人之起天地之數也。一而九之。故以立九野。九而九之。九九八十一。以起黄鍾數焉。以針應數也。一者天也。天者陽也。五藏之應天者肺。肺者五藏六府之盖也。皮者肺之合也。人之陽也。故爲之治針。必以大其頭而銳其末。令無得深入而陽氣出。二者地也。人之所以應土者肉也。故爲之治鍼。必筩其身而員其末。令無得傷肉分。傷則氣得竭。三者人也。人之所以成生者血脉也。故爲之治針。必大其身而員其末。令可以按脈勿陷以致其氣令邪氣獨出四者時也時者四時八風之客於經絡之中為瘤病者也故為之治針必筩其身而鋒其末令可以瀉熱出血而痼病竭五者音也音者冬夏之分分於子午陰與陽別寒與熱爭兩氣相搏合為癰膿者也故為之治針必令其末如劍鋒可以取大膿六者律也律者調陰陽四時而合十二經脈虛邪客於經絡而為暴痺者也故為之治針必令尖如氂且員且銳中身微大以取暴氣七者星也星者人之七竅邪之所客於經而為痛痺舍於經絡者也故為之治針令尖如蚊虻喙靜以徐往微以久留正氣因之真邪俱往出針而養者也八者風也風者人之股肱八節也八正之虛風八風傷人內舍於骨解腰脊節腠理之間為深痺也故為之治針必長其身鋒其末可以取深邪遠痺九者野也野者人之節解皮膚之間也淫邪流溢於身如風水之狀而溜不能過於機關大節者也其為之治針令小大如挺其鋒微員以取大氣之不能過

於關節者也。黃帝曰：針之長短有数乎？岐伯曰：一曰鑱針者，取法於巾針，去末寸半，卒鋭之，長一寸六分，主熱在頭身也。二曰員針，取法於絮針，筩其身而卵其鋒，長一寸六分，主治分間氣。三曰鍉針，取法於黍粟之鋭，長三寸半，主按脉取氣，令邪出。四曰鋒針，取法於絮針，筩其身，鋒其末，長一寸六分，主癰熱出血。五曰鈹針，取法於劒鋒，廣二分半，長四寸，主大癰膿，兩熱爭者也。六曰員利針，取法於氂針，微大其末，反小其身，令可深内也，長一寸六分，主取癰痺者也。七曰毫針，取法於毫毛，長一寸六分，主寒熱痛痺在絡者也。八曰長針，取法於綦針，長七寸，主取深邪遠痺者也。九曰大針，取法於鋒針，其鋒微員，長四寸，主取大氣不出關節者也。針形畢矣，此九針大小長短法也。黃帝曰：願聞身形應九野奈何？岐伯曰：請言身形之應九野也。左足應立春，其日戊寅己丑。左脇應春分，其日乙卯。左手應立夏，其日戊辰己巳。膺喉首頭應夏至，其日丙午。右手應立秋，其日戊申己未右脇應秋分其日辛酉右足應立冬其日戊戌己亥腰尻下竅應冬至其日壬子六府膈下三藏應中州其大禁大禁太一所在之日及諸戊己凡此九者善候八正所在之處所主左右上下身體有癰腫者欲治之無以其所直之日潰治之是謂天忌日也形樂志苦病生於脉治之以灸刺形苦志樂病生於筋治之以熨引形樂志樂病生於肉治之以鍼石形苦志苦病生於咽喝治之以甘藥形數驚恐筋脉不通病生於不仁治之以按摩醪藥是謂形五藏氣心主噫肺主欬肝主語脾主吞腎主欠六府氣膽為怒胃為氣逆噦大腸小腸為泄膀胱不約為遺溺下焦溢為水五味酸入肝辛入肺苦入心甘入脾鹹入腎淡入胃是謂五味五并精氣并肝則憂并心則喜并肺則悲并腎則恐并脾則畏是謂五精之氣并於藏也五惡肝惡風心惡熱肺惡寒腎惡燥脾惡濕此五藏氣所惡也五液心主汗肝主泣肺主涕腎主唾脾主涎此五液所出也五勞久視傷血久卧

傷氣久坐傷肉久立傷骨久行傷筋此五久勞所病也五走酸
走筋辛走氣苦走血鹹走骨甘走肉是謂五走也五裁病在筋
無食酸病在氣無食辛病在骨無食鹹病在血無食苦病在肉
無食甘口嗜而欲食之不可多也必自裁也命曰五裁五發陰
病發於骨陽病發於血以味發於氣陽病發於冬陰病發於夏
五邪邪入於陽則為狂邪入於陰則為血痺邪入於陽轉則為
癲疾邪入於陰轉則為瘖陽入之於陰病靜陰出之於陽病喜
怒五藏心藏神肺藏魄肝藏魂脾藏意腎藏精志也五主心主
脈肺主皮肝主筋脾主肌腎主骨陽明多血多氣太陽多血少
氣少陽多氣少血太陰多血少氣厥陰多血少氣少陰多氣少
血故曰刺陽明出血氣刺太陽出血惡氣刺少陽出氣惡血刺
太陰出血惡氣刺厥陰出血惡氣刺少陰出氣惡血也足陽明
太陰為表裏少陽厥陰為表裏太陽少陰為表裏是謂足之陰
陽也手陽明太陰為表裏少陽心主為表裏太陽少陰為表裏

是謂手之陰陽也

篇音同 鍉針音低 巾針一本作布針 五走五歲 五裁一本作五禁

○歲露論第七十九

黃帝問於岐伯曰：經言夏日傷暑，秋病瘧。瘧之發以時，其故何也？岐伯對曰：邪客於風府，病循膂而下，衛氣一日一夜常大會於風府，其明日日下一節，故其日作晏。此其先客於脊背也。故每至於風府則腠理開，腠理開則邪氣入，邪氣入則病作，此所以日作尚晏也。衛氣之行風府，日下一節，二十一日下至尾底，二十二日入脊内，注於伏衝之脉，其行九日，出於缺盆之中，其氣上行，故其病稍益至。其内搏於五藏，横連募原，其道遠，其氣深，其行遲，不能日作，故次日乃稸積而作焉。黃帝曰：衛氣每至於風府，腠理乃發，發則邪入焉。其衛氣日下一節，則不當風府，柰何？岐伯曰：風府無常，衛氣之所應，必開其腠理，氣之所舍節，則其府也。黃帝曰：善。夫風之與瘧也，相與同類，而風常在，而瘧特以時休何也岐伯曰風氣留其處瘧氣隨經絡沉以內搏故衛氣應乃作也帝曰善黃帝問於少師曰余聞四時八風之中人也故有寒暑寒則皮膚急而腠理閉暑則皮膚緩而腠理開賊風邪氣因得以入乎將必須八正虛邪乃能傷人乎少師荅曰不然賊風邪氣之中人也不得以時然必因其開也其入深其內極病其病人也卒暴因其閉也其入淺以留其病也徐以遲黃帝曰有寒溫和適腠理不開然有卒病者其故何也少師荅曰帝弗知邪入乎雖平居其腠理開閉緩急其故常有時也黃帝曰可得聞乎少師曰人與天地相參也與日月相應也故月滿則海水西盛人血氣積肌肉充皮膚緻毛髮堅腠理郄煙垢著當是之時雖遇賊風其入淺不深至其月郭空則海水東盛人氣血虛其衛氣去形獨居肌肉減皮膚縱腠理開毛髮殘膲理薄煙垢落當是之時遇賊風則其入深其病人也卒暴黃帝曰其有卒然暴死暴病者何也少師荅曰三虛者其死暴疾

也得三實者邪不能傷人也黃帝曰願聞三虛少師曰乘年之衰逢月之空失時之和因為賊風所傷是謂三虛故論不知三虛工反為粗帝曰願聞三實少師曰逢年之盛遇月之滿得時之和雖有賊風邪氣不能危之也黃帝曰善乎哉論明乎哉道請藏之金匱命曰三實然此一夫之論也黃帝曰願聞歲之所以皆同病者何因而然少師曰此八正之候也黃帝曰候之柰何少師曰候此者常以冬至之日太一立於叶蟄之宮其至也天必應之以風雨者矣風雨從南方來者為虛風賊傷人者也其以夜半至也萬民皆卧而弗犯也故其歲民小病其以晝至者萬民懈惰而皆中於虛風故萬民多病虛邪入客於骨而不發於外至其立春陽氣大發腠理開因立春之日風從西方來萬民又皆中於虛風此兩邪相搏經氣結代者矣故諸逢其風而遇其雨者命曰遇歲露焉因歲之和而少賊風者民少病而少死歲多賊風邪氣寒溫不和則民多病而死矣黃帝曰虛邪

之風其所傷貴賤何如候之柰何少師荅曰正月朔日太一居
天留之宮其日西北風不雨人多死矣正月朔日平旦北風春
民多死正月朔日平旦北風行民病多者十有三也正月朔日
日中北風夏民多死正月朔日夕時北風秋民多死終日北風
大病死者十有六正月朔日風從南方來命曰旱鄉從西方來
命曰白骨將國有殃人多死亡正月朔日風從東方來發屋揚
沙石國有大災也正月朔日風從東南方行春有死亡正月朔
天利溫不風糴賤民不病天寒而風糴貴民多病此所謂候歲
之風䘘傷人者也二月丑不風民多心腹病三月戌不溫民多
寒熱四月巳不暑民多癉病十月申不寒民多暴死諸所謂風
者皆發屋折樹木揚沙石起毫毛發腠理者也

野王郄屺斷

○大惑論第八十

黃帝問於岐伯曰余嘗上於清冷之臺中階而顧匍匐而前則

惑余私異之竊內怪之獨瞑獨視安心定氣久而不解獨博獨眩披髮長跪俛而視之後久之不已也卒然自上何氣使然岐伯對曰五藏六府之精氣皆上注於目而為之精精之窠為眼骨之精為瞳子筋之精為黑眼血之精為絡其窠氣之精為白眼肌肉之精為約束裹擷筋骨血氣之精而與脈并為系上屬於腦後出於項中故邪中於項因逢其身之虛其入深則隨眼系以入於腦入於腦則腦轉腦轉則引目系急目系急則目眩以轉矣邪其精其精所中不相比也則精散精散則視岐視岐見兩物目者五藏六府之精也營衛魂魄之所常營也神氣之所生也故神勞則魂魄散志意亂是故瞳子黑眼法於陰白眼赤脈法於陽也故陰陽合傳而精明也目者心使也心者神之舍也故神精亂而不轉卒然見非常處精神魂魄散不相得故曰惑也黃帝曰余疑其然余每之東苑未曾不惑去之則復余唯獨為東苑勞神乎何其異也岐伯曰不然也心有所喜神有

所惑卒然相感則精氣亂視誤故惑神移乃復是故間者為迷甚者為惑黃帝曰人之善忘者何氣使然岐伯曰上氣不足下氣有餘腸胃實而心肺虛虛則營衛留於下久之不以時上故善忘也黃帝曰人之善飢而不嗜食者何氣使然岐伯曰精氣并於脾熱氣留於胃胃熱則消穀穀消故善飢胃氣逆上則胃脘寒故不嗜食也黃帝曰病而不得臥者何氣使然岐伯曰衛氣不得入於陰常留於陽留於陽則陽氣滿陽氣滿則陽蹻盛不得入於陰則陰氣虛故目不瞑矣黃帝曰病目而不得視者何氣使然岐伯曰衛氣留於陰不得行於陽留於陰則陰氣盛陰氣盛則陰蹻滿不得入於陽則陽氣虛故目閉也黃帝曰人之多臥者何氣使然岐伯曰此人腸胃大而皮膚濕而分肉不解焉腸胃大則衛氣留久皮膚濕則分肉不解其行遲夫衛氣者晝日常行於陽夜行於陰故陽氣盡則臥陰氣盡則寤故腸胃大則衛氣行留久皮膚濕分肉不解則行遲留於陰也久其

氣不精則欲瞑故多卧矣其腸胃小皮膚滑以緩分肉解利衛
氣之留於陽也久故少瞑焉黃帝曰其非常經也卒然多卧者
何氣使然岐伯曰邪氣留於上焦上焦閉而不通已食若飲湯
衛氣留久於陰而不行故卒然多卧焉黃帝曰善治此諸邪奈
何岐伯曰先其藏府誅其小過後調其氣盛者寫之虚者補之
必先明知其形志之苦樂定乃取之　裏擷奚結切神分切文

癰疽第八十一

黃帝曰余聞腸胃受穀上焦出氣以温分肉而養骨節通腠理
中焦出氣如露上注谿谷而滲孫脉津液和調變化而赤爲血
血和則孫脉先滿溢乃注於絡脉皆盈乃注於經脉陰陽已張
因息乃行行有經紀周有道理與天合同不得休止切而調之
從虚去實寫則不足疾則氣減留則先後從實去虚補則有餘
血氣已調形氣乃持余已知血氣之平與不平未知癰疽之所
從生成敗之時死生之期有遠近何以度之可得聞乎岐伯曰

經脈留行不止，與天同度，與地合紀。故天宿失度，日月薄蝕；地經失紀，水道流溢，草萓不成，五穀不殖，徑路不通，民不往來，巷聚邑居，則別離異處。血氣猶然，請言其故。夫血脈營衛，周流不休，上應星宿，下應經數。寒邪客於經絡之中則血泣，血泣則不通，不通則衛氣歸之，不得復反，故癰腫。寒氣化為熱，熱勝則腐肉，肉腐則為膿，膿不寫則爛筋，筋爛則傷骨，骨傷則髓消，不當骨空，不得泄寫，血枯空虛，則筋骨肌肉不相榮，經脈敗漏，熏於五藏，藏傷故死矣。黃帝曰：願盡聞癰疽之形，與忌日名。岐伯曰：癰發於嗌中，名曰猛疽，猛疽不治，化為膿，膿不寫，塞咽，半日死。其化為膿者，寫則合豕膏，冷食，三日而已。發於頸，名曰夭疽，其癰大以赤黑，不急治，則熱氣下入淵腋，前傷任脈，內熏肝肺，熏肝肺十餘日而死矣。陽留大發，消腦留項，名曰腦爍，其色不樂，項痛而如刺以針，煩心者死不可治。發於肩及臑，名曰疵癰，其狀赤黑，急治之，此令人汗出至足，不害五藏，癰發四五日逞焫

之發於腋下赤堅者名曰米疽治之以砭石欲細而長踈砭之
塗已豕膏六日已勿裹之其癰堅而不潰者為馬刀挾癭急治
之發於胸名曰井疽其狀如大豆三四日起不早治下入腹不
治七日死矣發於膺名曰甘疽色青其狀如穀實菰𤬪常苦寒
熱急治之去其寒熱十歲死死後出膿發於脇名曰敗疵敗疵
者女子之病也灸之其病大癰膿治之其中乃有生肉大如赤
小豆剉陵翹草根各一升以水一斗六升煮之竭為取三升則
強飲厚衣坐於釜上令汗出至足已發於股脛名曰股脛疽其
狀不甚變而癰膿搏骨不急治三十日死矣發於尻名曰銳疽
其狀赤堅大急治之不治三十日死矣發於股陰名曰赤施不
急治六十日死在兩股之內不治十日而當死發於膝名曰疵
癰其狀大癰色不變寒熱如堅石勿石石之者死須其柔乃石
之者生諸癰疽之發於節而相應者不可治也發於陽者百日
死發於陰者三十日死發於脛名曰兔齧其狀赤至骨急治之

不治害人也。發於內踝，名曰走緩。其狀癰也，色不變，數石其輸，而止其寒熱，不死。發於足上下，名曰四淫。其狀大癰，急治之，百日死。發於足傍，名曰厲癰。其狀不大，初如小指，發急治之，去其黑者，不消輒益，不治，百日死。發於足指，名脫癰。其狀赤黑，死不治；不赤黑，不死。不衰，急斬之，不則死矣。黃帝曰：夫子言癰疽，何以別之？岐伯曰：營衛稽留於經脈之中，則血泣而不行，不行則衛氣從之而不通，壅遏而不得行，故熱。大熱不止，熱勝則肉腐，肉腐則為膿。然不能陷，骨髓不為焦枯，五藏不為傷，故命曰癰。黃帝曰：何謂疽？岐伯曰：熱氣淳盛，下陷肌膚，筋髓枯，內連五藏，血氣竭，當其癰下，筋骨良肉皆無餘，故命曰疽。疽者，上之皮夭以堅，上如牛領之皮。癰者，其皮上薄以澤。此其候也。

草菅[illegible] 血泣音澀 [illegible]數古括切 [illegible]又音[illegible]

不則上[illegible]夭音[illegible]色 [illegible]九切 夭不明也

黄帝内經素問靈樞集註卷之十一